Hope in Hopeless Times
by John Holloway

希望なき時代の希望

ジョン・ホロウェイ
大窪一志・四茂野修訳

同時代社

貯水池は溜め　泉は溢れる
ウィリアム・ブレイク「地獄の箴言」

貨幣は溜まり　豊かさは溢れ出る

凡例

一　本書は、John Holloway, *Hope in Hopeless Times*, Pluto Press, 2022. の全訳です。

一　著者による注釈は、当該箇所に各章ごとに（1）、（2）…と番号を振り、注釈文は巻末に「原注」としてまとめました。訳者による注釈は、本文中に［　］内に小さな字で記しました。巻末の原注の中の［　］内の記述も訳者による注釈です。本文・原注の中の（　）内の記述は著者によるものです。

一　引用文の出典は、原著のままに、著者名・発行年・引用文の頁を示す略号で示してあります。たとえば、（Eagleton, 2015, 107）とあれば、巻末の「参考文献」の Eagleton の項目を見て、二〇一五年発行のものを探せば、*Hope without Optimism*（日本語訳『希望とは何か：オプティミズムぬきで語る』）の一〇七頁だということがわかります。

一　本文中で太字で印刷されている文や語句は、原文にイタリック体で書かれて強調されていた部分です。

目次

PART Ⅵ　希望を考え、危機を考える　215

PART Ⅶ　先送りされた危機　259

序　列車を止めよう

列車が夜に向かって突進しています。どんどん速く、さらに速く。どこへ行くのだろうか？　私たちをどこに連れて行くのだろうか？　強制収容所へか？　核戦争へか？　パンデミックの継続へか？　私たちにはわからない。

けれど、今コロナウィルス流行とコロナ危機のさなか、客車の最後尾のスクリーンには、こんなメッセージが見えます。「絶滅行き」。文字はまだ微かに瞬いているだけですが、前よりははっきりしてきています。「絶滅行き」。地球温暖化、生物多様性の破壊、水不足、パンデミックの広がり、国家間の緊張の高まりが増大させている核戦争の危機、かつてないほどの胸の悪くなるような不平等の拡大、至るところに頭をもたげる民族差別とナショナリズム。

列車を止めろ、列車を止めろ、列車を止めろ！

けれど、列車を運転しているのは私たちではありません。私たちが制御しているのではありません。運転に責任を持っている人たちはいますが、彼らの背後にはその人たちが抵抗できない暗黒の力が働いているのです。その列車は貨幣、お金《かね》で動かされているのです。そして、貨幣は自動的な拡大に向かって、利潤に向かって、不可抗力によって駆り立てられているのです。

緊急ブレーキをかけろ!

暗い時代です。希望を懐くなんて、ばかげたことになってきています。いや、もっと悪い。希望なんて悪趣味なもの、センスを欠いたものだということになってきています。けれど、前世紀、二〇世紀には、多くの人たちが希望に燃えて生き、希望に燃えて死んでいったのです。今でも深い渇望があります。希望を求め、出口を求め、別の世界を求める渇望が。

この本は、私自身と同じように、今からでも死の列車を止めることができると愚かにも考えている人たち、今からでも人間の尊厳をおたがいに認めあったうえに立つ世界を創ることができると考えている人たちに捧げられています。

力づくで列車を止めよう!

PART I

怒り–希望–豊かさ

1　今日、そしてどんな日にも

今朝の新聞を開いてみてください。どんな朝でもかまいません、あなたならこれを読んだ日に、私ならこの段落を書いた日の朝に。二〇一七年七月二五日のことです。私は一つの記事を読みました。ウォルマートの駐車場で、八〇人ほどの仲間の移民と一緒にトレーラーの中に積み上げられたまま放置され、窒息死してしまった一〇人の移民についての記事を。テキサス州サンアントニオでの出来事です。

私は、運転手や人身売買の張本人だけでなく、彼らを巻き込んだ一連の状況に対して、慄きと怒りを感じています。このような酷い状況に陥らせた、すべての状況に対してです。彼らがこのような酷い状況に追い込まれたのは、貧困が原因です。何世紀にもわたって生活の糧となってきた小規模農業がもはや成り立たなくなったために、移住を余儀なくされたことによるものです。愛する人たちから何千キロも離れた場所で労働力を売ることによってしか生きられないという事実。すべての国家は「外国人」という名で呼ばれる人々に対する差別の上に成り立っているという事実。この悲劇の生存者は強制送還されることになります。貨幣の支配、貪欲な利益の追求。そうしたものに引きつけられていくと、人身売買を他の商品の売買と同じように扱うようになるのです。などなど、同じようなことが、何度も何度も繰り返されています。

どの日の新聞を開いても、あなたは恐ろしい出来事を、いや、ただ恐ろしいだけではなく、恐ろしいシステムの一部としてのみ理解できるような恐ろしい出来事が書かれているのを読むことになります。そのわずか二日後、メキシコのベラクルスにある駐車場に停められていたトレーラーから一七〇人の移民が解放されました。このときは死者は出ませんでしたが、全員が脱水症状に陥っていました。そして、ちょうど二年後の二〇一九年一〇月二三日、イングランドでさらに酷い事件が発生しました。エセックスで貨物自動車の荷台から三九人の移民の死体が発見されたのです。そして、二〇二一年一二月にチアパス州でトレーラーが横転し、五五人が死亡しました。地中海では今年だけで何千人の移民が溺死したことでしょうか？　英仏海峡では？　そして、アリゾナの砂漠では、どれほどの人たちが暑さと渇きで死んだことでしょうか？　多くの「孤立した」ケースがあります。根本的に間違っているシステムが多くの症状を呈しているのです。それらはみな、貨幣の支配に基づく社会システムが現している症状なのです。お金を所有しているか、所有していないかが、生きるか死ぬかを決定しているのです。

私たちはそうしたことを受け入れることができません。それは真実であるはずがありません。世界はそのようなものであってはならないのです。これは間違った世界、真実ではない世界です。私たちの怒りは、その怒りそのものを通じて、すでに私たちを希望の文法へと導いてくれようとしています。

しかし、そのような希望は空虚で、意味のないものなのでしょうか？ 私たちは本当に、別の世界を、貨幣に支配されない世界を創ることができるのでしょうか？ それとも、もう手遅れなのでしょうか？ それは希望への問いかけであり、希望を求める苦悩でもあります。私たちは遅すぎたのでしょうか？ もし貨幣の支配によらない社会を創るチャンスがこれまでどこかにあったのだとしたなら、私たちは、そのチャンスを逸してしまったのでしょうか？

怒りに駆られた希望、希望に吹き込まれた怒り。希望-怒り、怒り-希望。しかし危険なのは、この二つが分離してしまうことなのです。希望と怒りが切り離されてしまうと、希望は「ああ、いいなあ」とか、「目を閉じれば、すべてうまくいく」とかいう薄められたものになってしまったり、あるいは、テキサスの移民たちのように、ただ窒息死してしまうことにもなりかねません。私たちはそれを受け入れることができません。しかし、恐ろしいことに、実際には私たちは受け入れてしまうのです。私たちは窒息死した移民の記事を読んでも、肩をすくめるだけで、次の記事に移っていくのです。私たちは、信号待ちをしている人たちに物乞いしている人や路上に横たわっている人を見て、見て見ぬふりをします。そうすると、私たちの怒りは、道徳に反しているという嫌な気持ち、罪悪感のような不安な気持ちに代わっていってしまいます。私たちはそうした罪悪感を和らげるために、慈善事業に寄付したりするかもしれません。しかし、それもまた、眼前に突きつけられている問題（例えばホームレス問題）にではなく、今日の社会のその他のさまざまな恐ろしい側面の原因になっているシステムの力に、目をつぶっていることになってしまいます。希望は、「それはわかっているんだけど、どうしたらいいんだろうかね」と言って、心配そうに肩をすくめるだけのことになってしまいます。

あるいはまた、別の事態が生じるかもしれません。ホームレスが道に寝ているのを見たとき生じた嫌な感じは、この嫌な感じの罪悪感を引き起こしたホームレスに対する怒りに変わりやすいのです。よくもまあ、こんなことを！　何かが間違っているという私たちの感覚は、その間違っていることの表れである人々に対して向けられるのです。ホームレスを閉じ込めて、通りをきれいにしろ。移民を締め出して、自分の国に帰せ。いつも文句ばっかり言い、要求ばっかりしている女どもを黙らせろ。今、世界中に蔓延している痛み-怒り-不満の複合は、このような方向に流れていっているように思われます。人種差別、性差別、ナショナリズム、恐怖の方向へと。これまで以上に、私たちには希望が必要なのです。根本的に新しい社会を創ろうとする希望、世界の痛みを創造的な方向にもっていけるような希望、怒りから生まれ、その怒りに意味を与えられるような希望、扉を開き、窓を開くことができるような希望、そんな希望が必要なのです。

2 再出発しよう　恐怖からではなく希望から始めよう　貯め込むことからではなく溢れ出させることから始めよう(1)

世界の痛みを創造的な方向にもっていけるような希望、それが私たちのテーマです。私たちを絶滅へと急がせる列車でもなく、私たちを炎天下で窒息死させるトレーラーでもなく。もう一度、本を書き始めよう。恐怖からではなく、希望から始めよう。恐怖は私たちを内に閉じ込め、希望は私たちを外へ押し出してくれるのです。

絶望的な時代からではなく、希望から出発しよう。ラウル・ヴァネイジェムのように。『私の子供たちと来るべき世界の子供たちへの手紙』という美しいタイトルの本の中で、ラウル・ヴァネイジェムは、こう述べています。

あなたたちは、歴史の重要な瞬間に生まれたという特権を持っている。すべてが変革され、二度と同じものが生まれない時代がやって来たのだ。……一つの文明が崩壊し、別の文明が生まれつつある。廃墟と化した地球を受け継ぐという不幸せは、歴史上かつてなかったような社会が徐々に姿を現すのを目撃することができるという、この上のない幸せによって償われる。何千世代にもわたって狂おしい希望の形をとって懐かれてきた、いつの日か貧困、野蛮、恐怖から解放された生活を送ることができるという夢、その夢見られてきた新しい社会が、少しずつ霧の中から姿を現してきているのだ（Vaneigem 2012/2018, 6）。

抵抗と叛逆のダンスから出発しよう。二〇二〇年末に発表された一連の特別コミュニケの中で、サパティスタ［メキシコのチアパス州でサパティスタ民族解放軍を中心に進められている先住民自治運動］は、地球上のすべての大陸を訪問する計画を発表しています。そして、世界の悲惨な現状を説き明かし、こう続けています。「そして、私たちは決断しました。私たちの心が再び踊りだすときが来たのです。その音楽もステップも、嘆きや諦めのものであってはならないのです」（EZLN, 2020）。

尊厳から出発しよう。ここにおいてもまた、サパティスタはいつに変わらず刺激的です。彼らは最初のコミュニケの一つでこう述べています。

その苦しみが私たちをたがいに結びつけ、私たちは言葉を発するようになったのです。そして、私たちの言葉の中に真実があることを知ったのです。私たちには痛みや苦しみという言葉だけしかないのではなく、私たちの心の中にはまだ希望があるということを知ったのです。私たちは自分自身と対話し、自分自身の内面を見つめ、歴史を見つめました。そこに、私たちの最古の父祖たちが苦しみ、闘っている姿を見たのです。祖父たちが闘っている姿、父たちが怒りに燃えている姿を見たのです。私たちは、すべてが奪われたわけではないことを知りました。最も貴重なもの、私たちを生かしてくれるもの、私たちの歩みを植物や動物以上に発展させてくれるもの、石を私たちの足の下に踏みつけられるようにしてくれるもの、そうしたものを私たちは持っていたのです。そして、兄弟たちよ、私たち誰もが持っているのが尊厳であり、それを忘れてしまうことが大きな恥であることを知ったのです。そして、尊厳は人間が再び人間になるために役立つものであることを知りました。尊厳は私たちの心の中に生き返り、私たちは生まれ変わったのです。そして死者は、われわれの父祖たちは、私たちが生まれ変わったのを見て、尊厳と闘いに再び起ち上がるように呼びかけてきたのです。(EZLN 1994, 122)[2]

豊かさから出発しよう。私たちを囲い込んでいるものからではなく、その囲いを破ることができる力、つまり私たちの豊かさから出発するのです。マルクスの『経済学批判要綱』には、この本の中にごろごろしているような一節があります。そこでマルクスは、富、あるいは豊かさとは何なのかを語っています。

限定されたブルジョア的な形式を取り払ってとらえるならば、富とは、人間の欲求、能力、快楽、生産力など、普遍的な交換を通じて生み出される人間の普遍性以外の何ものでもないのである。[3] それは、それまでの歴史的な発展以外には何の前提も持たずに、人間の創造的な潜在能力が無制約に発揮されることなのである。それは発展の全体性、すなわち人間のあらゆる力の発展それ自体が目的であって、あらかじめ決められた物差しで測られるものではないのではないか？　何らかの特殊性において自己を実現するのではなくて、自らの全体性を実現しようとするものなのではないのか？　自分が成った何者かにとどまるのではなく、何ものにも制約されない生成の運動のなかで力を尽くそうとするものではないのか？（Marx 1857/1973, 488）[4]

私たちの豊かさから、私たちの創造的な潜在能力の何ものにも制約されない発揮から、私たち自身の何ものにも制約されない生成の運動から出発しよう。**彼ら**からではなく、**私たち**から出発するのです。私たちは私たちからしか始められないのです。三人称で始めるということ、あの恐ろしい、殺人的な三人称で始めるということは、私たちを押し下げることになります。自分自身から出発するのです。私たちがいるところから、私たちが行くところから、私たちを囲い込もうとするものに対して私たちが溢れ出すところから出発するのです。私たちの豊かさが溢れ出すところから出発しようではありませんか。

何を始めるのかですって？　この本は、恐怖や囲い込むものからではなく、希望と溢れ出るものから始めるのです。この本を、あるいは、あなたの論文、エッセイ、講演、思考、デザイン、ガーデニング、建築、歌、ダンスを、恐れや囲い込むものからではなく、豊かさから始めましょう。今こそ、私たちの心が踊る時なのです。今こそ、溢れ出るような詩を書く時なのです。

3　より良い方法として、対立から、闘争から始めよう

私たちの豊かさ、私たちの生成の何ものにも制約されない運動はどこに存在しているのでしょうか？　それは叫びです。豊かさは囚われているのです。そして、自らが囚われていることに抵抗して叫んでいるのです。囚われの身でありながら、しかし、その囚われの枠から溢れ出ている。それは、対抗する豊かさ、逆らいながら乗り越えていく豊かさなのです。

さて、しかし、純粋な豊かさから始めるのではありません。なぜなら、純粋な豊かさというものは存在していないからです。対立の中にある豊かさ、拮抗の中にある豊かさ、豊かさとそれを貧しくする世界との間の対立、豊かさと貨幣との間の拮抗から出発するのです。希望と、それを窒息させようとする絶望的な時代との間の対立。尊厳と、それを貶める世界との間の対立。生成と、それを限定し、囲い込もうとするアイデンティティとの間の対立。生命と、それを破壊する資本、私たちがそれを受け容れるなら生命を破壊してしまう資本との間の対立。そこから出発するのです。

支配からではなく、そうした支配に対する拒否・抵抗・反抗から出発しよう。資本主義がいかに

酷いものであるか、しかし、**いつか**革命が起こるのだと自分自身に言い聞かせる、かつて偉大だった左翼の伝統を打ち破ろう。今や、その「いつか」がどんどん遠ざかり、やがて文から完全に抜け落ちてしまっているのです。そして、資本主義がいかに酷いものであるかということだけが残されていることになるのです。**資本主義は酷いものだ**ということだけを繰り返していると、私たちはそこに自分自身を閉じ込めてしまい、希望は恐怖に変わっていってしまうのです。

恐怖の惨めさではなく、闘争の喜びから始めよう。怒りを喜びの中で何度も何度も爆発させるのです。惨めな時代の怒りは、世界を暗い色に染めてしまいます。しかし、この喜びの中での怒りの爆発は、世界を明るい色に照らし出すのです。一九六八年は全世代のヴィジョンを変え、以後、さまざまな叛乱の波が世界を洗いました。二〇〇一年、二〇〇二年のアルゼンチン。二〇〇六年のオアハカ。二〇〇八年一二月のギリシア。二〇一一年の世界各地での「オキュパイ」「アラブの春」「インディグナドス」の波。アルゼンチン、チリ、メキシコの女性運動。そして、パンデミックの発生で世界が閉ざされる直前のM８［二〇二〇年三月八日（March 8）の国際女性デーに行なわれた国際女性ストライキ］。フランスの黄色いベスト運動［二〇一八年フランスで、燃料税引き上げ反対をきっかけに起こった継続的な抗議行動］。一九九四年以来次々と波を繰り返しているチアパスのサパティスタ。二〇一九年を飾った香港とチリの創造的な闘争。深いところで続けられているクルドの闘い。私たちは、自分自身の経験を通じて、さまざまな場所や日付を思い浮かべることができます。怒りの爆発は、しばしば喜びの爆発となり、感情の激しさは、人々の人生に深い足跡を残します。理解のしかたが変わり、認識のしかたが変わります。私たちは、社会変化をただ受け入れているにすぎないのではなく、破滅へと進む列車の単なる乗客でもない、ということに気づくのです。破裂。可能性の限界を破る氾濫、心の中の障壁を破る氾濫。それを通じて、今まで考えられなかったようなことを考えることができるようになります。

それは、「そんなことはありえない、そんなことを受け入れることはできない」という怒りであり、それが希望の文法を開いてくれるのです。そのとき激怒と喜びの爆発は、私たちをさらに前進させてくれます。現在の障壁を崩し、世界は違うものに、根本的に違うものになりうるという確信を与えてくれるのです。

そして、叛逆の大波だけでなく、拒否や他者への行為の積み重ねが、可能性の境界を広げ、異なる生き方、おたがいの異なる関わり方のための基盤を、いま・ここに創り出すのです。支配の組織構造に亀裂を入れること、そのことと「いや、ここでは貨幣のルールに従わない、ここでは私たちが必要だと考え、望ましいと考えることをしよう」と言える空間・瞬間・活動領域を増殖させることとを相乗させるのです。この二〇年か三〇年の間に、よく「オートノミズム」「イタリアの工場自主管理運動に始まる自主・自律の社会運動」と呼ばれる新しい政治が爆発的に広まりました。この政治は、世界を変える方法は、いま・ここに、異質な空間、つまり、自分たちの活動が利益や金銭ではなく、集団的な決定によって推進される空間を創り出すことにあるという考えに基づいています。このような自律的な空間を、その開放性、可動性、そして周囲を取り巻く資本主義に対する対抗を強調するために、私は「亀裂」と呼びたいのですが、大きなもの（サパティスタやロジャヴァ［シリア北部から北東部にかけて広がる事実上のクルド人自治行政区］）、中規模のもの（人々が団結して麻薬と国家の両方を追い出したメキシコのチェランの町［先住民プレペチャが違法伐採業者や麻薬組織との武装闘争を通じて事実上の自治区を成立させた町］のようなところ）、あるいは小さなもの（例えば、コミュニティガーデン）などいろいろありえます。彼らは常に矛盾を抱えながら、周囲のシステムの論理に逆らって生き延びようとします。そして、時には、長期にわたって繁栄し、人々を鼓舞することもあれば、崩壊して閉鎖される場合も、妥協点を見出して本来の目的から徐々に離れていく場合もあります。閉じられてしまうものがあれば、新たに開かれるものもあります。ここ数年、さまざまな困難が明らかになりました。しかし、私は、このような亀裂を認識し、創造し、拡大し、増殖し、合流させること以外に、現在の社会から脱却する方法はないと思っています。(1)

4 苦悩から、ヤヌスから始めよう まだ足りない！ から始めよう 私たちが倒さなければならないヒドラから始めよう

希望から始めると言っても、苦悩に満ちた希望から、ますますつのってくる苦悩に満ちた希望から始めるのです。客車の最後尾には本当に「絶滅行き」という標識があり、私たちはそれをかつてないほどはっきりと見ることができます。私たちは、希望から出発しようと言っていますが、しかし、恐怖の色を帯びた希望だけが、意味のある希望なのです。

今日、希望を考えるとは、絶望を考えることなのです。最後にはすべてがうまくいくという単純な確信は持てないのです。核戦争であれ、人類の生存に必要な自然条件の破壊であれ、人類の完全な自滅という問題は明確な形で議論の俎上に上がっています。[1] コロナウィルスによるパンデミックによって、このことはかつてないほど明白になってきました。たとえ今、利益追求のための環境破壊を食い止めることができたとしても、人類の生存に必要な条件を確保するには、すでに手遅れなのかもしれないのです。それだけではありません。今日、世界で起こっている多くのことは、私たちがますます私たちに対して敵対的で攻撃的な社会に直面していることを示しています。人種差別

や性差別の増加、酷い暴力、憎悪のイデオロギーをともなった社会に直面しているのです。希望について考えるのは、不可能と思われることを考えるのと同じなのです。

希望を考えることは、一月を考えることです。一月を表すJanuaryという言葉の由来となったローマ神話の神ヤヌス［Janus］は二つの顔を持っていて、一つは後ろ、もう一つは前を向いています。今日、希望を考えるということは、そのどちらかの顔に焦点を当てることです。しかし、それをもう一つの顔から切り離すなら、かなり間違ったことになります。希望を考えることは破壊に向かって行く流れを意識することなのです。私たちの希望は希望に反する希望なのです。それは決して楽観主義ではありません。テリー・イーグルトンが希望についての優れた著作の中で述べているように、希望とは「どうしても退けることができずに心に残っていて、道を譲ることを拒むものを表している」のです。「希望は、容赦なく襲ってくる災厄がありうることに心を開き、その上で道を譲ることを拒むのである。このように、希望はいかなる意味でも楽観主義とはかけ離れたものなのである」（Eagleton 2015, 114）。希望を考えるとは、深い淵の上を、下を見ることを恐れず、綱渡りするようなものなのです。

希望を持ったとしても、そこには確実性はありません。ハッピーエンドの保証もなく、家にたどり着けるかどうかもわからない旅なのです。ちょうど、この原稿を書いているここ数日の間に、ダーバンを拠点とする掘っ立て小屋居住者の運動組織であるアバハリ・バセミジョンドーロは、「死の影で組織する」と題する声明を発表しました[2]。彼らにとっては、まったく赤裸々な真実として、都市で住居のために闘っているというだけで、多くの活動家が国家によって殺されたのです。しかし、そこにはそれが一般的な真実であるという意味もあるのです。私たちのような教授の椅子に座っている者にとっては、おそらく当事者のようなあからさまに直接的な意味ではとらえられないでしょうが、人間全体にとっては一般的な真実としてあるのです。つまり、私たちはみな死の影で希望を考えなければならないのです。

この本は苦悩に満ちた本です。おそらく母親や祖母よりも苦悩しているでしょう。この本は、『権力を取らずに世界を変える』から始まり、『資本主義に亀裂を入れる』に続く三部作の三作目です。ここでは、破局が、おそらくかつてないほどに議論の的になっています。それが置かれている文脈を意識せずに希望を語ることは、ほとんど意味がないでしょう。必然的に、それはそれが書かれた時代の一部なのです。苦悩する時代に苦悩する本なのです。この本は孫娘です。孫娘らしく落ち着きがありません。この孫娘は、母親と祖母を愛しながらも、「**まだ足りない！**」とつぶやきつづけています。「**まだ足りない！**」。そうなのです、革命について考える唯一の方法は、国家権力を奪うという概念に反対することであり、革命をもたらす唯一の方法は、反資本主義が生み出す亀裂の認識、創造、拡大、増殖、合流によってもたらされることは明らかなのです。そうなのです、でも今朝起きたら、まだそこに怪物がいました。[3] **まだ足りない！** 怪物を退治しなければならないけれど、それは無理なようです。そいつは不死身のようです。あちこちで叛逆が起こり、人々は代替案を作っています。しかし、貨幣は依然として支配しています。サパティスタが言っているように、資本主義はヒドラのようなものです。私たちが頭を切り落とすたびに、新しい頭が芽生えてきて、私たちを恐怖に陥れるのです。私たちはどうすれば、その心を持たない心臓に到達することができるのでしょうか？　どうすれば貨幣を殺すことができるのでしょうか？　希望から始めよう。豊かさから、溢れ出ることから、対立することから始めよう。でも、あの恐ろしい言葉からも始めようではありませんか。「**まだ足りない！**」

PART Ⅱ

私たちは希望を学び直さなければならない

5　今こそ希望を学び直す時である

エルンスト・ブロッホは、第二次世界大戦後、亡命先のアメリカからドイツに戻ってきて、「希望を学ぶべき時がやってきた」(Es kommt darauf an, das Hoffen zu lernen.)と宣言しました(Bloch 1959/1985)[1][2]。こういうことをファシズムと絶滅の体験の後に言うのは衝撃的なことで、この宣言は、同じドイツ系ユダヤ人で何年もアメリカに亡命していてドイツに戻ってきたテオドール・アドルノが、アウシュビッツの後は詩を書くことも、アウシュビッツを可能にした冷たい無関心に陥ることなく生きつづけることも不可能だと宣言したのとは対照的です(Adorno 1966/1990, 363)。この二つの視点は、思ったほどには矛盾していません。現代の悲惨さは、これらの視点がたがいに補完しあうものであるとみなすべきことを示しています。しかし、同時に、この悲惨さは、ブロッホの立場の方がより大胆であることを示しているとも言えます。悲惨な時代には、希望について語るよりも、悲惨さについて語る方がたやすいのです[3]。

ブロッホは、その大著『希望の原理』全三巻を通じて、おとぎ話からダンス、音楽、文学、宗教にいたるまで、人間のあらゆる活動において希望が中心であること、つまり、人間は別の世界、憧れの世界に向かって絶えず突き進んでいるのだということを示そうとしました。彼は、こうしたすべての憧れのなかに、「いまだないもの」が現在に存在していることを見、「いまだないもの」をその内に存在させている世界に現存している力を見たのです。ブロッホは、労働者階級がそのような世界を創造する実際的な可能性を持っていることを、マルクスとともに理解することで、この希望の旅は頂点に達すると考えたのでした。

それから七〇年近く経った今日、ブロッホのような確信を持つことは難しくなっています。世界はファシズムに支配されてはいませんが、世界の多くの地域でファシズムあるいはファシズムに近いものが擡頭しつつあります。重要な役割を果たしている革命的政党は存在せず、非資本主義であると主張する国家も非常に少なく、労働者階級が明確に革命的勢力として存在しているとは言い難い状態です。ソヴィエト連邦の崩壊は、その惨禍とともに、世界中の人たちの革命をめざす希望に重大な影響を及ぼしました。今日、ソ連が魅力的な社会であったと考える人はほとんどいませんが、当時は、少なくとも、今とは別の形の社会組織があり得るという考えは生きつづけていましたし、その崩壊は、多くの人にとって、そういう考えが閉ざされることを意味していました。ソ連での生きた体験とその崩壊の両方によって、「共産主義」という言葉で私たちが目指すべき社会を描くことは難しくなったのです。

今日、希望について語ることは、ブロッホの著作が最も影響力を持った一九六〇年代と一九七〇年代においてとは、明らかに違うものになっています。歴史はわれわれの味方であり、われわれは最終的に必ず勝利する、資本主義は何らかの形で必ず崩壊し、社会の共産主義的組織に道を譲る、というような考え方はもはや潰え去ってしまいました。こうした考え方は、ブロッホが希望について論じる際の背景となっていたものですが、これを、今日私たちが当たり前のことだとすることはできません。確かに、資本主義が良くなったというわけでもないし、以前に比べていま根本的な社会変革の必要性が少なくなったというわけでもないでしょう。それとは正反対で、資本は今や人類を自滅の淵に追いやり、人類史に何らかの形でハッピーエンド（あるいはブロッホの言う故郷回帰）を期待することは難しくなっています。希望は、当時よりもはるかに困難なものになっていますが、だからこそ、より必要になっているのです。期待感は薄くなり、最もラディカルな著作においてさえ、資本主義的社会関係が外見上は不変に見えるという現実と折り合いをつけて、「革命」が「民主主義」に徐々に置き換えられようとしているのです（González 2020）。時として、資本の完全な廃止を求めることは意味がないのだから、せいぜいより民主的な資本主義を望むことができるだけだ、と思われてしまうわけなのです。

そうして資本主義は進化し、これまで以上に攻撃的で暴力的になっています。人種差別とナショナリズムの拡大、国境の強化、労働者の権利の剥奪、年金の削減、あらゆる形態の労働保障の廃止、労働時間とストレスの増加、失業率の同時的な上昇、国家の福祉制度の縮減、警察と軍隊への出費の増加、政治制度の権威主義的性格の強まり、貧富の差の拡大、女性に対する暴力の増大、これらはすべて世界的な現象になっているのです。今の状況は一九三〇年代の状況と同じようだ、と普通に語られるようになっています。つまり、私たちが直面しているのは、ファシズムと戦争かもしれないということです。

あまりにも簡単に不況に陥ることが考えられます。今こそ希望を学び直す時なのです。

6 希望を学ぶとは希望を考えることを学ぶことである ドクタ・スペスということ

希望を持つのはたやすいことですが、多くの場合、そこには実体があまりありません。それよりもずっと難しいのは、希望を考えることです。これをブロッホは「ドクタ・スペス」(*docta spes*)[1]と呼びました。「把握された希望」ということです。それは理性的な、あるいは教養に基づく希望、よく理解された希望を持つことなのです。[2]

ドクタ・スペスという考え方は、希望的観測の反対をめざしています。希望的観測はどこにもつながりません。それは、主体と客体との間の現実的なつながりをすべて断ち切るものだからです。「移民がイワシのようにトレーラーの荷台に積み上げられることのない世界で暮らせたら、どんなにいいだろう!」——このような希望的観測が世界を変えることはありません。それどころか、反対に自分に麻酔薬を投与するものなのです。

この本は希望について書かれたものであり、希望的観測について書かれたものではありません。しかし、希望的観測は私たちの肩にのしかかって、見たくもない妖怪を見せ、聞きたくもない言葉を囁くのです。

反資本主義ってなんなんだ？　この世界とは別の世界、相互承認と愛の世界、そんなものがありえないことを知っていながら、なぜそれが可能だと言うんだい？　自分の周りを見てみろよ。自分が使っているコンピューターを見てみろよ。自分が着ている服を見てみろよ。ネットフリックスで楽しんでいるシリーズを思い浮かべてみろよ。それでも、本当に資本主義ではない世界が創れると思うのかい？　お前は、資本主義を乗り越えた世界を創り出す可能性やら有効性やらを導き出そうとして、批判理論とかいう思想を考えることに人生を捧げているようだが、本当にそれが可能だと思っているのかい？　お前やお前の読者たちは、希望的観測で人生を浪費しているんじゃないのか？　たとえ理論的に洗練されていても、ラテン語の語句を駆使していても、「そうなれば、どんなにいいだろう！」という世界に迷い込んでいるだけなんじゃないのか？

ドクタ・スペス、把握された希望は、希望的観測の亡霊と常に対峙することを強いるのです。「**あなたは、異なる世界、非資本主義の世界を創ることについて語っていますよね。それじゃ、その世界を見せてください。見せてくださいよ！**」。「いまだないもの」であるその世界が、空想でなく、希望的観測でないことを、どうすれば示すことができるのでしょうか？

一つの答えは、「そんなことはどうでもいいんです」ということです。私たちが闘うのは、勝つと思っているからではなく、いま存在しているものを受け入れられないからなのです。私たちは、私たちを非人間化するシステムに対して叫ぶことを、なんらかの形で正当化しようとする必要などないんです。その叫びは、私たちが人間らしさだと思っていることを表現しているに過ぎないものだからです。私たちの反資本主義は、資本主義システムの恐ろしさに基づいているのであって、私たちが何か別のものを創れるという自負から言っているのではありません。私たちの闘争は何かの目的のための手段ではなく、私たちの存在の深みから生じる尊厳であり、拒否なのです。

私たちを殺そうとしているシステムに対する闘争にとって、それを正当化するために希望を語る必要などないのです。もし、鉱山会社が農業地域に露天掘り鉱山を開くと発表したとして、それが農業の基盤である水源を枯渇させ汚染することを人々が理解したとすれば、紛争に勝つ望みがあるかどうかにかかわりなく、彼らは抵抗するにちがいないでしょう。それでも、何らかの希望はほとんど常にそこにあるのです。

ブロッホは『希望の原理』の冒頭で、「希望は、失敗よりも成功に恋している」(Bloch 1959/1985, 1)と言っています。ブロッホのファンではないイーグルトンは、これを「恐ろしい結末につながりかねない主張」(Eagleton 2015, 107)だと評しています。それは、たぶん成功への希望が、そこに到達するための手段を正当化するために使われるという意味で、道具主義に陥りやすいということから、おそらく恐ろしい結末につながりうるものなのでしょう。ロシア革命は成功だったのでしょうか、失敗だったのでしょうか？　当初は、今ある世界とは別の世界に憧れていた人たちが成功だと考えていました。けれど、恐ろしい失敗に変わっていってしまったのです。にもかかわらず、ブロッホは正しいのです。希望は、ある種の実現、ある種の成功に向けて私たちを導いてくれるものなのです。私たちが望むのは、尊厳ある死以上のものなのです。つまり勝利を望むのです。人類滅亡の危機に直面したとき、私たちはただ抗議するだけではなく、破壊のダイナミズムを断ち切りたいと思うのです。死の列車を止め、非常ブレーキをかけることに成功したいと思うのです[3]。自分たちの希望を実現したいと思うのです。

希望は尊厳から生まれ育つものですが、同時にそれを乗り越えるものでもあります。尊厳はより良い世界を求める闘いの中心にあるものです。サパティスタが尊厳を強調したことは、それまでの革命思想の道具主義から決定的な転換をおこなったことをはっきり示すものです。私たちが闘うのは、人間にとっては尊厳が必要だからであって、あらかじめ決められた目標を達成したいからではありません。これは、サパティスタが大文字で始まるRevolution、大いなる革命を拒否し、小文字で始まるrevolution、小さな革命を支持し、革命よりもむしろ「抵抗と叛逆」を強調していることにつながっています。尊厳という観念は、闘争の対象（資本主義）から闘争の主体（私たちの尊厳）へと、最も重要で、最も望ましい形で重点が移されることを告げるものです。この転換は、他の多くの抵抗運動や叛逆に現れており、それらについて書かれたものにしばしば見ることができます。

しかしながら、ここで叛逆心旺盛な孫娘――この本のことです――が落ち着きを失い、言い始めます。「**そうよ、そうよ、尊厳だわ、尊厳！　だけど、私たちはもっと先に進む必要があるのよ。望むことが必要なのよ、私たちは勝つ、と。勝つということが何を意味するのかは、それを実現するなかでしか明らかにならないってことはわかってるわよ。でも、勝ちたいんです**」。希望は尊厳に基づくものですが、より高いものを求めるのです。希望とは、尊厳が自らを乗り越えて進んでいくことなのです。

7　希望はアイデンティティを乗り越えて進んでいく

この本は、前に書いた『権力を取らずに世界を変える』『資本主義に亀裂を入れる』とともに、希望というものを考え直すために書かれたものです。もちろん、これらの本はそれらだけで成立しているわけではありません。反資本主義思想は一般に、今や革命政党という文脈がもはや存在しないという条件のもとで、いかにして世界を変えるかという問題を中心テーマとしています。『権力を取らずに世界を変える』で主張したのは、「国家幻想」、つまり反資本主義的な変革は国家によってもたらされるという考えを克服することが必要だということです。二〇世紀の革命においては、国家を中心としたアプローチが、これらの運動の悲劇的な結末を招いたのです。私たちは、他者を支配する「させる力」ではなく、今とは違う世界を創り出す自分たち自身の「する力」を築き上げることを考えなければならないのです。『資本主義に亀裂を入れる』で示唆したのは、革命を考える唯一の方法は、亀裂の認識、創造、拡大、増殖、合流を通じて資本主義的発展の論理と訣別し、それとは違ったことを「する力」を発展させる契機や空間を創り出すことだ、ということでした。そこでおこなった議論の中心は、二種類の行為の衝突、すなわち資本の論理に従う行為、つまりマルクスが抽象的労働あるいは疎外された労働と呼ぶものと、自己決定に向かって突き進む行為との衝突という問題でした。

この本は、こうした議論を少し違った方向に展開し、すでに以前の本で提出していたテーマをより明確にしようとするものです。資本主義は、私たちの活動を社会的に凝集して資本の論理に還元することによって成り立っています。それは、私たちを絶滅の危機にさらす封じ込めのシステムです。それに対して、反資本主義の活動や思想は、この封じ込めから溢れ出るもの、多種多様に溢れ出るものなのです。溢れ出ようとするものに対して封じ込めようとするもの、それが世界を形づくっている対抗関係です。封じ込めに対抗して溢れ出るもの、それが希望です。

封じ込めるものに対する溢れ出るもの。アイデンティティに対する反アイデンティティ。アイデンティティとは、私たちが何をし、何を考え、世界をどう見るかに制限を課すことです。アイデンティティは封じ込めます。反アイデンティティは溢れ出るのです。

変革の中心にあった「国家幻想」は、より広範なアイデンティティ思考の一要素に過ぎないと見ることができます。前世紀の悲劇的な結末につながった革命的な思想と行動は、単に国家中心主義であっただけでなく、アイデンティティ中心主義の性格を持つものだったのです。古典的な革命的伝統とその組織形態を形成するカテゴリーは、物事をすべて定義づけて考える傾向の強いものでした。この点において、そうした定義づけによって建てられたカテゴリーは、国家やその他の資本主義的形態を特徴づけている思考と行動のスキームを再現するものになっています。最も鋭い反対をおこなう際に、反対者は反対しているものを再生産しているのです。

例えば、党は革命的伝統の中心です。しかし今では、党というものを垂直的な階層からなる組織形態として批判して、水平的な組織を目指す最近の傾向と対照的なものとしてとらえるのが普通になっています。これは正しいのですが、問題はもっと深いところにあります。党というのは、定義を重んじ、アイデンティティを重んじる組織形態です。党は通常、党員としての資格を定義づけられたメンバー、定義づけられた領域、定義づけられた綱領を持ち、その綱領と組織の変更方法を決定する階層的な構造を持っています。党員資格と綱領が定義づけられていますから、必然的に、党員でない人々を排除し、「彼ら」と「我ら」、外部の人間と内部の人間との区別を生じさせます。これは、分裂、分派、除名といった行動形態をもたらします。また、間違った意見を持ち、間違ったやり方で行動する人々を糾弾し、資格停止させるような言語形式が生まれ、広められます。レーニンは、このような言葉の達人でしたが、それはレーニンにとどまるものではなく、党の伝統全体に浸透しているものなのです。

階級、特に労働者階級という概念は、この伝統の重要な部分です。労働者階級をわれわれはどう定義したらよいのでしょうか。労働者階級は、搾取、つまり剰余価値の直接生産によって定義される集団なのか？　それとも、労働力の販売によって定義される集団なのか？　われわれにはどの定義がふさわしいのか？　階級の境界はどこにあり、その意識はどのように定義されるのか？　階級というカテゴリーが重要ではないということではありません。それは、極めて重要なものです。しかし、正統派の伝統は、階級というものを、資本主義発展のダイナミズムによって課せられた階級形成のプロセスとして、したがって、常に問題にされなければならないものとしてではなく、すでに定義されている集団としてとらえているのです。私たちは、労働者階級だから闘うのではなく、私たちが溢れ出ようとしているから、私たちの生活を形成している物質的な階級化を克服しようとして、それに抵抗し叛逆しているから闘っているのです。私たちの闘いは、アイデンティティに基づくものではなく、むしろアイデンティティに規定されることに対する反対に基づくものなのです。階級分けのような分類やアイデンティティの確認のような識別は、もともと、資本主義においては私たちが商品の売買を通じて互いに関係するという事実から生まれてきたやり方、分離に基づいて定義するというやり方に起因するものなのです。これは、マルクスが「物神崇拝」、ルカーチが「物象化」と呼んだものです。そうした物神崇拝や物象化は、革命的伝統の思想だけでなく、その組織と行動の形態をも形づくっているのです。

　アイデンティティを重んじる思想の問題は、純粋に歴史的な関心からは懸け離れているものです。アイデンティティ中心の考え方の擡頭は、現在の資本主義発展の核心に位置しています。このことは、世界中で右派が擡頭していることを見ればよくわかります。私たちが「右派」と呼ぶものの思想と行動は、定義にもとづいておこなわれている傾向が顕著です。ナショナリズム、人種差別、性差別、これらはすべて、人々が特定のカテゴリーに属し、特定の役割に収まっているという定義本位の考え方に基づくものなのです。そのようなあらかじめ決められた役割や定義から抜け出そうとする者に対しては、怒りが向けられ、しばしば暴力がふるわれます。社会秩序というのは、人々をそれぞれの決められた役割の中に閉じ込め、その場にとどまらせることによって維持されているものなのです。

しかし、アイデンティティ中心主義は、右派の特徴にとどまりません。それは、抗議する人々の思考、組織、行動をも、ますます侵食しています。革命党のアイデンティティ尊重の思考・行動・組織と、党という形態を拒否する人々の思考・行動・組織との間には、一定の連続性があります。押しつけられた役割や定義づけに対する怒りは、最初はそうしたものに反対だったのに、たやすく（そしてどんどんと）新しい定義づけに流し込まれていって、新たに押しつけられた役割や期待される行動パターンになじむようになっていってしまうのです。そこには、ルーディネスコが言うところの、アイデンティティ中心主義へ向けての「漂流」[1]が現れるのです。つまり、私たちを常にアイデンティティ尊重の考え方や行動に引きずり戻す非常に強力な底流があるのです。「われわれは黒人だ（We are Black）」は、黒い肌を持つ人間たちとはこういうものであるという白人による定義に対する抗議として、したがって溢れ出るものとして始まります。しかし、それは同じ人々とは**何である**のかという再＝定義に容易に収まってしまうことがありうるのです。同じことが、先住民、女性、ホモセクシュアル、トランスジェンダー、植民地化された人々についても言えます。いずれの場合にも、溢れ出るものから新しい定義づけへ、新しい封じ込めへと簡単に移行することができるのです。こうして、たとえば、ジェンダーは、閉じたカテゴリーとしての階級の傍らに位置するカテゴリーのようになるわけです。階級が分類の拒否ではなく、集団の肯定的な定義として捉えられたように、ジェンダーもジェンダー化の拒否から同一ジェンダー集団の肯定的な定義であることへと形を変えてきたのです。他の領域でも多くの同じような結果がもたらされています。女性や同性愛者やトランスジェンダーがどのように振る舞うべきかというところから道徳的優越性を想定したり、他者を排除したり不適格だと見なしたり、〈やつら‐対‐われら〉という対立軸を作り出したり、それに伴う分裂や非難を引き起こしたり、などなどといった具合です。同じことは、「土着化」[2]についても、つまり先住民として定義づけられた人々や、クルドのように国籍に基づいて抑圧されている人々の闘いについても言えることなのです。このような再＝定義はすべて、大なり小なり偽善をもたらします。それは、人々がどのように振る舞うべきかという考え方をあらためて作り出し、それゆえ、そのように定義づけられた人々のなかに、少なくともその定義に適合しているかのようなふりをする傾向が生まれるのです。

アイデンティティ中心主義に反対する立場からのアプローチにおいては、人々を定義づけられた集団としてではなく、社会的対立の流れ（そして溢れ出る流れ）に基づいて理解しようとします。この意味で、このアプローチは社会学に反する立場であって、人々を場所や役割や利害関係から見る旧来の社会学とは反対なのです。これらの集団や役割や利害関係が存在しないというのではなく、それらが対抗する流れを遮断するもの、封じ込めるものとして働くことを否定するということです。こうした封じ込めは、私たちを滅ぼそうとしている社会を再生産するものだからです。

私たちは当初から、世界を理解する上では対立軸が重要であることを強調してきました。現在の社会は、単に支配の上に成り立っているのでも、闘争の上に成り立っているのでもなく、この支配と闘争という両者の拮抗の上に成り立っているのです。しかし、世界をアイデンティティに基づく**〈やつら‐対‐われら〉**に分けることをせずに、拮抗に焦点を当てることはどうすればできるでしょうか？　その答えは、拮抗は外的なものではなく、内的なものであり、個人的にも集団的にも私たち全員を貫くものである、という見方になるにちがいありません。ルカーチの素敵な比喩(3)を借りれば、私たちは互いにぶつかり合ってそのまま変化することなく続いていくビリヤードの玉のようなものではないのです。私たちの場合、ぶつかることで自分たちが変容し、ぶつけられた人の中でぶつかった人が再生産されるのです。そこには、純粋な主体というものは存在しません。資本は労働者の中で再生産され、家父長制は女性の中で再生産されます。拮抗する社会に生きるということは、必然的に、私たち全員が自分自身とそれと対立するものに分裂し、俗に言う統合失調症のようになることを意味するのです。これは、私たちがみな同じように自己分裂しているということを意味しません。リチャード・ガン（Gunn 1987）は、階級対立は、私たち全員を貫く対立として考えるべきであるが、しかしその対立のありかたは、私たちの社会における位置、対立する全体との特定の関係によって、まったく異なるものになりうる、という考えを提起しています。

どんな闘争も（そしてどんな人間も）、こうした封じ込めと溢れ出しとの対立、自己同一化に向かう傾向と反自己同一化に向かう傾向との対立によって特徴づけられているのです。先住民（とその支持者）の闘いは、その闘いを先住民としての闘いだと理解する人々と、人間の尊厳の相互承認に基づく世界を創るためのより広い闘いの一部として考える人々との間の緊張や対立を含んでいます。女性、黒人、ゲイ、トランスジェンダーの人々の闘い、鉱山開発や空港建設に脅かされる地域社会の住民の闘い、これらについても同じことが言えます。アイデンティティへの同化に向かう傾向と反アイデンティティへの同化に向かう傾向との対立は、外的な対立関係としてではなく、溢れ出るもの、つまり、対抗しながら乗り越えていく内なる関係として理解するのが最も適切だと思います。それを外的な対立関係と見なすことは、「私たちは反アイデンティタリアンだ、あんたたちはアイデンティタリアンだ」という形で、アイデンティティ中心主義に反対する立場を新しいアイデンティティ主義として構成することになってしまいかねません。

　党派的な思考が持つ自己同一化を志向する性格とは対照的な反自己同一化の思考を集会的な思考と考えることができるかもしれません。党は、党路線を打ち出すという定義づけを志向する特徴を持っています。集会的な思考とは、議論への扉を開くことであって、「私たちはこう思うのですが、あなたはどう思いますか」と問いかけることなのです。このように言うことは同時に、溢れ出ることを誘うことでもあります。たとえば、サパティスタが二〇一五年に開催した資本主義のヒドラに対抗する批判的思考に関するセミナーへの招待状で、社会の嵐がやってくるという彼らの考えを披瀝したとき、彼らはこう言っているのです。「私たちサパティスタが見聞きしているのは、あらゆる意味において破局、嵐が来ようとしているということです。……だから、私たちサパティスタは、他の暦を持つ人たち、異なる地理的条件の人たちに、あなたがたが見ているものはいったい何であるのかを訊ねなければならないと考えているのです(4)」。こういうふうな言い方は、自らを問い、自らを乗り越えて進んでいこうとするものです。これと同じように、私はこの本を「**私はこう考えているのだけれど、あなたはどう思いますか**」と訊ねているものとして理解していただきたいのです。

　アイデンティティとアイデンティティ中心思考に対する批判は、新しいものではありません。ブロッホ、アドルノ、マルクーゼ、そして批判理論の伝統全体の中心をなすものなのです。これらの著作者が現在の議論に与えた影響は非常に大きいものがあります。しかし、私が懸念しているのは、彼らの反アイデンティティの議論が、学術理論的な議論にとどまってきたこと、そして、ますますそうなっていることなのです。私がここで意図しているのは、学術的な思考がしまいこんでしまった衣装箪笥から、その思想を取り出してくることなのです。例えば、アドルノが「矛盾とは、アイデンティティという観点から見ると、非アイデンティティである」と言うとき、それは深い政治的な発言であるということなのです（Adorno 1966/1990, 5）。アドルノは、意識的であるか否かにかかわりなく、この恐ろしい社会的破局からいったいどうやって抜け出したらいいのかという根本的な問題に取り組んでいるのです。批判理論を批判理論の中に閉じ込めてしまえば、その根本的問題を無にして、研究の対象、アカデミズムのゲームに変えることになってしまいます(5)。

この本は溢れ出る詩への貢献(6)を目指していますが、やがてこれから明らかになるように、その方向にはささやかな一歩を踏み出すだけで、もっぱら封じ込めと溢れ出し、アイデンティティと反アイデンティティとの拮抗関係の一面に焦点を合わせていきます。しかし、その方向に進むこと自体が、何もつかまるもののないまま、危険に満ちた荒海に乗り出すことを意味しているのです。

8 私たちの希望は叫びから始まる欠乏から始まるのではない

始まりは叫びです[1]。言葉ではありません。そしてまた、欠乏でもありません。時に希望は、欠乏に応えようとして、欠けているものに向かって手を伸ばすことだとみなされます。

ブロッホの素晴らしい哲学入門『チュービンゲン哲学入門』(Bloch 1963/1968) は、こう始まります。「私は存在する。しかし、私は自分自身を持ってはいない。それゆえ、まず私は生成する」。しかし、ここには問題があります。あるいは少なくとも曖昧さがあります。ブロッホの言葉は、存在論的な希望を、人間の本性に根ざした希望を語ろうとしているものだと読むことができます。人間には常に前へ進もうとする衝動があります。それは人間であることにとって不可欠なものであり、また生きることにまつわる強い不安でもあるのです。人類は常に前進を続けています。希望は進歩の原動力です[2]。

ここでの議論はそれとは違うものです。おそらく、人間であることは、常に前進していこうとする衝動をはらんでいるのでしょうが、それは他の動物に見られるような単純な生殖衝動ではありません。しかし、ここで問題にしたいのはそのことではありません。私たちが認識している希望は、歴史によって規定された希望であって、いま・ここにおいて私たちを抑圧し封じ込めている力に対抗する力を生み出そうとするものです。私たちは攻撃を受けており、その攻撃に反撃しているのです。「**私は攻撃されています。それは、私が私自身を持っていないからなのです。だから、私たちはまず、この攻撃に反撃することによって自分自身になるのです。その攻撃はすべての社会に存在するわけではありません。それは、社会組織の特定の形態の攻撃なのです。私たちは、この組織形態に反対の反応をすることによって、自分自身になろうとするのです**」。

第一のケースでは、私たちは欠乏から考えをスタートさせ、その欠乏状態を改善したいという欲求を持ちます。この欠乏を克服することが進歩なのです。ここでは、希望は進歩の概念と結びついています。第二のケースでは、私たちは叫びから、受け入れることを拒否することから考えをスタートさせます。トレーラーの中で窒息死した移民から出発し、叫びを上げ、創るのが不可能かもしれない世界を創りたいと願うのです。したがって、希望とは、私たちを攻撃している社会的結合を打ち砕こうという願いなのです。希望は必然的に反対をはらむものであり、それは反対する希望なのです。もし進歩が私たちに対する攻撃を強化するものならば、希望は進歩に反対します。希望とは、進歩を推し進めることではありません。それはむしろ、破壊に対する怒りに満ちた衝動であり、解放のための、資本の破壊的な原動力から解放された生き方を創造するための衝動なのです。

私たちは、「いまここにあるもの」に反対して考え、希望を抱きます。「いまここにあるもの」が私たちを攻撃するものだからです。障壁がそこにあるからというだけではなく、障壁が私たちを攻撃してくるからこそ、私たちは障壁に体当たりするのです。私たちが障壁に立ち向かうのは、向こう側の芝生がいつも青々としているからではなく、私たちの人生がこちら側で破壊されているからなのです。私たちが障壁に立ち向かうのは、障壁が私たちに立ち向かい、奈落の底に突き落とそうとしているからなのです。

私は以前、他のところで、[3] エドガー・アラン・ポーの物語に触発された比喩を使ったことがありますが、これは今、これまでになく重要な意味を持っているように思えます。私たちはある部屋にいます。一面には壁がなく、ただ深淵――絶滅――が広がっているだけです。他の三つの面には窓もドアもない壁があり、壁は私たちにだんだんと迫り、私たち全てを絶滅の深淵に落とし込もうと脅かしています。私たちは、どうにかして壁を壊して逃げ道を見つけようと、必死に拳で壁を叩いています。時には、壁が少しへこむことがあり、それが脱出しようと努力しつづける勇気を奮い立たせてくれます。しかし、三方の壁はどんどん進んできます。なんとしても拳で叩くことによる打撃を、壁そのものが持つ構造的な欠陥に結びつけたいのです。それが私たちの希望です。

二つの出発点は、それぞれ異なる方向へとつながっていきます。欠乏の克服としての希望は、進歩、史的唯物論、構造主義思想など、肯定的な色調の方向に導かれていきます。叫びとしての希望は、否定性を伴った思想と行動を刻み込みます。それは、私たちを、鏡越しに、〈内において対抗しながら乗り越えていく〉世界へ、過程としての形態へ、潜在へ、不確実性の世界へと連れて行くのです。それは文法に反する世界なのです。

9　叫びは私たちを否定の方向へ導く

希望を考えることは、否定思想の伝統の一部である

希望は障壁を打ち砕きます。希望は、閉ざされたものを開き、固定されたものを揺り動かすのです。ブロッホが言うように、「考えることとは、思い切って超えていくこと」なのです（Bloch 1959/ 1985, 4）。

「現にあるものは真実ではありえない」。マルクーゼが『一次元的人間』（Marcuse 1964/1968）の「否定的思考：敗北した抵抗の論理」と題された章の冒頭を飾ったこの言葉は、生の不安、思考の不安の切実さをよく表してしています。なぜなら、「現にあるもの」それ自体が「生成しつつある」ことに反しており、生の不安に対する障壁となっているからです。マルクーゼが言っているように、この言葉は、「抵抗の論理」に対立するものとして、哲学的思考の焦燥感と、一九六〇代後半の学生運動やその他の社会的叛乱の焦燥感とを結びつけたものなのです。ここでは、マルクーゼのこの

章のペシミスティックなタイトルから、「敗北した」という語を取り除くことにします。否定的思考は抵抗の論理でありますが、明らかに敗北はしていないからです。

アドルノ（Adorno 1966/1990, 19）は、この点をさらに強調しています。「思想は、それ自体として、すべての特定の内容以前に、否定する行為であり、強制してくるものへの抵抗である」。私たちの思想に対して強制してくるものとは、資本主義社会であり、それは私たちに「そうだ」と言い、「変えることはできない」と言うのです。それに対して、考えることは否定することであり、これに抵抗することなのです。

「現にあるもの」は真実ではないかもしれません。でも、現にあるというのは事実です。それは実在し、大きな力を発揮しているのです。それは、私たちがぶつかっていく煉瓦の壁であり、見たところ動きそうにないけれど、私たちはそれを動かそうと切に望んでいるのです。「現にあるもの」、それ自身であること、すなわちアイデンティティというものは、単に真実ではないだけではなく、むしろ大いなる非真実なのです。それは大きな力を持つ虚偽であり、絶えず私たちの中に注ぎ込まれ、私たちを圧倒し、構造の中だけで考えるようにと言いつけ、希望という考えが不条理であると告げるのです。

希望を考えることは、必然的に、アイデンティティに基づいて生きることに反します。イーグルトンが言うように、「希望は、希望と同じようなものとしての欲望と同様に、人間という動物が自分自身と同一にならないように生きる方法なのである。そのありかたは永遠の未完成であり、その実体は一種の宙吊り状態なのである」（Eagleton 2015, 44）。あるいは、もっとわかりやすく言えば、希望とは、欲望と同様に、人間が自分自身と同一ではないこと、その存在が**歴史的に独特な**未完成であること、その実体が一種の宙吊りであることを意味しているのです。

希望を考えることは、この社会においてアイデンティティに反するものの力、つまり、この社会に適合しないもの、異なる世界に向かって突き進むものの力を理解しようとすることです。希望とは、思想と行動において、アイデンティティという非真実に対抗することです。希望は、真実ではない「現にあるもの」に対抗して押し出されるものとして、真実が実在する唯一のありかたなのです。

希望を考えるということは、どちらの側に立つか選択することです。それは、「現にあるもの」の側ではなくて、「あるものはまだないがおそらくありうるだろう」という側に立つことなのです。アイデンティティの側ではなくて、反アイデンティティの側に立つことなのです。私たちを破壊する世界の側ではなくて、私たちが創りたいと思う世界の側に立つことなのです。客体の側ではなくて、主体の側に立つことなのです。私たちは、冷静で客観的であろうとすることから始めるのではありません。そのようにするなら、旧来の学問の言説の基礎となっている偽りの言葉から出発することになってしまうでしょう。

希望について考えることは、障壁に対してわが身を投げ出すことであり、多くの移民が文字通り、絶望と希望に衝き動かされて国境に対して身を投げ出しているのと同じことなのです。しかし、私たちが身を投げ出したからといって、国境が消滅するわけではありません。しかし、私たちは、それによって、境界というものを別の見方でとらえることを学びます。構造を確定するものとして境界を見るのではなく、脆弱さ、矛盾、亀裂を見出すために境界を見るのです。

否定的な思考は弁証法的な思考であり「現にあるもの」の固定性に対抗する思考である

希望を考えることは、思考の異なる文法に踏み入ることなのです。いまここにある社会は、既存の社会組織の形態が永久に続くことを前提とした、ある思考方法を生み出し、それによって支えられています。この思考方法のもとでは、貨幣や国家や労働や貧困が社会の永続的な特徴であると考えられています。希望を考えることは、これとはまったく反対なのです。私たちが関心を持っているのは、これらの形態が永続することではなく、永続しないことにあります。それらの存在は、社会関係の歴史的に特異な形態に過ぎないと考えるのです。私たちは、このような社会形態の中に閉じ込められながらも、それに対抗しつつ、それを乗り越えて思考し行動しているのです。言い換えれば、私たちが私たちを取り巻く社会について否定的に考えているのは、まだ存在してはいないけれど、潜在的には存在しようとしている世界に向かって突き進んでいるからなのです。

このような希望の考え方は「弁証法」と呼ばれることがありますが、弁証法というのは議論の的になっている言葉です。弁証法はしばしば、テーゼ――アンチテーゼ――ジンテーゼ〔定立（肯定）―反定立（否定）―総合（否定の否定）〕という定式に還元され、最後には終結、ハッピーエンドがあるという考え方でとらえられることがあります。さらに悪いことに、多くの人にとって弁証法はソヴィエト連邦の暗い歴史と結びついています。ソ連のマルクス主義は、みずからを弁証法的唯物論（略称 DiaMat）の理論であると宣言しました。弁証法は、ソ連あるいは正統派マルクス主義の伝統の中では、肯定的な性格を持つものだったのです。否定を通じた運動の理論から、事実上、閉鎖の理論、つまり、ソ連がとった方向性を肯定的に正統化する理論になってしまったのです。テーゼ――アンチテーゼ――ジンテーゼという定型的な運動を強調し、特にジンテーゼ、つまり矛盾の肯定的な解決に重点が置かれるようになったのです。また、弁証法は、自然にも社会にも等しく適用されるものだと考えられました。

批判的マルクス主義の伝統の中で、弁証法に関するこの粗雑な概念から離れるために二つの重要なステップがありました。第一は、ルカーチの「正統マルクス主義とは何か」という画期的な論考におけるエンゲルスへの批判です。「彼（エンゲルス）は、最も重要な相互作用、すなわち、**歴史的過程における主体と客体との間の弁証法的関係**にさえ言及していない。……しかし、この要素を抜きにしては、弁証法は革命的ではなくなる。……弁証法にとって、中心的な問題は**現実を変えることである**」（Lukács 1923/1971, 3）。弁証法は世界の一般理論ではなく、人間の相互作用に特化した理論なのです。ですから、この本では、矛盾についてよりも、拮抗ないし対立について語ることを選びます。私たちは拮抗しつつ対立している社会に生きているのです。弁証法に関する粗雑な概念との訣別において、もう一つ重要なのは、弁証法は否定弁証法として理解されなければならないという主張です。これはアドルノによって、この概念をそのまま題名にした『否定弁証法』という本で明確にされた考え方です。この考え方は、アドルノだけのものではなく、フランクフルト学派の他の思想家にも、多かれ少なかれ共有されていました。否定弁証法という考え方は、総合すなわちジンテーゼにおいて環を閉じる考え方や、ブロッホの最終的な故郷回帰という考え方にもおそらくまだ存在する、確実な「ハッピーエンド」を想定するすべての考え方と訣別するものなのです[1]。希望と楽観主義との間には、はっきりとした断絶があります[2]。アウシュビッツの後、広島の後、そして野蛮さが増殖する現在の世界では、楽観主義を正当化することは難しくなっています。しかし、希望は社会関係に対する否定的な流れ、固定性と自己同一性の破壊の中にこそあるのです。希望を求めて、私たちは非自己同一性の運動に目を向けます。「弁証法とは、一貫した非自己同一性の感覚である」(Adorno 1966/1990, 5)。希望を考えることを否定思想として理解することが重要だと主張しつづけているのは、非自己同一性(あるいは、より正確には反自己同一性)が現在持っている力、つまり、そこに存在するものの固定性を腐食したり溶解したりする力に目を向けてほしいからなのです。自動的に作動する過程などありません。弁証法的な否定は人間による否定であり、人間による拒否の運動であり、大文字で記されたNOなのです。そしてこのことはすでに、確実なもの、確実なジンテーゼ、予測可能なハッピーエンドなどありえないことを意味しています。弁証法とは否定の呵責ない運動であり、拒否の絶望的運動に対する希望であり、まだ足りない、まだ足りないというNOの運動なのです。

希望の思想は拮抗の思想であり

主体と客体を相互的なものに構成する拮抗と相互浸透のうちに保つ思想である

否定弁証法は、ドクタ・スペスというものに新たな課題を提起しています。すなわち、ドクタ・スペスにおいて、あらかじめ良き結末を考えることができるようになっているのは何によってなのだろうかという問いが生まれるのです。ブロッホは、その素晴らしい希望の探求において、この問題を片隅に置いておくことができました。なぜなら、ブロッホは、さまざまな問題点を明確に意識していたにもかかわらず、共産党に指導された労働者階級には、共産主義社会を創造する能力があると見なしていたからです。しかし、そうした思想の枠組みはすでに崩壊してしまったのです。

希望の思想は、否定弁証法の場合はそれほど確信をもってそう言っているわけではないのですが、その中心において、資本主義的社会関係は永続的なものではない、少なくとも永続しない要素をはらんでいると考えています。弁証法による理解とは、（まだ）存在していない根本的に異なる社会組織の形態を展望することを通じて現在の社会を理解することを意味します。希望の思想とは、私たちが創造したいと願う社会を展望することを通じて現在を理解することなのです。しかし、私たちはもはやそれを当然のことと考えることはできません。私たちを取り巻く状況すべてが、今の社会とは異なる社会ができる潜在的可能性は見つからないこと、資本、貨幣、国家はそのままここにとどまることを告げています。こうした状況を裏づけるように、アダム・トゥーズは、現在のパンデミックとその経済的影響に関する注目すべき本の結論のページで次のように指摘しています。「歴史上のある時代には、この種のこと（差し迫った災害）が起こったと判断されれば、それは革命が起こるかもしれないという予測と結びついたかもしれない。今日、およそこの世に非現実的なことがあるとすれば、それは間違いなくこのような予測である」（Tooze 2021, 301）。

もしそうであるとすれば、批判理論は没落していってしまうでしょう。私は、批判理論とは、単に既存の社会を批判するアプローチではなく、資本主義をその歴史的特性とそれを克服する可能性という観点から理解しようとするものであり、したがって、私たちを別の思想の文法へと導いてくれるものだと理解しています。しかし、克服が不可能だというところから考えるのでは意味がありません。批判理論が前進するためには、少なくとも資本主義と訣別する可能性がなければなりません。私たちは恐ろしい疑問に直面しなければなりません。果たして、それは本当に可能なのでしょうか？　私たちは本当に、異なる世界、つまり資本の力、貨幣の力に基づかない世界を創ることができると思えるのでしょうか？　私たちは、困難でやりがいがあるが居心地のよい批判理論の世界に閉じこもっていることはできません。そして、「批判思想に現実的な基礎はあるのか？　資本主義を打ち破って別の世界を創ることを本当に構想できるのか？」と常に自問しなければなりません。ドクタ・スペス、すなわち「把握された希望」の概念は、私たちに異なる思考方法を学ぶように促すだけでなく、革命の現実的な可能性と意味について考えてみろと挑んでいるのです。

トゥーズが提起した難問は深刻な課題です。革命やラディカルな変革の可能性について、以前と同じように自信を持って語ることは、今や難しくなっています。今日、多くの左翼が一般的に取っている態度は、「われわれは資本主義に反対している。だが、出口がないことは分かっている」というものでしょう。この本が目指しているのは、第三の見方です。「ハッピーエンドの確証はないし、歴史はわれわれの味方ではない。しかし、出口がないことを認めることはできない。資本主義を超えた別の社会を創る可能性はまだあるはずだ」という見方です。これが理性的な希望への挑戦なのです。問題は、単に「資本主義を脱却し、合理的でより人間的な社会を創りたい」と言うだけではなく、その希望の力を示し、その実現の可能性について考える必要があるということなのです。

このことは、主体と客体について考えることを意味しています。希望とは、客体である対象に対する主体の運動なのです。弁証法的思考の中心には拮抗があります。それは、弁証法が拮抗する世界を考えようとするものだからにほかなりません。この拮抗については、以前のページ〔五〇頁〕で、迫ってくる壁に対して自らを投ずる「生のまったき不安」ということを書きました。「それ」対「私たち」。しかし、この「私たち」とは誰なのでしょうか？　あるいは何なのでしょうか？　そしてこの「それ」とは何なのでしょうか？　この迫ってくる壁とは何なのでしょうか？

「それ」と「私たち」、どちら側の問題も難しい問題ですが、両方とも考えないと、希望が空回りして客体を忘れた希望的観測に陥ったり、あるいは、主体を忘れた絶望に陥ったりするかもしれないのです。希望を動かす力は主体から生まれるしかありませんが、それは対抗する主体の動きであり、私たちが対抗しているのは客体です。客体のことをドイツ語ではGegenstandと言いますが、それは私たちに「対して」[gegen]「立っている」[stand]ものということです。私たちは、自分たちが反抗している客体に支配された世界に生きています。現存している世界は「客体の優位性」(3)という特徴を持っています。この世界では現存する社会的諸関係の全体が重荷となって、私たちを所定の位置に留め、そこに閉じ込めているのです。

希望の思想の中心的な課題は、主体と客体を拮抗させながら、相互に浸透させることにあります。「私たちは叫ぶ」と、この本の祖母[4]は言いました。現在の社会の恐ろしさを、直接的にしろ間接的にしろ、体験したとき、私たちは叫びます。私たちは、反対の叫びを上げるのです。そして、反対の叫びを上げる私たちは、拮抗関係、緊張関係の一方の極にあります。その「私たち」は、反対の叫びから離れることはできず、その反対の一方の極として以外には存在できません。そして同様に、反対のもう一方の極である「システム」あるいは資本も、拮抗の極として以外には存在できません。私たちは拮抗する社会に生きているのです。拮抗のそれぞれの極は拮抗によって構成されています。もちろん、より注意深く研究するために、両者を分離することもできますが、そのように処理した場合には、それぞれの極はもはや元と同じものではなくなります。分離された私たちは、もはや希望を懐いた私たちではなく、分離された資本は、もはや拮抗する攻撃的な力ではなくなります。抵抗=叛逆は、対立関係そのものに刻み込まれるものではなく、随意に選択されるものとなってしまいます。希望は、人間が抑圧的な社会に生きるうえで不可欠な条件であることを止め、ロマンティックな夢想家の夢の国へと旅立っていってしまうことになります。

革命的な希望を考えることがより難しくなっているのは、主体と客体の拮抗関係が、その相互対立によってだけではなく、相互浸透によっても構成されていることによっています。主体と客体との衝突は、外見上は二つのビリヤードの球の外側が衝突して衝撃を生じさせているように見えますが、そうではなくて、両者の間には相互浸透があるのです。私たち叫ぶ者は、私たちが反対して叫ぶ対象である資本によって貫かれています。対立する二つの極の関係は内的関係なのです。私たちは、私たちの住む世界によって不具にされているのです。私たちは傷ついた主体なのです[5]。私たちは、純粋な革命的主体ではありません。そのことこそが、革命を考えることをこんなにも困難にしているのです。資本主義という客体の特異な力は、それが全体化することにあります。それは、資本の論理によって支配される社会関係の全体性の中に、私たちを深く深く吸い込むのです。

しかし、その逆もまた真なりなのです。もし資本がわれわれを貫き、われわれを弱くしているのならば、われわれが資本を貫き、資本を弱くしていることもまた事実にちがいないのです。このことは、内在的否定の観点から表現することができます[6]。システムに内在する主体というものを考えることはできるのでしょうか？　システムの内部から生じ、そうであるからには、あらゆる内部矛盾をはらんでいる力が、にもかかわらず、システムの克服につながりうる形でシステムを否定する力になるというようなことが考えられるのでしょうか？　私たちはその内在的な否定なのでしょうか？　あるいは、もっとはっきり言うと、内に生み出されて溢れ出る否定なのでしょうか？

「ブルジョアジーは、何よりもまず、自分自身の墓掘り人をつくりだす」と、マルクスとエンゲルスが『共産党宣言』で述べたのは有名な話です。彼らが内在的な否定であると言っている墓掘り人とは、労働者階級のことです。そして労働者階級は、システムによって生み出されたものでありながら、同時にそのシステムを否定し、その存在を脅かす力なのです。マルクスたちは『共産党宣言』の中で、この潜在的に革命的な力が、損なわれた主体であること、彼ら自身が否定するシステムによって損なわれた主体であることを考えに入れてはいませんでした。旧来のマルクス主義と労働運動の主流は、この内在的な否定を、むしろみずから構成していく主体性、打倒すべき対象から独立した英雄的な力、損なわれていない主体へと転換してとらえる方向に好んで傾いていきました。労働者階級は、もう一方の極（資本）によって不可避的に貫かれざるをえない対立関係の極から、社会学的な分類として肯定的な性格を持つものにされていったのです。

マルクーゼは『一次元的人間』(Marcuse 1964/1968) の中で、これとはまったく反対に、労働者階級は資本によって損なわれ、資本に統合されて、内在的あるいは本来的な否定ではなくなってしまっていると主張しています。

> 社会に関する批判理論は、その発生の当初には、進歩の障害となった既存の制度を廃止して、より合理的で自由な制度へと向かう（あるいはそこへ向かうように導かれた）既成社会の中に存在する（客観的および主観的な）現実の力と向き合っていたのである。こうした経験的根拠に基づいて理論が立てられていたのであって、これらの経験的根拠から、固有な可能性の解放、すなわち物質的・知的な生産性、能力、欲求の発展という考え方が導き出されたのである。このような力の存在を証明することができなくても、こうした社会に対する批判は依然として有効であり合理的であったろうが、しかし、それではその合理性を歴史的実践に転化させることはできない。結論は何か？「固有な可能性の解放」は、もはや歴史的なオルタナティヴを適切に表現してはいない (199)。

マルクーゼによれば、本来あった解放の可能性が失われた今、唯一の希望は外からやってくることになります。それは「被差別者やアウトサイダー、他の人種や有色人種の被搾取者や被迫害者、失業者や雇用不適格者からなる下層」(200)なのです。

ここでの議論はまったく違います。主体が労働者階級であれ、先住民族であれ、女性であれ、黒人であれ、主体をロマンティックに美化したり、エッセンスだけを取り出そうとしたりすること、また主体を貫いている客体から主体を分離して扱うことは、真実を知ったときに幻滅感を懐かせるものになるに違いありません。客体(社会的諸関係総体の重さ)は常に主体を貫きますが、主体を完全に吸収するところまではいきません。そこには常に余剰があり、分裂的な二元性があり、自己矛盾に満ちた溢れ出しがあるのです。私たちは損なわれてはいますが、(まだ)壊されてはいないのです。希望を考えるということは、外からやってきて救ってくれる力を求めることではありません。内在する否定、つまり自らに内在しているものを溢れ出させる力を求めることなのです。みずからの損なわれた主体性を叫びとして、抵抗と叛逆として溢れ出させる否定は、同時に、みずからの主体性をいまだ認識されていない矛盾として客体を突き破って溢れ出させるのです。私たちは墓掘り人を探しているのですが、それは特定の集団を探しているのではなく、むしろ火山の噴火のように表面を壊すだけでなく慢性的な死に至る病いとして客体の内部に潜む破壊的な力を探しているのです。

希望は危険なゲームです。希望は、私たちをいとも簡単に庭園の小径に導きます。そこでは、幻滅に至る希望が、構成する主観性への誘惑、客体が持つ粉砕する力や社会的諸関係の全体性を忘れさせようとする誘惑として姿を現してくるのです。(7) 私たちが頭をもたげてＮＯと言うためには、幻想には盲点があることが必要なのかもしれません。しかし、そうであったとしても、その結果は、失望、受け入れがたいことを受け入れてしまうあきらめとなってしまいがちです。希望の思想を持つためには、自分自身をさらに追い込むことが必要なのです。

現代の反資本主義思想の多くは反弁証法的であることをはっきりと示している

弁証法的な否定思想の重要性を主張することは、反資本主義的な議論においてさえ、賛否こもごもな論議の的となっています。「弁証法的唯物論」が共産党とソ連の公式イデオロギーだったこともあって、共産党とソ連の崩壊後、多くの理論家が弁証法の考え方を否定することを選んでいます。弁証法の否定は、その伝統の恐ろしい遺産に対する否定の一部と見なされていました。

特にフランスやイタリアなど、共産党が政治的にも知的にも大きな影響力を持っていた国々では、当然のことながら、こうした反動は強いものがありました。アルチュセール、ドゥルーズ、ガタリ、フーコー、デリダ、ハート、ネグリ、ヴィルノ［ネグリらとともに一九七〇年代イタリアの工場労働運動に参加した唯物論哲学者パオロ・ヴィルノ］など、弁証法否定の立場をとる著述家は、弁証法的思考はプロセスを閉じてしまう性格を持っていると見なしています。マイケル・ハートとコレクティボ・シチュアシオーネス［Collectivo Situaciones「共有された立場」という意味］の論考は、そうした非難を非常にはっきりと述べています。

弁証法的な操作は、まだ何ものでもないものに終止符を打つこと、最終的にどうなるかわからないものに明確な方向性を与えること、新たな肯定を働かせて有用なものを救い出す（保存する）ことによって以前の契機を取り消す（克服する）こと、還元できない多様性や取り戻せない過剰を意識することをすべて禁ずることから成り立っている。……この弁証法という考え方は、先験的に決定することができるような関係を排除して、最後の契機において、多重性を最終的な統一体としてのジンテーゼの内に確定することで開かれたプロセスを終結させるものなのである（Hardt and Colectivo Situaciones 2007）。

この弁証法批判には、二つの中心的なポイントがあります。第一は、弁証法的思考が「まだ何ものでもないものに終止符を打つ」と主張している点です。この点は、私がこの章で論じている希望の思想の否定的性格ということに直接関係しています。この批判は、ソ連とそれを支える共産党によって発展させられた弁証法的唯物論（DiaMat）に対する批判としては疑いの余地なく正当なものです。しかし、これには、産湯とともに赤児を流し出してしまうような危険がはらまれています。なぜなら、この批判に従うと、弁証法というものが、否定を通じた運動の思考であり、あらゆる固定観念を溶解させるものであり、人々をアイデンティティ（あるいは端的に本体）の観点からではなく、そうしたものの間の流動的で拮抗する関係の観点から理解するものである、という考え方が失われてしまうからです。

ここで提案された弁証法的唯物論の曲解に対する反応については、それが当てはまるものではまったくありません。弁証法を肯定的なものとしてしまうこと、テーゼ――アンチテーゼ――ジンテーゼという定式に還元してしまうこと、あるいはエンゲルスの提案したような相互作用論に還元してしまうことが拒否されるべきなのは明らかです。これは、私がすでに述べてきたことから明確になっていると思います。この本においては、弁証法は希望を考えることとして、拮抗・断絶・開放に中心を置く思考形態として理解されています。

ハートとコレクティボ・シチュアシオーネスが指摘している第二の点は、弁証法は一つのものに還元することができない多様性の多重性を最終的な統一体に統合してしまうということです。彼らは、世界は複数の差異、差異の「還元しがたい多様性」の世界であると言っています。この観点から見ると、弁証法的思考とは、これらの差異を一つの物語にまとめ、一つの対立軸、古典的には党によって代表されるけれど、必ずしもそれだけではない一つの対立軸に統一しようとするものであって、それはこれらの差異に対する暴力である、というわけです。この反論に対する回答は、弁証法的思考は、単一の拮抗を強調することで、現実に存在している拮抗する統一体に従おうとしているだけのものだ、ということです。一つの大きな物語は実際に存在するのですが、それは弁証法的思考によって作られたものではなく、貨幣によって編まれているものなのです。彼らが言う差異が持つ「還元できない多様性」を、加速されていく速さで、社会的再生産の単一の論理に引き込んでいくのは、貨幣の運動なのです。「還元できない多様性」は、弁証法によってではなく、貨幣の全体化する力によって、常に還元されていっているのです。森の奥にある先住民の村に行き、現在の生活を二〇年前と比べてみると、以前よりも金銭の役割が大きくなっていることに気づくでしょう。

そして、移民の場合もそうなのです。

つまり、多様性を擁護するためには、多様性には一つに還元できるものが何もないという認識から出発しなければならないのです。社会的再生産（最も基本的なものは、明日まで生きるための食糧をどうやって調達するかということです）が、お金とそれを得るための絶え間ない圧力が仲介している世界に人々を引き込んでいっているという単純な事実によって、あらゆる多重な多様性が一つのものに還元されていくことになっているのです。このようにして「還元できないもの」が還元されていく事態は、世界の都市化の飽くなき進行とともに、まざまざと見せつけられています。お金を手にすることができない都市でどうやったら生き延びていけるのでしょうか？　しかし、田舎でも、物理的・社会的な再生産の日常的なプロセスに、金銭がどんどん浸透してきています。世界のあらゆる多様性は、思想によってではなく、共通の敵、すなわち貨幣の運動、資本の運動という暴力的な統一化または全体化の働きによって、一つのものに還元されていっているのです。世界の対立をはらんだ統一を構成しているのは貨幣なのであって、それはますます激しい勢いで進んでいます。貨幣こそがあらゆる多様性を一つのものに結びつけている共通の敵なのです。

弁証法を否定することが危険なのは、それによって客体と主体が引き離されてしまうからです。この分離は、客体の一方的な強調や、見かけ上はその反対に見えながら実際にはその補完物である、主体の一方的な強調につながりやすいのです。

他をさしおいてもっぱら客体に焦点を当てていく姿勢は、マルクス主義の伝統に深く刻み込まれていて、それは「マルクス主義経済学」の概念において最もはっきりと表れています。マルクス主義経済学は、資本の運動とその運動法則の作動にばかり焦点を当てがちです。それは、闘争が行なわれる客観的な枠組みだと一般的に考えられている支配の研究になっていきます。これは、マルクス主義に対する構造主義的なアプローチにより著しく見られる傾向です。社会を敵対関係の動きとして見るのではなく、単に支配にのみ焦点を当てる方向に行くのです。構造主義は、構造が現実を規定しているのだと見なして、その構造の中にあるものを解明することに焦点を当てていく傾向があります。構造主義思想の大きな魅力は、ある状況を詳細に記述できること、たとえば資本主義社会の現代的な特徴を記述できることにあります。しかし、このような観点で考えていくと、根本的な変革は、外部の力、普通何らかの形の前衛党と考えられている「機械仕掛けの神」[*deus ex machina* 古代ギリシア演劇で、解決困難な状況になったとき、舞台上方から機械仕掛けで降りてきて解決に導く神]の介入によってのみ可能なのだとされるようになってしまいます。その結果、マルクス主義理論の実践と社会的闘争の運動との間に食い違いが生じてくるようになったのです。

こうした食い違いの反対側には、闘争対象とされているものの分析にほとんど留意しない闘争理論が成長してきました。特定の闘争を研究する方向へのシフトは進んでいるのだけれど、資本の論理にはほとんど、あるいはまったく頓着しないようなやり方が行なわれているのです。「社会運動」という概念は、その顕著な例です。特定の運動に焦点を当てることで、それを引き起こす資本主義の力学を理解する試みはしばしば等閑視されてしまうのです。そうすることで、それらの闘争は特定の不正義に対する闘争とみなされるのです。そうなると、根本的に異なる社会への希望は、既存の社会的枠組みの中でのさまざまな変革への希望に断片化されてしまうことになります。

同じようなことは、代替案としての「オルタナティヴ」を強調して、異なる生活様式を創り出したり、資本の論理に統合されることのなかった慣わしを発展させたりする何百万もの試みに見ることができます。これらの運動や研究は、人間の持つ豊かさの深さと強さへの認識を深めるうえでは大事なものです。危険なのは、それらが資本、特に貨幣の全体化する力からたやすく切り離されてしまう点です。この社会における豊かさは、対抗する豊かさ、商品化や貨幣万能化が私たちを死の論理に引き込もうとすることに対抗する豊かさにこそあるのです。豊かさを謳歌するのは良いことですが、貨幣という全体化を進める途方もない力から遠ざかることは、その力に対する抵抗力を弱めることになります。

このような相補的なアプローチの双方を、牢獄という観点から考えることができます。この本のアプローチは、牢獄から脱出しようとする私たちの格闘と、そうはさせまいと私たちを囲い込もうとする看守との間の絶え間ない拮抗に焦点を当てようとするものなのです。構造主義的なアプローチは、刑務所の分析に注意を集中させて、必要な脱出の問題は可能な未来に委ねるのです。「オルタナティヴ」のアプローチは、囚人の夢のようなものです。独房に閉じ込められた囚人たちは、野原を歩いている夢を見ているのです。貨幣の浸透によって多様性が日々破壊されていく世界に閉じ込められた理論家たちは、自分たちは還元することができない多様性の世界に生きていると夢想しているのです。そこで考えられている還元することのできない多様性というのは、存在しない自由を魅力的で魅惑的な夢として見ているだけのものです。[8] 多様性のための闘い、差異と代替のための闘いは、反抗する闘争、貨幣の全体化効果に対抗する闘いとしてのみ理解することができるのです。

私たちは、サパティスタが彼らの美しい慣用表現で表したように、「多くの世界からなる世界」のために闘うのですが、その闘いは、貨幣というものがおこなう全体化運動に対する闘いとしてのみありうるのです。弁証法的な思考は、中心にある対立から出発します。一方、還元することができない差異の多様性という考え方は、世界を正義のための闘争の無限の重なり合いとして見るように促しているのです(9)。

囚人の夢は、有効な闘争手段であると言えます。資本主義は、私たちすべてをそのダイナミズムに吸い込む全体化するシステムであり、それに対する闘いは、脱全体化、そのダイナミズムから脱却するための闘いなのです(10)。闘争の一つの形は、確かに、私たちが創りたいと思っている世界を生きることによって、脱全体化することです。よく引き合いに出されるのがローザ・パークスの例で、彼女はバスに乗って白人専用の席に座り、闘争の対象である人種差別が存在しないかのように振る舞ったのです［これが米国の黒人公民権運動の出発点になった］。これはまさに『資本主義に亀裂を入れる』の中心的なテーマです。資本と闘う手段として、異なる社会関係の空間を間歇的に創造することによって資本主義に亀裂を入れるのです。しかし、だからといって、単純に、資本が支配の形態としてもはや存在しないという前提で考えて行動すればいいというわけではありません。人種差別の法律が存在しないかのように振る舞ったローザ・パークスの行動が有効だったのは、彼女がその法律が存在するという事実をしっかりと理解することを基にしていたからなのです。このように、闘争の手段として反資本主義的な空間や亀裂を創ろうとするときに、やはり闘争の対象である資本が攻撃を続けていることを認識していることが重要なのです。

運動が確実な成果をあげなければならないという考えは、ラディカルな希望に絶え間ない脅威を与えています。二〇世紀の革命が、その実現のために闘い、死んだ人々の期待に応えられなかったことが、革命が放棄されてしまうことや背景に退けられてしまう事態を招いたのです。フェミニストの闘い、人種差別に対する闘い、地球温暖化に対する闘い、他の生物種の絶滅に対する闘い、鉱山やダムの建設に対する闘い、コモンズ［日本の「入会」に当たる共有地。これをさまざまな分野で新しい形態の共有に発展させようとする運動がある］の拡大と生命の社会的再生産のための闘いなどなど、あらゆる種類の闘いに対する認識と分析が進んできました。しかし同時に、社会体制全体の打破と根本的に異なる社会の構築という視点は、放棄されるか、簡単に忘れ去られるかしてしまっていったのです。敵は、一つの敵としてはほとんど扱われず、一連の敵としてしか言及されなくなりました。

しかし、敵は重要です。敵は、反対する者を窒息させようとし、反対を吸収し、統合し、抑圧し、より良い世界への希望を絞めつけてくるのです。敵に立ち向かうには、希望をポジティヴな「〜のための希望」ではなく、ネガティヴな「〜に対抗する希望」「〜を乗り越える希望」としてとらえなければなりません。それは単に代替案を作ることが問題だということではなく、その代替が必然的に対抗するオルタナティヴであり、差異ではなくて否定であることを理解することが問題なのです。

10　否定思想を超える
内において・対抗し・乗り越えることを考える

希望は否定するものなのですが、しかし反対という立場を超えるものでもあります。それは、思考と行動において、溢れ出るものなのです。それは、「内にある」ことから始まり、「対抗し」「乗り越える」ことへと進んでいくのです。

「内で（in）」と「対抗し（against）」と「乗り越えて（beyond）」は、反自己同一性を表す希望の鍵となる重要な前置詞であって、溢れ出ることを表す文法の中心なのです。in-against-beyond とハイフンでつないで表現しているのは、これらの三つのモメントを切り離してしまうことへの批判を表すためです。

私たちは、資本主義の中で生きており、まさにそれゆえに資本主義に対抗するのです。資本主義は攻撃であるので、その中で生きているという事実そのものが、私たちがそれに対抗して行動することを意味しているのです。好むと好まざるとにかかわらず、私たちは、敵対関係の中に生まれ、階級闘争の中に生まれたのです。これは、選択の問題ではありません。希望は欠乏からではなく、叫びから生まれるものであり、その叫びは私たちが生まれた拮抗する社会に固有なものです。このことはin［内で］とagainst［対抗し］の間のハイフンで表現されています。[1]このハイフンは、資本と私たちとの関係は外的関係だと考える見解に対する批判なのです。こうした見解は、資本への対抗は、私たちが資本という拮抗関係の中に存在するという事実に固有のものではなくて、私たちの意識的な選択であると考えて、in［内で］とagainst［対抗し］を分離するのです。ハイフンは、これらの見解に対する批判なのです。inとagainstの間のハイフンにこだわるのは、叛逆の平凡さにこだわるからなのです。私たちは普通の人間であるからこそ叛逆の気持ちを懐くのです。あそこにいる、あの人を見てください。一見うまく社会に溶け込んでいるように見えますが、彼の中のどこか、隠れたところに、不適合を感じているもの、溢れ出るもの、尊厳があるはずなのです。おそらく、彼の個人的な資質というよりも、資本が不適格なことを押しつけるものであるという事実のために、資本はプロクルステス［ギリシア神話に登場するアッティカの盗賊で、捕らえた旅人を自分の寝台に寝かせて、身長が短すぎると引き延ばし、長すぎるとはみ出た分を切り落とした］のように、そういう形を持っていないし、持つこともできない人々に、一定の形を押しつけるものなのです。[2]資本とは、決して完全に成功することのないプロクルステスなのです。常に過剰であって、いつもどこかに適合しない余剰があるのです。

inとagainstとの分離は、アイデンティティを押しつけることであり、溢れ出るものに制限を課すことです。それは「左翼」思想に共通する特徴なのです。「左翼」思想家は、彼らは体制内に包み込まれた普通の人々であり、われわれは体制を批判する急進主義者あるいは革命家であるという分離を行なうのです。彼らは体制の「内にいる」者であり、われわれは体制に「反対する」者である、というわけです。アイデンティティでとらえること、すなわち自己同一化は二重の運動をはらんでいます。システムの内にいる人たちを同一化して識別することは、同時に、革命家をシステムの外に立っているものとして同一化して識別することに通ずるのです。これは、前衛主義の思想と実践の典型なのです。そこから出てくるのは、すべてにおいて、指導されるべき大衆と指導すべき戦闘員とをはっきり区別する思想や実践にほかなりません。それは、レーニンが、労働者の組合主義的意識と前衛党に謳われている革命的意識とを区別したことにはっきりと表現されています。(3)

against［対抗して］とbeyond［乗り越えて］との間のハイフンも同様です。この二つを切り離すと、闘いを道具としてとらえる方向か、ユートピア実現としてとらえる方向か、どちらかになってしまいます。道具としてとらえる方向は、まず権力を獲得して、それから新しい世界を創造するというものになります。第一段階ではまず対抗して、第二段階でその先を考えるというわけです。対抗するということは効果という観点から見られ、軍事行動であれ議会活動であれ、敵を倒す最も効果的な方法を採用することになります。こういう態度は対抗する勢力と相似形をなすようになって、一方の軍隊が他方の軍隊を打ち負かすという関係になりがちなのです。問題は、将来きっと訪れる分断、つまり対抗することから乗り越えることへの転換が決して訪れないということです。資本の力と対称的なものであった革命の力は、その力が対抗しようとして元々向けられていたシステムを単に再生産するようなものだったのです。ですから、多くの革命が、以前の体制と同じか、あるいはもっと悪質な形態の抑圧をもたらしたのです。近年、対抗することと乗り越えることとをいっしょに追求することが重要だと強調されるようになってきました。それは、予示的政治への転換がもたらしたものです。つまり、今の体制に対抗して建てられている組織が、私たちが創りたいと考えている社会のあり方を、現体制を乗り越えて予め示しているものでなければならないという理念が擡頭してきたのです。

対抗することと乗り越えることとを分離すると、ユートピアのみを求める方向、つまりユートピアを、それを実現するための闘いから分離するという方向にも向かいかねません。リチャード・ガンが論じたように（Gunn 1985）、ラディカルな思想の歴史において、この傾向は、黙示録的終末思想からユートピア思想への移行、時間から空間への移行に見ることができます。黙示録思想は望ましい社会を将来に来たるべきものとして、予め定められることは決してなく、闘い取られるべきものとして考えます。他方、ユートピア思想は、夢見るもの、探し求めるもの、少なくとも私たちの想像の中では、すでに見ることができ、どういうものかはっきりさせることができるものとしてユートピアを考えるのです。黙示録思想からユートピア思想への移行（たとえば、フィオーレのヨアキム［中世イタリアの神秘思想家。黙示録的終末論を唱えた］からトマス・モアへ）は、異なる世界を求める動きからラディカルな要素を排除する警察活動のようなものだとガンは指摘しています。このように見てきますと、トマス・モアの『ユートピア』は、その美しさは充分認めなければなりませんが、前半の既存社会への鋭い批判と、後半の海の向こうの島に存在する理想社会の記述との間に、確かに隔たりが認められます。大西洋は、文字通り、対岸と対岸、すなわち against［対抗して］と beyond［乗り越えて］を隔てているのです。

against から beyond を分離することは、ジンテーゼ思考の一形態であって、アンチテーゼを置き去りにするような総合を創り出すことだと言えます。確かに、ブロッホが主張するように、まだ存在していない社会がどういうものでありうるかというイメージ、そういうユートピアのイメージは、現存している社会との闘いにおいて常に不可欠で重要な側面を持つものでした。しかし、もしこうしたユートピアのイメージがある種の未来の青写真となるならば、それは自己決定を推し進めることから切り離されて、抑圧的なものとなってしまうでしょう。ユートピアの夢は重要ですが、それは常に歴史的に特定された対抗する闘争の一部なのであって、そのようなものとして理解されなければなりません。いまだないものは、夢としてだけでなく、現に存在するものに対抗する闘争としてあるのです(4)。いまだないものは、そのようなものとしては常に変化しながらも、私たちが創る道を照らすユートピアの星のようなものを生み出し、私たちを今の世界とは違う別の世界へ向かわせるかもしれません。

より一般的には、in と against と beyond の分離は、異なる形態のアイデンティティ主義の思想と政治を導きます。この本で繰り返し語られているテーマは、反アイデンティティ思想の重要性です。しかし、この主張は、「私たちは反アイデンティタリアン、彼らはアイデンティタリアン」というう、それ自体がアイデンティティで考える思考、さらにはセクト的な区別に変容してしまう可能性をはらんでいます。この in-against-and-beyond という表現におけるハイフンは、遠心性衝動と求心性衝動、自己同一化衝動と反自己同一化衝動の間の絶え間ない緊張を表現しているのだと考えたほうがよさそうです。私たちは、資本の内で、資本に対抗して、資本を乗り越えて生きているのです。私たちの順応‐反抗‐夢は、集合的な連鎖体なのです。その連鎖体の中で、商品関係の（まだ解明されていない）自己同一化力は、in、against、beyondを押し分けるような遠心力であり、連結するハイフンを弱め、排除してしまうのです。しかし、この分離に対する求心的な抵抗、ハイフンの強化、in、against、beyondを互いに引き合わせる力もあるのです。分離は自己同一化であり、別々のアイデンティティを生み出します。引き合わせることは反自己同一化であり、尊厳と相互浸透を相互に認識し合いながら、含み込まれるものから溢れ出るものへと、批判的な探求を行なっていくのです。[5]反アイデンティティ主義の理論と政治は、アイデンティティ主義の理論と政治の外に立つのではなく、それらを批判的に見つめ、それらの中にあるハイフンでつながる関係に引き戻す力を持った溢れ出るものを認識しようとするのです。この点は、女性運動だけでなく、人種に関わる正義やLGBTの権利、先住民の権利などを求めるさまざまな運動において重要な問題であることは間違いありません。

この自己同一化思想と反自己同一化思想との違いは、単なる抽象的な理論的論点ではなく、組織における実践的な問題なのです。反資本主義闘争の伝統には、二つの異なる傾向があります。一つは、組織を党の建設とみなすものです。そのときの党というのは、明確に規定された組織であり、明確に規定されたメンバー、明確に規定された目的を持っていて、通常それらは綱領に体現されています。党は区別をはっきりと示し、自分たちと共に行動する者とそうでない者とを分離するのです。思想の面では、正しいものと間違ったものの間に明確な線が引かれます。批判とは、誤った思想の誤りを指摘するための糾弾や資格剝奪を意味すると考えられています。実践と理論は自己同一化の論理によって解釈されます。

もう一つの伝統は、コミューン、つまり共有化の伝統です。パリ・コミューン、ソヴィエト、労働者評議会、サパティスタの村落集会、クルド人運動のコミューンなどがそれに当たります。[6]そして、その先には、何百万もの創り出された亀裂や溢れ出たものがあります。そこでは、人々が階層秩序に基づかない相互承認の基盤の上に、これらの亀裂や溢れ出たものを組織化しようとしているのです。ここでの組織化は、選択と排除に基づくものではなく、村や近隣や工場、どこであろうが、あらゆる相違、諍い、狂気などを伴いながら、そこにいる人たちの共通の利益と共通の関心事に基づいて結集しているのです。そうした組織は目標達成のための道具ではありません。目標を達成するための最良の方法として設計されたものではないのです。なぜなら、組織それ自体が目標だからなのです。また、目的がメンバーとして加入させることにはなく、運動に引き込むことにあるため、明確なメンバーシップを持とうとしません。そこでの議論は、正しい路線を確定するために行なわれるのではなく、違いを明確にして、それをおたがいに受け入れ、資本主義によって否定された相互承認を、いま・ここで築き上げるために行なわれているのです。これは（現在では一般的なものになっているような）議論の抑制を意味するのではありません。[7]そうではなくて、相手を排除したり非難したりするのではなく、創造的な緊張を共有しながら維持することを目指して、議論と批判を絶え間なく行なっていこうということなのです。ハイフンでinとagainstとbeyondを繋いでいるのは、それぞれが持つ中心から離れていこうとする遠心力を抑制するのではなく、内で、対抗し、乗り越えていく動きをそれぞれ絶えず続けながら、それらを一つにまとめることを目指しているからなのです。それぞれ異なる方向に引っ張られていく尊厳を常に共に認識しあっていこうという難しい営みなのです。

コミューン形成の伝統は、党の文法とは異なる文法を持っています。党は、国家の持つ自己同一化文法を再生産する組織形態であり、その文法的文脈を通じて変革を実現しようとするものなのです。一方、コミューン形成は、反自己同一化によって、溢れ出るものを対抗しつつ乗り越えていく方向へ移動させていくこととして理解するのが適切だろうと思われます。名詞よりも動詞の方が良いのです。なぜなら、動詞は創造することの能動的で開放的な動きを表すものだからです。イーグルトンがブロッホを評して見事に言い表した言葉があります（Eagleton 2015, 52）。「あらゆる現在は根本的に現在そのものの余剰である」。溢れ出るものとは、その余剰を注ぐものなのです。

PART Ⅲ

歴史的であるということ

11　対抗する希望は歴史的であることに根ざしている

私たちは、脆弱性を探しています。前に述べた壁が迫ってくる悪夢のような現実を思い出してみましょう。壁が私たちに迫り、私たちを忘却の深淵に突き落とそうとしたとき、私たちはこの壁に身を投じ、亀裂を開こうとして、壁が持つ脆弱な点を探そうとします。私たちは、これらの壁が決して変えることのできない現実ではないことを知りたいのです。私たちは、これらの壁が永久にそこにあるものではなく、それを突破することができるということを知りたいのです。私たちの周りのすべてが、これらの壁は永久にそこにあるものだと告げていますが、私たちはそれが永久ではなく歴史に規定されてそこにあるのだという事実を探し出したいのです。

希望とは、永続性に対抗する運動なのです。現在の社会組織は永続するものであるかのように見え、少なくとも一定の固定された範囲の中で動いているように見えます。そこには常にダイナミックな動きがあります。しかし、現在の社会の中心的な特性は、永久的なものであると考えられているのです。まったく永続するものなのだから、それを疑問に思うのは馬鹿げていると思われている程です。最も明白なのは、貨幣と国家の存在です。貨幣も国家も、なんの疑いもなく、ただそこに現にあるものとされています。パンデミックが、現在の社会組織のあり方が人類を危機に陥れていることをはっきりと物語っている現在でも、貨幣や国家に疑問を呈する声は出されていないのです。

これらのものが永続するものだということに疑問を投げかける最初の一歩は、ただ簡単に「だけど、それらはいつもそこにあったわけではないじゃないか」とはっきり言うことです。貨幣は常に存在していたわけではなく、社会関係へ深く浸透したのは比較的新しいことです。国家は常に存在していたわけではなく、社会から切り離された国家というのは、これまた比較的新しいものです。貨幣、国家、資本が常に存在していたわけではなかったということは、それらが将来常に存在するわけではないことを必ずしも意味しません。これまでの歴史は前史に過ぎず、歴史はいま、さらなる変化を必要としない、あるいは不可能とする成就に到達していると見ることもできるのです。このような見方に立つならば、私たちは歴史の終わりに到達したことになります。人間が生きることは続くけれど、その社会的組織にはもはや根本的な変化はないだろうというわけです。

既存社会が永続するという考え方は、はっきりとした形で主張されることはありませんが、実際にはしばしば当然のこととして受け止められています。こうした見解は、今では大学の社会科学において優勢になっています。（貨幣や国家のような）社会組織の個別のさまざまな形態に何らかの起源があったことは認められているものの、それらが持つ歴史的特異性は問題にされないで、その永続性が単純に仮定されているのです。これが、マルクスがブルジョア思想と科学的思想を区別した点なのです。マルクスが批判しながらも、大いに尊重していた政治経済学者アダム・スミスやデヴイッド・リカードが提起した価値概念についての考察では、彼らが価値形態や貨幣形態といった形態の概念を持っていないことを指摘しています。

古典派経済学が、商品、特にその価値の分析によって、価値が交換価値となる形態を発見することに成功しなかったのは、古典派経済学の最大の欠点の一つである。この学派の最も優れた代表者であるアダム・スミスやリカードでさえ、価値の形態を重要でないものとして扱っている。商品固有の性質とは無関係であるとしているのである。その理由は、価値の大きさの分析にばかり気をとられているからだけではない。それはもっと深いところにある。生産物の価値形態は、ブルジョア生産において生産物がとる最も抽象的な形態であるばかりでなく、最も普遍的な形態でもあり、その生産を社会的生産の特殊な種として刻印し、それによって、その特殊な歴史的性格を与えているものである。もしわれわれがこの生産様式を、社会のあらゆる状態に対して自然によって永遠に固定されたものとして扱うならば、われわれは必然的に、価値形態、ひいては商品形態、およびそのさらなる発展である貨幣形態、資本形態などの特質であるものを見落としてしまう（Marx 1867/1965, 81; 1867/1990, 174）。(1)

ここに「形態」というカテゴリーが、希望の重要なカテゴリーとして現れてきます。それは、既存の社会の耐久性と脆弱性の両方を指し示しています。既存の思想のカテゴリーと社会組織の様式は、歴史的な起源を持つという意味においてだけでなく、少なくとも潜在的には取って代わられる可能性があるという意味において、歴史的に特殊なものなのです。それらは、歴史的に特殊な思想形態であり、社会組織の形態なのです。貨幣は人と人との関係を組織化する歴史的に特異な形態です。メキシコとかアイルランドとかドイツとかは、歴史的に特殊な社会組織の形態であり、常に存在していたわけではありませんし、今後も存在しつづけると考える理由はありません。形態というカテゴリーが永続性を溶解してしまい、希望を考えるための道を開くのです。世界を変えようとする私たちすべての努力の前に立ちはだかる煉瓦の壁は、いつまでも崩れないように見えますが、希望を考えることが、その堅固な外見を溶かし去ってしまうのです。

形態のカテゴリーはまた、資本主義的社会関係がなぜ永続的に続くかのように見えるのか、その理由を理解する助けになります。そのような永続性の外観は、明らかに「支配階級の利益」のために作られたものなのですが、それだけではなく、もっと深遠で克服が困難な根拠に基づいているのです。この歴史的に特異な社会組織形態には、見たところ不動であるかのような性格が刻み込まれています。つまり、その歴史的に特異な構成の一部に、その歴史的特異性そのものを否定するものが含まれているのです。

この歴史的なものの脱歴史化とは、マルクスの言うところの物神崇拝、あるいは同じ考えを取り入れたルカーチが言うところの物象化のことなのです。社会関係が物象化されたり物化されたりするのは、資本主義の特徴です。人と人との間の相互作用が、物事の間の関係として見られるようになるのです。私が今使っているノートパソコンを買ったとき、私は教授としての私の活動と、このコンピューターを設計し製造した人々の行動との間に関係を築いたのですが、それはそのようには見えていません。それは私のお金と私が買った機械という二つの物の間の関係として見えるのです。商品交換、この場合は私のノートパソコンの売買が、「造る」とか「行なう」とかいう活動を見えなくしてしまうのです。一方では、私は購入者としてのみ登場し、私がこのマシンを購入するために使った報酬を得た教育や研究の活動の痕跡は消えてしまい、他方では、そこに登場するのはショップの売り手だけで、私が買ったノートパソコンのデザイナーや製造した人々の痕跡は消えています。パソコンを造った人たちはどこにいるのでしょうか？　だれなのでしょうか？　どんな言葉を話しているのでしょうか？　だれにもわかりません。関係するすべての人々の営みは、単にモノの交換という形で存在するだけです。主体性は消え、主体は客体に置き換わってしまっています。

これは私たちが希望について語る場合、基本的なことです。もし希望において能動態の主語が除外されるなら、希望する者が希望する対象から遠ざけられることになります。世界を変えようという積極的な努力の一部を担うのではなく、ただ受動的に望むだけのことになってしまいます。土曜日に雨が降らないことを祈る、米中両政府の現在の緊張状態が世界大戦につながらないことを祈る、などという具合にです。希望は、能動的なカテゴリー（この本を書き終えることができますように、大学で批判思想を強化できますように）から、正反対のカテゴリーになってしまうのです。物神崇拝や物象化の力の一端は、主体を脱主体化し、能動的な希望を受動的な希望的観測に転換させることにあります。このことは、希望についての本を書こうとするなんて愚かなことだと多くの人が思う理由を説明してくれることでしょう。積極的な希望、科学的な希望、ドクタ・スペス［「把握された希望」］は、必然的にそれ自体の物神崇拝への変容、それ自体の希望的観測への変容と対立することになります。希望を懐くということは、物神崇拝から逃れ出ることとなのです。純粋な主体としてではなく、自分自身の脱主体化の中に潜む主体として、主体を回復させることとなのです。

希望を考えることは重要です。なぜなら、希望を考えることは、思考方法の逆転だからです。資本主義社会では、私たちは商品の交換を通じ、貨幣を通じて相互関係を結んでいますが、そのことによって行為と行為者とを抑圧するカテゴリーを中心とした思考方法が生み出されているのです。貨幣、ドイツ、国家、これらはすべて、創り出されたものが創り出した者や創り出した行為から独立していることを宣言するカテゴリーであって、そこに創造のプロセスがあったと考えることにさえ驚かされるほどにまでなっています。この社会では、思考のカテゴリーがこのような形で構成されているために、それが障碍になって、ラディカルな変革を考えることができず、希望を希望的観測に変えてしまう、言い換えれば、希望の思想を真剣な思考から排除してしまうことになってしまうのです。

物神崇拝を凝集と考えることができます。人々が共同しようとするとき、その相互作用が常に凝集されるというところに、資本主義の社会的凝集力の特徴があります。ヘーゲルが「純然たる生の不安」(Hegel 1807/1977, 27) と呼ぶものは、社会的諸関係の特定の形態に凝集され (ヘーゲルはそれを「精神の塊」と呼びます)、その特定の形態は全体との関係において特殊性を獲得します。前に引用した箇所で、マルクスは貨幣形態と価値形態について述べていますが、利子形態、家賃形態、国家形態、家族形態、メキシコ形態などについても述べることができたはずです。社会関係の形態について語ることは、その歴史的特異性を認識することですし、またこれらの形態の特殊化、すなわち相対的分離が、この歴史的特異性の一側面としてあることを認識することでもあります。例えば、貨幣は物であり、国家から分離しているように見えます。そういう両者をいずれも社会的諸関係の諸形態として扱うということは、これらのそれぞれの特殊化あるいは相対的分離が社会的結合の全体性によって生み出されているということなのです。貨幣と国家は、同じ全体的な社会的結合の特定の形態であり、その全体的な社会的結合は、これらの形態に絶えず特殊化されることによって存続し、それ自体を再生産しているのです。貨幣と国家という特定のものを絶えず創り出しつづけることは、全体を創り出しつづけるためにどうしても必要なことなのです。希望を懐くということは、思想と行動において、こうした凝集を解きほぐすことであり、それ自身の否定の中に潜在している生の純然たる不安を解放することなのです。

ここで重要なのは、この凝集の強さ、これらの形態の力なのです。これらの形態の中に、果たしてどこまで生の不安が収められていて、どこまで絶え間なく溢れ出ているのでしょうか？　これらの形態は、革命によってのみ克服できる方法をもって、人間の活動を効果的に含み込むことができるというのが従来の考え方でした。この視点に立つと、将来、革命が確固たる位置を占める**までは**、ずっと価値が支配し、貨幣が支配し、資本が支配する、ということになります。この本で述べてきたのは、これに代わるオルタナティヴな見解で、形態は常に問題にされるべきだという見方です。形態とは、形態形成過程、常に対立に遭遇しながら形成されていく過程にあるものなのです。貨幣、国家、資本は、たがいに連動し合いながら、私たちの活動をある一つの論理の中に封じ込めようとする一連のプロセスをなしています。しかし、こうした封じ込めようとするあがきは、生命の流れを完全に封じ込めることには決して成功しない（あるいはいまだに成功してはいない）のです。

12　歴史的であるということは史的唯物論を意味しない

歴史的であることと史的唯物論を混同してはいけません。[1] 物事をそれが置かれている歴史的位置において考えることは、既存の社会組織を超えて思考する可能性を開くものなのです。史的唯物論の伝統は、共産主義において終結する歴史の軌跡という確実なヴィジョンを提示しています。史的唯物論は、歴史がわれわれの味方であることを提示していますが、一方で、開かれた歴史性という考え方はそれを否定しているのです。

史的唯物論の考え方は、進歩の考え方と密接な関係があります。資本主義とは連続して続いてきた歴史的な段階の一つであるという考え方は、進歩というのは、向こう側に出るために通らなければならないトンネルのようなものだというイメージにつながっています。資本主義は酷いものですが、共産主義に到達するために通過しなければならない「必要な段階」なのだというわけです。こういう見方は、私たちが使う語彙に表れています。私たちは、前向きと後ろ向き、進歩的と反動的という対称的な区別をしています。私たちは、進歩的な政治、進歩的な政府、進歩的な施策といったものについて、あたかも進歩というものが私たちを目標に向かって前進させるかのように語っています。

進歩の時間というのは均質な時間です。その中では一分間が他の一分間と同じであり、鉄道の線路の上やトンネルの中を前進するように一直線に進む時間なのです。共産主義（あるいは、名前は何であろうが待望されている社会）は、トンネルの先にある光です。トンネルの先にある約束の地に到達するために必要な為すべきことは、それが何であれ、その目標によって正当化されるのです。進歩的な政治とは、農民を排除したり都市労働者を工場の厳格な規律に従わせたりすることを、「進歩」の名の下に正当化しうるような手段・目的連関の政治なのです。近年、特にラテンアメリカでは、いくつものいわゆる進歩的な政府が、進歩の名の下に、石油やガスの採掘、露天掘り、フラッキング（水圧破砕法）などを行なう乱開発産業と強く結びついてきました。

旧来の進歩の概念、そしてまさしく史的唯物論も、革命を未来にしっかりと位置づけています。条件が整えばトンネルの先に行けるのだから、それまでは、資本主義体制を耐え忍び、社会を変革できる組織を作るしかないのだ――というわけです。一方で、その間に、より人道的な資本主義、つまりシステムの中での進歩を生み出す努力もできるのだ、というわけです。

特にソ連崩壊後は、反資本主義を進歩と同一視せず、その逆を行く反進歩的な抵抗勢力が成長してきています。この視点は、先住民族の運動、鉱山・ダム・自動車道・高速鉄道に対する抵抗運動、脱成長（経済成長を追求しつづけることの放棄）の重要性を強調する気候正義運動［気候変動の原因を作った度合と影響を受けた度合に応じて負担を公正にしようとする運動］、社会的再生産の伝統的形態の重要性とその過程で女性が果たす役割を強調する運動などと結びついて発展してきました。これらの運動を通じて、「進歩」（それと密接に結びついた「開発」）は人類を破滅に導く力であるとみなされるようになってきました。

しかし、「反進歩」の概念には、また「進歩」の概念にも曖昧さがあります。進歩を拒絶することは、利益の追求によって形づくられる進歩を拒絶することであって、人間の創造性の展開を拒絶することではありません。ここには、言語学的あるいは文法学的に見て避けられない問題があるのですが、この点については後で述べることにします。利潤追求に支配された社会では、人間の創造性は、利潤の拡大に役立つ生産活動や生産過程に注ぎ込まれていきます。これは、進歩の拒絶において拒絶されているものです。この種の進歩は、資本主義のトンネルの終わりまで私たちを前進させることはありません。それどころか、資本主義という泥沼に深く入り込んでしまうのです。私たちは前へ前へと突き進んでいきますが、気がつけば、貨幣の論理のダイナミズムの中に深く深く沈んでいっているのです。そして、その中では、これに代わるものを実践したり考えたりすることはますます難しくなっていくのです。希望は次第に泥沼に沈んでいき、ただその沼の中を進むさまざまな道筋を議論するだけになっていってしまいます。進歩の道は、どれもこれも、地球温暖化であれ、核戦争であれ、ますます無秩序になる暴力であれ、破局へと私たちを導いていこうとしています。進歩的な政府はいずれも「現実的になれ」と訴えていますが、短期的な成果（それはある面では現実的かもしれませんが）がどうであれ、こうした現実主義では泥沼に深く入り込むだけです(2)。

創造性を利益に従属させることが、私たちを災厄に導いていることは事実です。しかし、だからといって、創造性の持つ大きな力から目をそらす理由にはなりません。私が使っているノートパソコンは、確かに企業の利益追求によって作られたものですが、それでも非常に高度に発達し、非常に高度に社会化された人間の創造性の産物なのです。問題は、その創造性を否定することではなく、商品化された形態から解放することにあります。未来においてだけではなく、現在において解放するのです。コンピューターの創造性の発展は、あらゆる創造性の形態と同様に、商品化された形態の〈内〉だけでなく、それと〈対抗〉しつつ、それを〈乗り越える〉ところにも存在しているのです。商品とは、実際には、資本の論理の内で、私たちの創造性を追い求め、それを捕らえ、自分たちのために使おうという絶え間ない試みのなかで生まれてくるものなのです。進歩に対する批判は、創造性に対する批判と混同されるべきではなく、むしろ創造性を資本主義の決定因子であることから解放するための試みとして理解されるべきです。私たちの闘いは、資本に対抗する豊かさの闘いなのです。

これは、文法の観点からも見ることができます。これまで述べてきたように、希望は、〈対抗しつつ・乗り越えて〉進むものであって、〈前へ向かって〉進むものではありません。その文法は恍惚のなかにあり、自己同一性に反しています。それは接続法にあるもので、直説法にはありません。トンネルの先に光はないのだから、資本主義はトンネルが終わるところに到達するために走っているのではありません。資本主義はどんどん暗くなっていく狭い通路であり、その先では、おそらく完全な破滅にしかつながらないのです。ジジェク（Žižek 2018, 11）は、挑発的な口吻でこう言っています。「真の勇気とは、トンネルの先の光がおそらく反対方向から近づいてくる別の列車のヘッドライトだと認めることである」と。この言葉は正しいだろうと思いますが、だから「絶望の勇気」を持たなければならないと結論づけているのは間違っています。まったく逆です。もし反対側から列車が来たら、いま・ここでトンネルの壁を溶かして崩さなければならないのです。災厄が近づいてきたなら、私たちを拘束している論理的・社会的な締め具を断ち切らなければならないのです。

資本は、近づいてくる列車であると同時に、私たちを閉じ込めているトンネルでもあるのです。資本は、他者との関係のしかた、自分の行動のしかた、そして関係しつつ行動しようとするやりかたを常に攻撃してきます。私たちはそれに対抗して、関係＝行動の別のやりかたを創り出そうとして闘います。希望はその闘いの一部なのです。私たちの生活や行動、創造など、すべての行為の中には、常に、資本の論理が私たちを突き動かす方向に対する抵抗、少なくともそれに対する緊張関係が存在します。そこには、私たちの創造的な能力、私たちの生産的な力の発展がありますが、それは常に資本の論理と緊張関係を保ちながら動いているのです。希望の根拠となるのは進歩が進んでいくことではありません。そうではなくて、狭くなるトンネルの壁に何度も何度も身を投じる、歪んだ、ヤヌスの顔のように両面を持った、脱＝静的な、対抗しつつ乗り越えていく豊かさ、それこそが希望の根拠なのです。

13 私たちを破滅に向かわせる列車という大きな物語がある　その物語は破棄されなければならない

エルンスト・ブロッホは、人間の解放という壮大な物語を語る巨匠でした。ファシズムと亡命の暗夜でさえ、彼は人間の活動のあらゆる瞬間に存在する希望、対抗しつつ乗り越えて進んでいく希望、いまだないものが持つ現在の力が表現するいまだないものへの憧れ、故郷回帰の可能性を常に含んだ希望について、力強い物語を展開したのです。それは、並外れた偉業でした。最も暗い時代（現在よりもさらに暗い時代）に書かれ、世界を切り拓く思想と文化に対する理解を生み出して、一九六〇年代と一九七〇年代の抗議運動の全世代を刺激したのです（そして今も私のこの本を刺激しつづけているのです）。

まるで小説のようなこの物語は、膨大な数の社会現象の多様性を、私たち（物語の書き手と読み手）に何らかの形で意味を感じさせるような内的な関係に置き換えようとする試みなのです。それは、世界のもろもろの社会的関係が、何らかのプロセスを通じて私たちすべてを結びつけるものを紡ぎ出すことができ、そのようにして紡ぎ出されたものは私たちが理解できるか、少なくとも鑑賞することができるパターンまたはパターンの多様性を持っている、という考えに基づいています。

近年では、大きな物語、特に解放へと導く物語という考え方は、多くの批判を浴びています。大きな物語の概念に対する攻撃は、この物語が織りなす統一性を否定し、意味のない、あるいは断片的な意味しか持たない世界のみを私たちにもたらすことになります。例えば、さまざまな社会運動が多数存在し、それぞれが異なる闘争を闘っているという考え方は、これに当てはまります。私は、「交差性」［intersectionality］という概念も、異なるセクター（女性、黒人、ＬＧＢＴ、先住民など）の闘いが協力すべきだという考えを示すものである限り、同様に問題があると考えています。そこにおいては、資本主義というシステマティックな抑圧の力学があり、それを打破しなければならないという考えは遠ざけられています。システマティックな敵という考え方は影を潜め、多種多様な希望を実現することに重点が置かれることになっています。それらの希望は、大抵の場合、システマティックな敵を倒さなくても実現できると見なされているのです。

希望は希望の敵になるのです。個別の闘争の推進によって尊厳の相互承認に基づいて自己決定できる社会を創るという古い夢を消し去ることになってしまいます。そうすることで、疑問の余地なく、私たちを絶滅の崖っぷちにますます近づけているであろうシステムの力から目を背けることになっているのです。

単一のものとしての希望を前面に押し出すことは、このような流れに逆らって、大きな物語の重要性を主張することを意味します。単一の物語や世界史といった着想に実質を与えるような形で、実際に社会的諸関係の織物が世界的規模で紡ぎ出されているのです。私たちすべてを結びつけている糸は貨幣です。しかし、貨幣の物語は、解放の物語ではありません。それどころか反対に、その物語は私たちを絶滅へと導き、幸福とは程遠い結末を迎えさせようとしているように見えます。だから、アドルノは言っているのです。「野蛮から人道主義に至る歴史はないが、パチンコからメガトン爆弾に至る歴史はある」（Adorno 1966/1990, 320）と。そうすると、われわれにとって問題になるのは、旧来のマルクス主義が考えていたように、いかにしてその物語を実現するかではなく、いかにしてその物語を打破するかになってくるのです。希望とは、歴史的使命を果たすことではなく、ベンヤミンが指摘したように、非常ブレーキを引くこと、列車を停止させることなのです。「マルクスは革命を世界史の機関車と呼んだ。しかし、おそらくはそれはまったく違う。これらの列車に乗っているのは、たぶん、非常ブレーキに手を伸ばそうとする人々なのである」（Benjamin 1974, 1232）(1)。これは、革命の問題をすべて根底から覆す、非常に重要な認識です。この反転は、この本でも議論の中心をなしています。

希望は、私たちを大きな物語という考え方に導いていきますが、その大きな物語とはブロッホや史的唯物論が言うようなものではありません。それは、打破されるべき物語なのです。現在貨幣によって織り出されている社会関係の織物は、破滅の織物です。しかし、それに対抗する織物を織り出そうとする営み、つまり、貨幣の論理に逆らい、異なる方法で社会的つながりを確立していこうとしている営みがあるのです。これらは、現在私たちを支配している貨幣＝資本＝死という全体化したグランド・シナリオを打ち破り、代わりに多くの世界、多くの物語からなる世界を創造する可能性を開こうとする対抗物語なのです。これらの対抗物語こそが、希望の実体なのです。

PART Ⅳ

主体

14 希望は犠牲のためにあるのでも英雄のためにあるのでもない

ブロッホは『希望の原理』の冒頭で、「希望は、失敗よりも成功に恋している」(Bloch 1959/1985, 1)と言っています。私たちは、勝ちたいのです。私たちは、今ある破滅のダイナミズムを断ち切りたいのです。私たちは、人間の尊厳をおたがいに認め合うことの上に立つ社会を創りたいのです。

ブロッホの同じ章句を繰り返し引用したのは、このブロッホの言葉がこの本で述べたいことにとって重要だからです。何が現実的で何が現実的でないかの尺度は、時間とともにどちらかに傾きます。二〇世紀の大部分において、資本主義の打倒は、望むと望まざるとにかかわらず、非常に多くの人々にとって現実的な可能性であったように思われます。何が現実的かについて、これとは反対の評価が今日では支配的になっています。資本主義は恐ろしいけれど、これに代わるものはないのが現実なのだから、その悪い影響をできる限り和らげるしかない、という評価です。もし、非常にあり得ることだと思いますが、今後、資本主義のダイナミズムが人類を滅亡の淵に追いやる可能性が高くなるとすれば、秤の針がどちらに傾くかは、重要性を増すことでしょう。いつになったら、

「恐ろしいけれど、代わるものはない」というのが常識の状態から、「恐ろしいから、現実的な道は他の生き方を創ることにしかない！」というのが常識の状態に変わるのでしょうか？　その答えは、おそらく私たちが種として生き残る可能性に影響を与えることでしょう。パンデミックは、そのような方向に評価基準をシフトさせたのでしょうか？　その可能性はあります。

成功には何らかの主体があることが前提になります。自動的にハッピーエンドになることはありません。私たちはそれを起こらせなければならないのです。しかし、それを起こす主体はどこにあるのでしょうか？

希望は犠牲者のためにあるのではありません。私たちは抑圧の犠牲者であるからこそ、異なる世界を望むのです。資本主義は私たちを犠牲にしています。私たちを、自分ではコントロールできないシステムの犠牲者にしてしまっているのです。それは、私たちを歴史の客体にしているということです。

もし私たちが単に犠牲者であるとするなら、あえて希望を持ったりするでしょうか？　世界を変えるためには、私たちは歴史の客体ではなく、主体でなければなりません。犠牲者が持つ希望は宗教的なものです。いつか我らの救世主はやってくる。その救世主が党であれ、レーニンであれ、チェであれ、フィデルであれ、オカランであれ、マルコス／ガレアノであれ［キューバ革命の指導者チェ・ゲバラ、フィデル・カストロ、クルド労働者党（PKK）の指導者アブドゥラ・オカラン、サパティスタの指導者サブコマンダンテ・マルコス別名スプガレアノ］、きっとやってくる、というものです。あるいは、もっと興味深いことに、犠牲者の希望というのは虫けらの逆襲というイメージに基づいているのではないでしょうか？　私たちはみんな虫けらで、支配者たちに踏みつけられているのだけれど、いつの日か虫けらは逆襲に転じて支配者たちを打ち倒すだろう、というわけです。しかし、この希望は、虫けらたちが虫けら以上の存在、犠牲者以上の存在、客体以上の存在であることを前提にしています。

ところが左派の言説の多くは、支配と被支配の物語なのです。システムがいかに酷いか、国家がいかに抑圧的か、資本主義がいかに悲惨な発展を遂げたか、そうしたことを何度も何度も繰り返し説明するのです。現在のコロナ危機においても、国家が権威主義的になり、社会統制を自由に行使する手段が大幅に強化された、というような分析が多くなされています。しかし、私たちを犠牲にしている行為を語れば語るほど、逆にそうした行為を強めることになる危険性が大いにあります。私たちの支配者があまりに強力で、全能の存在にされてしまう結果、革命や、あるいは叛乱さえもますます考えられなくなってしまうのです。そこにはおそらく虫けらの逆襲の発想があるのでしょう。被害者や虫けらたちに、諸君らがいかに悲惨な状況にあるのかということを明らかにしていくなかで、あるところまで行けば、彼らが起ち上がるというわけなのでしょう。しかし、このような発想が意味を持つのは、虫けら／被害者／対象が、犠牲にされる対象であるだけでなく、同時に、抑圧され、自己分裂している主体として認識され、また、その主体性が潜在的であるとしても、現実の力を持つ潜在的主体として認識される場合に限られるでしょう。実際のところ、支配-犠牲連関の言説においては、犠牲者の潜在的な力あるいは潜在的な主体性は何の役にも立たないのです。そして、批判は私たちをシニシズムへと向かわせます。システムは酷いもので、革命が必要だとわかっていても、どうすることもできないのだというところへ行くのです。それなら、運命を予言しながら、それに誰も耳を傾けないというカッサンドラ［ギリシア神話に出てくるトロイアの王女。トロイアの陥落を正しく予言したが、誰にも信じてもらえなかった］の役割を受け入れた方がまだましです。私たちは破滅に向かう列車に乗っているのであって、そのことを認識するのは良いことだが、それに対して何かできると考えるのは馬鹿げている、というわけです。大学では、例えば、批判思想は、私たちが住んでいる社会が、リベラリズム理論が宣伝する自由と正義のイメージとは懸け離れた、不当で抑圧的なシステムであるという認識、それ以上のものには行こうとしないことが多いのです。こうして、批判思想は被害者の理論になってしまうのです。

支配から出発して世界を分析していくと、その分析は自らが批判する支配の中に自らを閉じ込めることになってしまいます。このことは、従来のマルクスの読み方、特にマルクスの『資本論』の読み方について、確かに言えることです。『資本論』は、資本主義の仕組みの分析として理解されています。商品を出発点として、そこから生じる搾取と支配のシステム全体の分析へと進んでいきます。マルクス主義の最も優れた、最も厳密な分析[1]の多くは、システムを変えなければならない、革命が必要だという結論に導いていってくれます。

革命の必要性は明らかになりますが、その可能性は宙に浮いたままです。このようなアプローチでは、階級闘争は資本の分析から切り離されているように見えます。こうした読み方に欠けているのは、内在的な（あるいは溢れ出る）否定、つまり支配そのものが生み出す否定の力を見て取ることです。しかし、これらの読み方とは反対に、この否定する力は『資本論』の中に非常に大きな存在としてあるのです。マルクスの分析は、実際には、商品からではなく、豊かさから出発しているのです。

このように支配に重点を置くことに囚われることへの反撥は、もう一方の極に向かい、それは闘争に焦点を当てることでした。マルクス主義の議論において、この点で最も顕著で効果的な表現は、一九六〇年代から一九七〇年代にかけてイタリアで起こったいわゆるオペライズモ［「労働者主義」という意味。一九六〇年代から一九七〇年代にかけてイタリアで起こった工場自主管理運動］（または自主管理）運動に具現された「コペルニクス的転換」（Moulier 1989, 19）でした。この運動については、一九六三年にトロンティが「イギリスにおけるレーニン」という論文で、美しいほど簡潔に表現しています。「私たちも、資本主義の発展を第一とし、労働者を第二とする考え方で仕事をしてきた。これは間違いだ。そして今、私たちは問題をひっくり返し、極を逆転させ、始めからやり直さなければならない。そしてその始めに置かれるのは労働者階級の階級闘争である」（Tronti 1963/1979, 1）。このアプローチでは、労働者階級が歴史の原動力であり、資本は絶えず労働者階級の攻撃に対応して展開しているということになります。旧来のマルクス主義理論の典型的な労働者は単なる被害者だという見方は覆されることになります。

旧来のマルクス主義の視点からのこの反転は、希望を考えるうえで非常に重要です。私たちは、救世主や機械仕掛けの神に依存する必要はないのです。ラディカルな希望という観点から世界を捉えることは、被害者意識を最初から否定し、自己解放する主体の視点から世界を考えようとすることなのです。

しかし、これとは逆の危険性が私たちの前に立ちはだかっていることは、すでに明らかです。それは、主観的な主意主義の危険性、つまり、すでに確立されている世界の構造を認識すること抜きに、ただ自分たちの意志だけで世界を意のままにすることができると考えることです。これは、アドルノ（Adorno 1966/1990, xx）が言っているように、囚人の夢、あるいは「構成的主観性の誤謬」であって、私たちを拘束している社会的諸関係の総体を簡単に脱ぎ捨てることができるという間違った考え方です。これは、現実を自分の意のままにできるヒーローの主観であって、ハリウッド映画の主人公に典型的に見られるものです。希望は犠牲者のためのものではありませんが、英雄のためのものでもありません。なぜなら、英雄的な主体という観念は、私たちを束縛している社会総体の力を過小評価しているものだからです。構成的主体は、客体の優位性に対して盲目なのです。さらに悪いことに、構成的主体は客体の優位性の対極に位置するものなのです。対象の力に対して盲目であることは、対象とされているものが持つ物神的な影響力が産み出したものであって、それは物神崇拝の再生産に寄与しているのです。被害者意識とヒロイズムはおたがいに強め合うのです。

犠牲者は封じ込められた者であり、そこには希望はありません。英雄は封じ込められた者でなくて、何らかの意味ですべてを超越した者で、外部からやってくる者であって、そこにも希望はありません。なぜなら、そんな英雄なんて存在しないからです。社会の根本的な変革の可能性を考えるには、主体がこうしたものとは何か別のものでなければなりません。それは、封じ込まれていながら、そこから溢れ出し、脱け出すものでなければならないのです。私たちは、内在的な否定、内在的でありながら内から溢れ出るような否定を求めているのです。

「ブルジョアジーは、何よりもまず、自分自身の墓掘り人をつくりだす」。革命的な希望は、いまあるものに代わるものを構築するために外に出ることではなく、支配のシステムそのものが生み出す負の力を強化することに中心を置くのです。内にあるだけでなく、そこから溢れ出し噴き出すような力です。システムの内で発生した力が、システムに逆らいシステムを超え、自らの存在に逆らい自らの存在を超えて押し出ていくのです。ブルジョアジーの墓を掘る墓掘り人たちは、墓掘り人としての自分たち自身の墓を掘っているのです。

内在する否定ということ。資本は、自らの墓掘り人、自らを殺す者を生み出します。資本は、自らの中に封じ込める力を生み出し、それによって一つの階級を形成させますが、それと同時に、階級に封じ込められながら、そうされることを拒否して、そうした階級形成から溢れ出す階級を生み出すのです。内在：内で。否定：対抗して。そして、それに加えて、溢出：乗り越えて。内で・対抗して・乗り越えて。脱却、束縛の破綻、全体化する論理の破綻。不適応階級。階級形成からはみ出していく階級。労働者階級が自分自身のあり方に反抗し、溢れ出して不定形の暴徒になる寸前。商品から溢れ出る豊かさ。均質化した時間に抗い、それを超えてはじける「いまだないもの」、時計の針を折る虎の跳躍。名詞の中に閉じ込められている動詞の脱獄。コモンズ［共有地］を超えて届く共有化。地下で鳴り響き、突破しようとする潜勢力、よく働く老いたるモグラ［Old Mole 一九六〇年代末に発行された米国のニューレフトのアンダーグラウンド新聞の紙名］。憤怒を超え、尊厳を超えて進む、尊厳に満ちた憤怒。すべての答えを打ち破ってしまう問いかけ。それが希望の主体なのです。

それらすべて。均質化した時間に抗い、それを超えてはじける「いまだないもの」、時計の針を折る虎の跳躍。名詞の中に閉じ込められている動詞の脱獄。もちろんそれはいい。だが、その物質的な力はどこにあるんだ。「言葉、言葉、言葉、もう言葉はうんざり！」(2)。

マルクス主義の伝統では、革命的な希望の基盤になる物質的なものの中心は何かということについて、二つの考え方があります。ひとつは、労働者階級です。この言い方には曖昧さがあることは、すでに見たとおりです。労働者階級というものがアイデンティティとして理解される限り、それはやがて、アイデンティティのシステムを再生産することしかできなくなるのです。その構成員が効果的に階級化されている限り、彼らは階級として自己を再生産することしかできないのです。労働者階級を革命的な希望を開くものとして考えるには、彼らを反労働・反階級として、不適応、溢れ出るもの、抑制されないもの、征服されないものとして見なければなりません。フラストレーション。暴徒か？

墓掘り人の持つ物質的なものへのもうひとつのアプローチは、生産力という概念を中心に据えます。資本主義の発展は、生産力の拡大をもたらします。この生産力の拡大が生産関係と対立する地点がやってきます。資本主義的社会関係は、もはや適切ではなく、拡大した生産力の発展を封じ込めることができないので、資本主義の「装甲は引き裂かれるのである」（Marx 1867/1965, 763; 1867/1990, 929）(3) というわけです。「生産力」とは、このアプローチでは一般に、より多く生産するための能力、つまり技術開発のことを指すと理解されています。

これは非常に問題のある考え方です。この考え方は、しばしば、経済的あるいは技術的な決定論に導かれやすいのです。社会は、私たちが開発した技術によって形作られます。「風車は封建領主の社会を与え、蒸気機関は産業資本家の社会を与える」とマルクスは『哲学の貧困』で言っています（Marx 1847/1976）。このような捉え方からは、技術開発と生産関係とは別々のものであることが導き出されてきます。あたかも技術は、あらゆる社会において思考と行動の両方を形成するものである社会的制約の外で開発されたものであるかのように考えられてしまいます。マルクスは『資本論』においては、より優れた見解を明らかにしています。すなわち、両者の関係は内的なものであり、技術の発展は社会的再生産の一部であるとしているのです(4)。システムの論理がその中に私たちの創造的能力を封じ込めているということは、たとえ私たちの創造がシステムに反しシステムを超える動きをするものであったとしても、私たちが創造するものは形作られるということです。封じ込めと溢れ出しとの葛藤の外に立つ創造的な発展などありえないのです。

生産力と生産関係の関係が外的なものであるという仮定は、生産力を肯定することにつながります。生産力は、社会的敵対関係とは無関係に前進するものになります。私たちは、資本主義のトンネルの中を、反対側の端に出られるという約束のもとで進んでいるのです。革命的な変革は、未来にしっかりとあり、歴史はわれわれの味方である。資本主義的生産様式は、共産主義に道を譲るだろう。こうした考えは、過去において人々が資本主義と闘うための重要な動機でした。しかし、今では空しく響き、もっと悪いことには、その反響の中に嘲りが聞き取られるのです。

技術開発が変化の原動力であり、革命的な希望の担い手であるという考え方のもうひとつの問題点は、私たちは技術開発のために闘っているのではないということです。確かに、私たちは物質的は、それよりずっと強く意識しているのは、私たちが今、な貧困や飢餓をなくしたいと思っていますが、多大な技術開発がもたらす破壊的な影響についてです。脱成長を求める運動は、このことを明確に表現しています。しかし、私たちが問題にしているのは、成長や発展が多いか少ないかではなく、そうした成長がどのように形成されるかなのです。したがって、問題は自己決定か疎遠な決定かという対立にあるのです。溢れ出るものと封じ込めるものとの間の対立です。

根本的な変革の主体は、通常理解されているような労働者階級でもなければ、通常理解されているような生産力でもないのです。問題は、労働でも階級でもなく私たちの創造性を型にはめる制約から解放することにあるのです。言い換えれば……

15　豊かさこそ革命的な主体である

この本の最初のところで、私たちはその出発点として、希望、怒り、豊かさ、尊厳について述べました。今、私たちは豊かさに焦点を当てますが、それは他を押しのけるためではなく、私たち自身の強さに焦点を当てるためです。

マルクスの『経済学批判要綱』からの引用に戻ります。

限定されたブルジョア的な形式を取り払ってとらえるならば、富とは、人間の欲求、能力、快楽、生産力など、普遍的な交換を通じて生み出される人間の普遍性以外の何ものでもないのである(1)。……それは、それまでの歴史的な発展以外には何の前提も持たずに、人間の創造的な潜在能力が無制約に発揮されることなのである。それは発展の全体性、すなわち人間のあらゆる力の発展それ自体が目的であって、あらかじめ決められた物差しで測られるものではないのではないか？　何らかの特殊性において自己を実現するのではなくて、自らの全体性を実現しようとするものなのではないのか？　自分が成った何者かにとどまるのではなく、何ものにも制約されない生成の運動のなかで力を尽くそうとするものではないのか？（Marx 1857/1973, 488）

この引用の中で「富」と訳されている言葉は、ドイツ語の原文では Reichtum であり、これは端的に「豊かさ」と訳すことができる言葉なのです。私は、ここでマルクスが言っている「人間の欲求、能力、快楽、生産力などの普遍性」、「何ものにも制約されない生成の運動」を表す言葉として「豊かさ」を好んで使っています。そして、「富」という言葉は、商品化された豊かさのためにとっておくのです。

革命的な主体とは豊かさであり、「人間の創造的な潜在能力の何ものにも制約されない発揮」なのです。そうした豊かさは、変質し、商品化された形ではありますが、私たちの周りにあるものです。それは、例えば、学生が持っている渇望、学び理解し変わろうとする意欲なのです。あるいは、それは、あらゆる種類の労働者の技能、他の形態の生命との相互作用から得た農民の蓄積された知識なのです。それは、合唱団の歌声であり、ドラムやバイオリンの演奏です。家族、友人関係、病院、学校などで行なわれる他者への気遣いもそうです。ブロッホが希望への偉大な讃歌の中で分析した、おとぎ話、文学、絵画、ダンス、建築、音楽、ユートピアの発明、本を書いたり読んだりしてよりよい世界を目指す人間の努力、そうしたものすべてがそうなのです。夢を葬られることを拒む者たちが上げる怒りの咆哮も。豊かな世界とは、豊かな色彩と激しさの世界、そしてなによりも自己決定へと突き進む世界なのです。何ものにも制約されない生成の運動とは、この「私たち」が集団的または個人的にどのように理解されていようとも、私たちから押し出されてくる運動なのです。

そして、現実のもうひとつの側面が姿を現します。『経済学批判要綱』の引用した段落の最後の数行ではこう言われています。

ブルジョア経済学では――そして、それが対応する生産の時代では――、この人間が内に持っているものの完全な発揮は、完全な空虚化として現れる。この普遍的な対象化は、完全な疎外として、無制限で一方的な目標の破壊、人間の目的そのものを完全に外的な目的に対する犠牲に供することとして現れる。

資本主義社会において支配的なのは、自ら生成する自己決定の運動ではなく、「完全に外的な目的」の押しつけであり、その目的とは、価値の増殖、貨幣の増殖、資本の蓄積なのです。段落の最初の部分から最後の行への移行は、戦慄を帯びた恐ろしさを感じさせます。人間が内に持っているものの完全な発揮が、完全な空虚に変形され、移し替えられるのです。この変形は、豊かさの商品化によってもたらされるものです。『資本論』の重要な、そして大いに無視されてきた最初の文は、こう言っています(そして私は今、Reichtum を豊かさと訳します)。「資本主義的生産が支配的に行なわれている社会の豊かさは、一つの『巨大な商品の集まり』として現れ……」。豊かさの商品化とは、人間の中身を完全に使い果たすこと、完全に空っぽにすることなのです。こうして、豊かさは、商品化された形態である富に変容してしまいます。

そこには、閉じ込めがあります。豊かさは開かれたものであり、何ものにも制約されない生成の運動なのです。しかし今、豊かさは膨大な量の商品の集積、つまり売り買いできる物の集積に囲い込まれてしまっています。豊かさは、私たちがいまある何かになったままではいられないと努力をするように、アイデンティティに対抗して動き始めます。商品化された富は、巨大な商品の集積の中に私たちを閉じ込めています。まるで豊かさの上に大きな壁が崩れ落ちてきたかのようです。豊かさは富の瓦礫の下に埋もれています。そこから叫びが聞こえてきます。資本主義の瓦礫に埋もれた子供の叫び、生きられるべき命の叫びです。それは、商品化された富に対抗して道を切り開こうとする豊かさの叫びです。この叫びは、貨幣との闘いにおける豊かさの怒りであり、その闘いには世界の未来がかかっているのです。

しかし、その叫びは本当に発せられているのでしょうか？　それとも私たちが想像しているだけなのでしょうか？　私たちは自分たちの願望を聞いているだけなのでしょうか？　子供は死んでいるのでしょうか、生きているのでしょうか？　果たして、商品化の重みに抗して自らを押し出す力を持つことができるのでしょうか？

豊かさは商品化された形態に転化されていきます。私たちは皆それぞれに、自分たちの生命の豊かさが次々に商品化され、貨幣の論理にますます従うようになってきたことについて、さまざまな経験を持っています。教育、医療、食糧、視覚環境の質、選択の仕方、人生をどうするかという決断。商品化は、物質的な物の豊かさだけでなく、人生の豊かさのあらゆる面を侵食しているのです。

豊かさ、つまり「何ものにも制約されない生成の運動」に向かって突き進んでいこうとする志向は、それを口にすることさえばかばかしく思えるほど、地下に押しやられているのです。富の瓦礫に埋もれた豊かさの叫び、商品化に抗い、それを超えようとする豊かさの動きは、私たちの耳から、目から次第に消えていこうとしています。私たちの知覚を制限する幕が下りてきます。ここには変形と同時に変換も働いているのです。豊かさの発展が貨幣の論理によって決定されているというだけではありません。この決定に対する豊かさの闘いは、私たちのすべての生活に深く入り込んでいるにもかかわらず、いま視界から消え去っていこうとしているのです。したがって、たとえば、マルクスが、豊かさは商品の巨大な蓄積として自らを呈示すると言うとき、（主流派のマルクス主義の伝統において明らかなように）その自己呈示は与えられたものとされて、それが日々不可避的に伴う闘いは視界から失われているのです。豊かさと商品化された富との間にまさしく存在する区別が消え去っているのです。世界は、資本が達成したもの、あるいは達成しようと努めているもののレンズを通して、逆に読み取られることになります。カテゴリーは閉じられ、その歴史といまも引き続く暴力は、その概念的な定義の背後に隠されてしまうようになるのです。そのことが意味するものは、例えばロシア革命や中国革命の悲劇的な歴史に見ることができます。ロシア革命や中国革命が生み出した体制は、富の増進に重点を置くことによって、自己決定が生み出す豊かさを犠牲にしたのです。

ですから、豊かさこそが革命的な主体なのです。私たちは貧しい者ではなく、豊かな者なのです。

私たちが別の世界を求めて闘うのは、貧しいからではなく、私たちの豊かさ、創造する能力、実行する力が、商品形態によって、貨幣によって囚われているからなのです。私たちは豊かさを持つ者であり、その豊かさは私たちの前に立ちはだかる富となることによって、貧しさに転化されてしまいます。私たちは力を持つ者であり、その力は、「する力」、創造する力です。しかし、その力が、私たちの創造性を否定し、私たちを抑圧する疎外の論理に従わせる「させる力」に変換されてしまうのです。それとも、もっとわかりやすく言えば、私たちは、富に反抗する豊かなる者であり、労働に反抗する行為する者であり、価値に反抗する社会的価値なのです。私たちは、貨幣に対抗しながら貨幣を乗り越えていく豊かさなのです。

「富」対「豊かさ」。ここには言葉の問題があります。それは、資本主義と対抗して考えを進めようとする試みの核心に関わる問題なのです。リチャード・ガンの古典的な表現を借りれば、アイデンティティを否定しようとする者は「それが拒否される様式の中に」存在するのです（Gunn 1992, 14）。社会形態は、それ自体が社会形態を構成するものでありながらそれに対抗作用を及ぼす存在を拒否するのです。非自己同一化は自己同一化の形態の中に存在します。アドルノの定式（Adorno 1990, 5）を繰り返しますと「矛盾は自己同一性の側面の下での非自己同一性にある」ということです。そして、自己同一性を志向する者は名づけることによってその立場を強化するのです。それに対し、否定されるもの、地下に存在するものを語るために必要な言葉がないので、語ることが困難になるのです。どんな概念にも、それ自体に反し、それ自体を乗り越える運動が内包されています。この運動を見つけ出すには、概念を分割し、切開して、概念が隠しているものを見つけようとする必要があります。[2]言語の上での不都合さを回避する方法はありません。マルクスは『資本論』の中で、抽象的労働と具体的労働を区別していますが、これはまさに彼の政治経済批判の軸となるものです。しかし、その定式化は、使われている用語のせいでもあり、また具体的労働と抽象的労働の間の〈内〉で〈対抗〉しながら〈乗り越え〉ていく関係が失われているせいもあって、不満足なものになっています。これは、支配の本質に根ざしているものであるため、おそらく適切な解決策がない問題なのです。しかし、そうであっても、私たちの抵抗と反抗を表現するためには、何らかの方法で対処しなければならないのです。

英語には、アングロサクソン系やゲルマン系の語彙と、ラテン語系の語彙という、二つの語彙体系があります。ラテン語系の語彙は、ノルマン・コンクエストやキリスト教会の影響、スコラ哲学や学術思想に関連しています。この事実がもしかしたら問題解明に役立つかもしれません。エンゲルスは、『資本論』第一章の脚注で、ラテン系語源の labour とアングロサクソン系語源の work を対比して掲げています。

> 英語には、ここで考察される労働の二つの側面に対して、それぞれ異なる単語を持っているという利点がある。使用価値を創造し質的に規定される労働は work と呼ばれ、labour と区別される。価値を創造し量的に規定される労働は、work と区別されて labour と呼ばれる（Marx 1867/1965, 47)。

豊かさを革命的主体として主張するために、私はこれとは逆の方向に進むことにしました。ラテン系を語源とする単語（richness）を用いて資本主義に適応しないものを語り、アングロサクソン系を語源とする単語（wealth）を用いて商品の世界への変形と移替を語ることにしたのです。「豊かさ（richness）」という言葉は、人生の創造性、情熱、色彩を語るのによく使われる言葉であるのに対し、「富（wealth）」という言葉は金銭的な富という意味でよく使われる言葉だと思われたからです。この点については意見が分かれるかもしれません。しかし、いずれにせよ、この二つの言葉を区別しておくことは、議論を明確にするために役立ちます。瓦礫の下に隠れているもの、拒絶されながらも〈内〉で〈対抗〉しながら〈乗り越え〉ていこうと闘っているものが発する叫びに耳を傾けることを助けてくれるのです。

「貨幣」対「豊かさ」。「富」対「豊かさ」。そして最も重要なのは、「アイデンティティ」対「豊かさ」の対比です。豊かさとアイデンティティはたやすく混同されがちですが、この混同は悲劇的な結果を生みます。私たちはおそらく誰もが、個人的な経験としてだけでなく、集団的な伝統に帰属するものとしても豊かさを感じているはずです。アイルランド音楽の豊かさ、メキシコ料理の豊かさ、社会的再生産過程における女性の交流の豊かさ、ホモセクシャリティの地下の歴史の豊かさ、労働者階級の文化の豊かさなどを思い浮かべられるかもしれません。そのような集団的経験に対して持たれる誇りのようなものは、人間の豊かさという概念と切り離せないものです。しかし、そのような豊かさはすべて、生成の過程、創造の過程にあるものなのです。ひとたびそれらが閉ざされたものとみなされ、ひとたびアイデンティティや排除に変換されてしまうと、それらは容易に、文字通り凶悪なものに変じていってしまいます。それが、いま世界中で起こっていることなのです。資本は、豊かさに対する攻撃であり、豊かさを均質化して、貨幣の論理に従属させるものなのです。これに対する反応は、しばしばそれらの豊かさを定義し、識別することを通じて防衛しようとする形をとります。私たちは、そのようにして、自分たちの、アイルランド人らしさ、ユダヤ人らしさ、女性としての文化、黒人としての文化を守ろうとするのです。私たちは、英国のEU脱退に賛成投票することで、イギリス人であることを守ろうとします。私たちは、イスラム教徒の侵入者に反対することで、私たちのフランス人らしさを守ろうとします。私たちはラテンアメリカ人としての特徴を守ろうとします。あまりにも簡単に、豊かさからアイデンティティ化へと流れが生じ（Roudinesco 2021）、恐ろしい結果を招いています。アイデンティティ化は破壊へと導く線路であり、豊かさは、創造的な生成を相互に承認し合うことに基づく世界を創造することができる私たちの能力なのです。

「アイデンティティ」対「豊かさ」。豊かさとは、したがって、「相互承認」の運動なのです。そして、これは、リチャード・ガンとエイドリアン・ワイルディングが最近の著書（Gunn and Wilding 2020）で展開しているように、ヘーゲルに由来する「危険な発想」なのです。若き日のヘーゲル、『精神現象学』のヘーゲルは、フランス革命における群衆をどう理解したらいいかという問題に触発されました。この問題とは、ヘーゲルにとっては「われわれである私と私であるわれわれ」（Hegel 1807/1977, 110）という問題でした。革命の瞬間には、限界や境界線に妨げられることのない認識の流れが生まれます。それは私たちに本来そなわっている社会性、私たちの間での相互浸透によるものです。

相互承認は、豊かさと同様に、潜在的な否定的な力であり、不適応であり、共有化なのです。それは誤まった認識に立ち向かうものであり、誤まった認識の中身を明らかにする言い方をすれば、〈われわれである私〉と〈私であるわれわれ〉との間の相互浸透の流れを断ち切り、非自己同一性の流れを断ち切るような認識に立ち向かうものなのです。相互に認識しあえる豊かさこそ、希望の実体です。それは、政治経済の対象を構成する商品、貨幣、価値、抽象的労働、その他の社会的関係の諸形態を批判する視点でもあります。これらの形態は、私たちの社会的生成の流れに非常に多くの障害をなすものであり、非常に多くの硬直化、凝固、凝塊をもたらすものなのです。それを社会のまとまりという観点、社会がまとまる方法という観点から考えるならば、ヘーゲルの「危険な発想」は、相互承認に基づく社会を創ることが可能であることを主張しているだけでなく、矛盾し閉鎖され変質した諸形態に対抗して自らの実現に向かって相互承認を求めていく推進力が根底にあるからこそ、それが可能なのだと主張しているのだということを見なければなりません。相互承認は、〈内〉で〈対抗〉しながら〈乗り越え〉ていく運動です。それは、矛盾した、あるいは変質させられた形態のもとに存在しており、こうした形態に対抗して、それ自身の実現である彼方に向かって押し出していく運動なのです。尊厳は、これと非常によく似た理念です。尊厳は、それが拒絶されている様式のもとに存在しながら、拒絶されていることに反旗を翻して、尊厳の相互承認に基づく世界に向かって突き進んでいるのです。

豊かさ、相互承認、尊厳は潜在的な形で存在しているものですが、その存在は火山に似ています。普段は抑圧された相互承認の豊かさはほとんど見えないで、破壊的な力としてそこにあることがまったく信じられないほどです。しかし、時が至れば、〈われわれである私〉と〈私であるわれわれ〉とが地表を突き破って、姿を現します。ヘーゲルの時代の革命的なパリの街路（とハイチ）[3]のように、二〇〇一／二〇〇二年のアルゼンチン、二〇〇八年のギリシア、二〇一一年の占拠運動、二〇一九年のチリ、などなどのように。アイデンティティとは、認識の流れにおける閉塞や凝固のようなものです。このような誤まった認識によって、前世紀に何百万人もの人々が虐殺され、日々数百数千もの人々が殺されてきました。女性だからといって、黒人だからといって、メキシコ人だからといって、同性愛者だからといって、イスラム教徒だからといって、ユダヤ人だからといって、彼らに誤まった認識が課されてきたからなのです。こうした役割規定を押しつけてくる認識に対する反抗は、しばしばそれと同じようなアイデンティティ規定の形をとります。つまり、女性であること、黒人であること、メキシコ人であること、ユダヤ人であることなどを誇りに思うという形をとるのです。多くの場合、このような自己肯定は、非常に重大な形で認識の流れを阻害することはないのですが、こうした外見ではアイデンティティ志向と思われてしまう発言は、反アイデンティティのインパクトを減衰させ、その結果、同じような破壊的な誤った認識が再生産されていく危険を孕んでいます。

豊かさ、貨幣に対抗する豊かさ、富に対抗する豊かさ、アイデンティティに対抗する豊かさ、誤った認識に対抗する豊かさ。豊かさは、いったいどこにあるのでしょうか？

16　潜在している豊かさに耳を傾けよう

「もうひとつの世界は可能であるだけではなく、実現の途に着いている。静かな日、その息吹を聴き取ることができる」[1]。

このもうひとつの世界は、潜在している世界です。私たちは、富の下に埋もれた豊かさを探しているのです。私たちは、内在しながら溢れ出ている否定を探しています。私たちは、すでに存在している「いまだないもの」を探しているのです。私たちは、その存在だけでなく、その力を探しています。希望は成功に恋しているのです。

私たちが望むもうひとつの世界は、暴動や抗議行動で火山のように爆発することもありますが、たいていの場合、爆発しうるものなのだけれど、抑圧された不満や怒り、希望として、目に見えない姿、耳に届かない鳴動の形で存在しています（もしあなたがこの本を読んでいるなら、親愛なる読者の皆さん、もしかしたらそれは今あなたがいる場所かもしれません。沈黙の怒りと希望に満ちた静かな瞬間です）。

希望を持つことは、耳を傾けることです。水面下に沈んだ威厳、水面下に流れる正義の怒り(digna rabia［憤怒の尊厳］)に耳を傾けることです。明日にも爆発しそうな火山の力に耳を傾けるのです。昨夜(これを書いているのは二〇二〇年六月初めです)、ミネアポリスで起きた警察によるジョージ・フロイドの殺害事件を受けて、全米各地で憤りが爆発しました。一週間前には、以前から続く人種的残虐行為が生む正義の怒りが、水面下で煮えたぎっていました。希望を持つためには、その今にも爆発しそうになっている隠れた声に耳を傾けなければなりません。怒りと怒りに燃えている他者。あちこちで少しずつ生み出されている行為。支配の構造に入った多くの亀裂。資本の論理にそぐわない、かくも多大な豊かさ。

このような尊厳は、さまざまに異なった形をとっています。私は、その多くについて、この本の母親にあたる『資本主義に亀裂を入れる』で探し求めました。核となるのは、否定を通じて自分自身の人生を取り戻すことです。ここで否定と言っているは、それが私たちの生活を束縛することにNOを突きつけることから始まるからです。男性による女性の身体の支配に対するNO。黒人に対する白人の残虐行為に対するNO。環境破壊によって若者の未来が奪われることに対するNO。このようなNOを突きつけるのです。したがって、自分自身の身体、人生、未来を自分でコントロールすることに対してはYESとなります。間違った方向に歩んでいる人がたくさんいるなかで、私たち自身の豊かさを取り戻すために、私たちを破壊している世界の論理に逆らって歩んでいくのです。

聞こえないものに耳を傾けることは、存在しないものに耳を傾けることにつながります。それは、世界が動いていく息づかいを聞き取ろうとするとき、確かに危険なことで、私たちは希望の音を想像するだけなのかもしれません。しかし、もっと有害なのはその逆で、抑圧された抗議の叫びが大合唱になるまで聞こうとしないことです。女性の運動、ＬＧＢＴの権利、公民権、先住民の権利運動のことを考えてみてください。多くの抑圧された豊かさがその抑圧に抗して押し寄せていますが、多くの「いまだないもの」の声は、しばしば私たちには聞こえないのです。それぞれの運動が新しい感性、新しい聴く能力を生み出しているのですが、まだ聴くことができない叫びが常にたくさんあるのです。苦しみの叫び、拒否の叫び、叛乱の叫びです。

近年、闘争を視ることができるか、聴くことができるかという問題について、大きな変化が起きています。かつて組織化された労働者階級の闘争に重点が置かれていた頃には、ストライキ、デモ、党大会など、はっきりと目に見える闘争に焦点が合わせられていました。ところが、特に女性の運動、またＬＧＢＴの権利や人種的正義などの運動の高まりが、これまで目に見えないところに留まりがちだった怒りや抵抗の存在を浮かび上がらせたのです。ラディカルな立場の歴史家たちの仕事を通じて、社会における対立関係や、私たちの社会生活のあらゆる側面に満ち満ちている闘争について、より深く、より広い理解がもたらされるようになってきました。家庭という目に見えない特権的な場所が、絶え間ない支配とあらゆる種類の抵抗の場であることが明らかにされてきました。職場もまた、例えば目に見えないサボタージュや欠勤など、労働組合の視点を超えたところで行なわれる絶え間ない葛藤の場であることが明らかになっています。闘争が潜伏していること、そして潜伏するものの力は、異なる世界を求める闘争を理解する上で中心的な問題になっているのです(2)。

変革の主体や社会の根本的な変革の可能性についての理解は、大きく広がっているのです。不服従が前面に出てきています。「いやだ、受け入れられない、違う方向に行く」ということを表明するためには実にさまざまなやりかたがありますが、すべてがそうした不服従の表れです。

私たちが直面している支配の壁は、抵抗と叛逆、別種の創造と不適合によって裂かれた、しばしば隠れた亀裂に満ちています。革命とは、これらの亀裂を認識し、創造し、拡大し、増殖させ、合流させることなのです。それが『資本主義に亀裂を入れる』で主張したことですが、それはこの本の主張でもあります。もしここでそれが同じ中心的な空間を占めていないとしたら、それは私たちが別の話題に進んで、それに耳を傾けてほしいと思っているからです。

17 あらためて耳を傾けよう　もっと深いところに潜在しているものがある

弁証法的な不安の恐ろしい煽り文句、「まだ足りない、まだ足りない！」。いたるところに亀裂が生じ、もう一つの世界に向かって開口部ができています。でも、怪物はまだそこにいます。資本はまだ支配しています。資本はまだ私たちを絶滅に向かわせようとしているのです。

私たちは、もっと深いところまで行かなければなりません。煮えたぎる怒りの頂点に立つ、開かれた抵抗と叛逆、そこにこそ、異なる世界へ向かう希望があるのです。しかし、私たちの望みはもっと大きい。私たちは、大きな叫びも静かな叫びもそこに置いて、より深く、異なるレヴェルまで掘り進めて、そこにある潜在的なものが私たちの探求の助けになるかどうかを確認したいのです。私たちは、主体を追いかけて、客体へと向かうのです。

子供がＮＯと言い、母親に従うのを拒みます。母親は怒ったり、あるいは優しく反応したりしますが、自分の権威が弱まったと感じます。

女性が男性の暴力に対して立ち上がります。男性は、より暴力的になり、女性であるというだけの理由でより多くの女性を殺すといった反応を示すかもしれず、あるいは暴力的でなくなり、自分たちの関係を見直すといった反応を示すかもしれません。その場合、もしかしたら自分たちの男らしさに疑問を持つようになるかもしれません。

ある工場で働く労働者が、目立たない方法で生産工程を妨害する方法を開発するとします。工場のオーナーは工場を閉鎖し、金融市場に資金を投じます。あるいは、労働者を管理するためにカメラをもっと導入します。あるいは、工場の組織を改革し、ティータイムをもっと多くします。このようなことをするのは、彼らの権威が傷つけられ、おそらく弱体化しているからなのです。

いずれの場合も、抵抗しつつ叛逆する闘いは、あからさまにであろうと密やかにであろうと、支配のプロセスの外部にとどまったままで行なわれるのではありません。それらは、何らかの形で、支配そのものの内部から木霊として再生産されます。その反響は明白である場合もありますが、そうでない場合も多い。そのような場合、私たちは、沈黙している潜在的な闘争だけでなく、そのさらに深く沈黙している木霊にも耳を傾けるのです。

支配する側と支配される側との関係は、決して外的なものではありません。それぞれの極が他方の極に浸透していく、内的なものなのです。この一方向の浸透は明白なもので、あまりにも頻繁に繰り返されるので、その結果、麻痺してしまいます。これは、支配されるものの中に支配するものを再生産することなのです。私たちは、資本主義の考え方と資本主義の関係のしかたを、日々の行動の中で再生産しているのです。このため、出口がまったくないように見えてしまいます。これは、なぜ革命が不可能に思えるかということについて説かれる典型的な説明になっています。

ここで興味深いのは、むしろ浸透の逆のプロセスです。支配される側の抵抗と叛逆が、支配のプロセスの中にどのような反響を生み出すかということです。この反響にはおそらく二つのタイプがあると考えられます。最もはっきりとしているのは、乱暴な拒絶です。この原稿を書いている時点（二〇二〇年六月）では、ミネアポリスでのジョージ・フロイド殺害事件に端を発した叛乱が、現アメリカ大統領の支持を受けて行なわれている警察の暴力的な弾圧という対抗を受けています。ラテンアメリカでは、近年の女性の叛乱の大きなうねりが、女性に対する暴力が増加していることに対応しているものであることは確かです。労働者運動の歴史はすべて、ひとつひとつの抗議が暴力的な弾圧にさらされることが繰り返されてきた歴史でした。

しかし、もうひとつのタイプの反響もあります。それは、感化が進み、制度化される可能性が出てくるという反響です。これまで述べた主要な運動はすべて、このような観点から見ることができます。黒人の運動、ＬＧＢＴの運動、女性の運動、先住民の運動、エコロジー運動はすべて、それらそれぞれに関係する問題を理解する感受性を幅広く生み出してきました。また、これらの運動は、さまざまな形で、それらの問題をめぐる制度化を生み出してきました。例えば、**多様性**の問題は、今や大企業の役員室における重要な課題となっています。こうした制度化は、解放の推進力を肯定し、そのことを通じて、解放の力の危険な氾濫を封じ込めようとするものです。それが成功するかどうかは、それに関連した闘争によって左右されます。溢れ出るものが、あるいは溢れ出るものへの恐怖が、予期せぬ結果を生むかもしれません。それは、支配的なプロセスの中で、偽装、虚構、偽善として再生産されるかもしれないのです。しかし、叛乱の方が、支配の中で、自らを脆弱性とか、慢性的な弱さとか、衰弱の危機とかとして再生産することもありうるのです。

暴力的な反応と和解的な反応、この二つのタイプの反応に共通しているのは恐怖心です。どんな支配者も、支配される側の抵抗に怯えて生きているのです。その抵抗が公然とした叛乱であったとしても、静かなつぶやきであったとしても、あからさまな不服従であったとしても、支配できないのではないかという恐怖が、持病のように支配の行為に入り込んできます。支配者の恐怖は決して過小評価されるべきではありません。支配者の恐怖は、おそらく被支配者の希望なのです。

この認識は、私たちの希望についての考察を、重要であり、かつ問題をはらんだ途へと前進させるものです。私たちが持っている潜在的な力が支配の形態を克服するかもしれないという着想を真剣に考えるためには、絶え間ない永続的な闘争を乗り越えて、もっと先に行かなければならないのです。私たちの闘争に対して讃美歌を歌い、それに耳を傾け、そうした闘争があまねく存在することを評価することは大事なことです。しかし、私たちは勝ちたいのです。資本がわれわれを完全に破壊してしまう前に、資本を打ち負かしたいのです。そのとき、私たちの闘争が、その闘争が潜在的なものであれ、お墨付きのものであれ、支配の中に木霊を呼び起こし、それによって支配をもろくし、慢性病にかからせ、支配の死滅を約束させる、そうした方法があるのかどうかが問われなければならないのです。

この本が最大の関心を注いでいるのはこの点です。この本の母親に当たる『資本主義に亀裂を入れる』は、闘争が至るところに存在していること、すなわち、世界が資本の論理に対する何百万もの拒絶と新しい別の関係を創り出す試みで構成されていることに焦点を当てていました。この本では、その苦闘をさらに深めようとしているのです。あらゆる闘争にもかかわらず、資本という怪物は、まだそこにいます。しかし、おそらくもっと深いところに潜在的な可能性があるのではないでしょうか？　おそらく私たちの闘争は、資本の中、支配者の中に、慢性的で致命的な病気を生み出しているに違いありません。おそらく、このことは、私たちの希望が、すぐには明らかにならない深い力を持っていることをわからせてくれるのに役立つでしょう。おそらく、そうなのです。

この本、この落ち着きのない娘は、マチェーテ［山刀］を取り出して、希望の息の根を止めようとするまでに蔓延《はびこ》っている下草の中に、希望のための新しい道を切り開こうとしているのです。その道は、どこにも行き着かないかもしれない危険な道です。ですから、ここで希望という言葉から明らかに連想される表層の闘争あるいは潜在的な闘争からひとまず目をそらして、敵の中に入って、それらの闘争が敵の中に引き起こしている木霊に耳を傾けてみようと思うのです。つまり、主体的な闘いを支える客観的な矛盾を探すため（これが古典的なマルクス主義の見方です）ではなくて、一見客観的な矛盾と見えるものの中に私たちの希望を求める主体的な闘いの歪んだ反映を見出せるかどうか、確かめてみようということです。この本は、そうした別の方向に進み、闘争対象への道を切り開きます。その対象に頭を下げて服従するのではなく、その対象の力をたどって、対象のまさに中心である支配者のマネー卿それ自身に向かっていくのです。マネー卿、敬われられるべき貨幣、そこに見出される慢性的な、おそらく致命的な病いに。[1]

変革の主人公の扱いには、わずかな変化があります。『資本主義に亀裂を入れる』では、服従を拒む人たち、つまり、おそらく意識的に「いやだ、受け入れられない、別の方向に歩いていきたい」

と言う人々に焦点を当てました。この本では、さらに一歩踏み込んで、「まだ足りない、まだ足りない！」と言う人々とともに、不服従の問いを切り拓いていきたいと思うのです。こうした不服従の人たちは、必ずしも反抗者ではありません。過激派や活動家でもなく、おそらく資本主義を意識的に批判しているわけでもないでしょう。とはいえ、彼らは、資本主義に十分適応してはいません。単純に資本にとって満足の行く者でないという意味では、不適応者なのです。資本のダイナミズムは、資本の要求をますます切迫したものにし、ますます大きな服従を要求するようになります。要求される服従の程度は、多くの人々にとって受け入れがたいものになるか、あるいは端的に不可能なものになっていきます。いや、私は自分の子供たちに会えないような生活は受け入れられない。いや、要求されるようなペースで仕事をしていたら、本当に気が狂ってしまう。モルヒネか抗鬱剤に浸かることになってしまう。いや、私には要求されているようなコンピューター技能を身に着ける余裕なんてありゃしない。燃え尽き症候群、大規模な離職の波、モルヒネ中毒蔓延の危機、メンタルヘルス・パンデミック。これらはすべて、資本が、私たちが受け入れたくない、あるいは受け入れることができない程までの服従を要求していることを示すものです。資本から見れば、私たちは「パフォーマンスの悪いロボット」(2)だということになります。しかし、そのパフォーマンスの悪さは、私たちの戦闘性によるものではなく（あるいはそれだけでもなく）、私たちの人間性によるものなのです。服従が強いられなければ、あからさまな反抗が現れ、弱さ、危機として資本の中に入り込みます。もし、私たちが、反抗と闘争にのみ焦点を合わせるならば、不服従の力は、しばしば見落とされてしまいます。

私たちが資本の要求に適合しないのは、私たちが「普通の人」だからです。資本の攻撃が、私たちを不適応者にするのです。サパティスタの挑戦が思い起こされます。サパティスタは「私たちは普通の女や男、子供や老人ですが、だからこそ、叛逆者、不適応者、夢想家になったのです」(La Jornada, 4 August 1999) と言ったのです。私たちは、反資本主義が何か特別なものであるという見方を超えて、それが日常生活に深く根ざしていることを知らなければなりません。私たちは皆、何らかの形で資本の要求に適合せず、その論理からはみ出すしかないのだということを理解しなければなりません。それだけでなく、この不適応には力があり、その力が資本の危機を創り出しているのです。

この不適応の力を見るために一番良い方法は、その力が資本の内にどんな影響を及ぼしているのかを鏡を通して見ることかもしれません。ここで言っている不適応とは、貨幣の枠から溢れ出ていく豊かさのことなのです。そして、そのことが示しているのは、豊かさは貨幣の中には納まりきらないという事実であり、同様に、私たちの人間性は、資本が私たちを封じ込めようとするロボットの状態の中には納まりきらないという事実なのです。資本に対するわれわれの不適格性の力を見るためには、下からの運動を研究することよりも、私たちがどのように資本に適応しないのかを資本それ自体の中で追いかけてみることのほうが問題なのです。闘争の視点は、物事を下から眺めるという視点だけでは足りません。抑圧者の無情な心情の中へと私たちを導いてくれる視点が必要なのです。

18 すべてをひっくり返して資本家に同情してみよう

希望とは社会的関係なのです。抑圧されている者の希望は、抑圧する者の恐怖なのです。抑圧する者の恐怖は、抑圧されている者の希望を映し出すこともあれば、映し出さないこともあります。私たちが探していのは、はっきりしているとは到底言えないようなものなのです。私たちは、希望なき時代に希望を探し求めているのです。公然たる闘争を越えたところにある潜在的な闘争を探っているのです。つまり、根源的な希望の基礎となる、死に至る社会に抗するすべての静かな推力を探しているのです。今、私たちは、これらの隠された闘争を直接探すのではなく、さらに一歩進んで、より深いところにある潜在的なもの、抑圧者の内部におけるその反映を探そうとしています。

すべてをひっくり返してしまいましょう。支配者に同情し、資本家に同情してみるのです。資本家の立場に立って、資本家の恐怖を理解してみるのです。私たちは希望を求めています。そして、その希望の強さを示すのが恐れかもしれないのです。奴隷は主人を見て、主人を万能の存在と見なします。主人は奴隷を見て、自分が奴隷に依存していることを知ります。そして、奴隷が逃げ出すことを恐れるのです。もし奴隷が主人の恐怖を知ることができれば、自分たちの強さをもっと理解できるでしょう。

依存ということが鍵なのです。あらゆる支配関係は依存関係なのです。支配者は常に被支配者に依存しています。食べ物においても、利益においても、家の掃除においても、認めてもらうことにおいても。この依存は、その支配関係において、不安と恐怖の必然的な源となります。もし奴隷や召使いが「ノー」と言って立ち去ったらどうなるのでしょうか？

マルクスは『資本論』第一巻の末尾で、ウェイクフィールドの報告を引用して、ピール氏の悲しい物語を語っています。

> ピール氏は、五万ポンドもの生活手段と生産手段をイギリスから西オーストラリアのスワンリバーに持っていってしまったのだ、と彼［ウェイクフィールド］は憤慨している。ピール氏は先見の明があり、さらに労働者階級の男、女、子供三千人を連れていった。しかし、目的地に着いてみると、ピール氏は、ベッドを作ってくれる者も、川から水を汲んできてくれる者もいない状態になっていたのだった。不幸なピール氏、彼は何もかも用意したのだが、イギリスにあった生産関係をスワンリバーに持ってくることだけはできなかったのだ！（Marx 1867/1965, 766; 1867/1990, 932）

使用人たちの方は、生産手段から切り離されていなかったので、立ち去っていきました。彼らは空き地を自分たちのものにすれば生産ができ、ピール氏に労働力を売る必要がなかったのです。使用人たちが立ち去ってしまい、ベッドメーキングをする者もなく置き去りになってしまう……すべての支配者にとっての悪夢がここにあります。使用人たちが持つ叛乱の力は、彼らが立ち去ろうとするのを見ている哀れなピール氏の目に映った恐怖に間違いなく表れていたのです。三千人の労働者階級は、私有財産と警察という、自分たちを封じ込める力がそこにはないことを悟ったのです。だから、たちまちのうちに立ち去っていったのです。そして、ピール氏は、自分の野望のすべてが、三千人の活動を彼のために行なわれる労働に縛りつけておくことにかかっていたのだということを、恐怖に駆られながら、理解したのです。

マルクスは、この依存関係を資本主義分析の中心に据えています。これは、通常、労働価値説と呼ばれるものです。価値は、労働によって、つまり、労働としてとらえられている特殊なタイプの人間の活動、抽象的労働、価値生産労働によって生み出されるものとされているのです。しかし、もし労働者が逃げ出したり、要求されている量の価値を生み出さなかったりしたら、どうなるのでしょうか?

マルクスは、初期の資本家が、労働者の労働力を買って、彼らを働かせたところ、その労働者たちが自分自身の労働力の価値しか生み出さないこと、その結果、剰余価値もなく、資本家にとっての利益も出ないということに気がつき、パニックに陥ったことについて書いています。

我らが資本家は驚きをもって見つめている。生産物の価値は、投下された資本の価値とまったく同じではないか。投下された価値は増殖せず、剰余価値は生み出されていない。その結果、貨幣は資本に転換されていない。……我らが資本家は、低級な経済に安住しているのである。彼は「だけど、私は、より多くの資金を作るというはっきりした目的のために、私の資金を投下したんだ」と叫ぶ。地獄への道は善意で敷き詰められている。彼はまったく生産せずに簡単に金を稼ぐつもりだったのかもしれない。彼はおどかして言う。二度とやられはしないぞ（Marx 1867/1965, 190–93; 1867/1990, 298–301）。

剰余価値の秘密は、労働者が自分の労働力の価値に相当するものを生産した後にも、さらに労働者を働かせつづけることにあるのだと資本家が悟るようになると、資本家にとってすべては幸福に終わるのです。それからは、労働者は資本家のために剰余価値と利潤を生産するようになるのです。「大笑いした後、彼はいつもの態度に戻った。彼はわれわれに向かって経済学者の信条を全部唱えてみせたが、実際には、そんなものには塵ほども気にかけていないのだ」。

これで資本家にとってはすべてがうまくいきますが、パニックの瞬間に、彼は労働者に依存していることに気がついたのです。問題は解決しましたが、その依存しているという事実は脅威、恐怖、不安をともなって未解決のまま宙に浮いているのです。「労働」と呼ばれる特殊な活動こそが価値を生み出し、したがってまた資本を生み出すという事実を私たちが見失うと、この問題は雲消霧散してしまいます。近年流行している「収奪による蓄積」の理論[1]では、この依存関係は忘れられてしまいます。希望の観点から考えるなら、この依存は極めて重要です。それは、資本に不安と恐怖をもたらします。もし資本家が、人々を強制的に労働させることができなければ、また、十分に長く、十分に生産的に労働させることができなければ、システムの再生産に必要な剰余価値、したがって利潤は、生産されなくなるのです。

この二つの例（ピール氏と初期の資本家）が示しているように、労働者の服従と十分な量の剰余価値の生産は、当然のこととして得られるわけではありません。資本が存在しているのは、私たちが毎日それを生産し、また再生産しているからなのです。そして、私たちが「ノー」と言って生産をやめる可能性は常にあるのです。一六世紀フランスの哲学者エティエンヌ・ド・ラ・ボエシの『自発的隷属論』（1546/2002）の一節は、支配のもろさを見事に言い表しています。

あなたがたは、作物の種を撒きながら、その果実を支配者に奪われるのに任せている。家を建て、調度を整えながら、それを支配者に奪われている。娘たちを育てながら、支配者の淫欲の道具にされている。あなたがたが育てた子は、戦いに連れて行かれ、殺戮の場に送り込まれ、自らの強欲の下僕、復讐の道具として使われる。あなたがたが衰弱すれば、支配者はますます強く強固になり、あなたがたをつなぎとめる手綱をさらに引き締めることになる。野の獣でさえ耐えられないようなこれらの屈辱から、あなたがたは自らを解放することができる。それも行動を起こすことによってではなく、ただ自由になろうという意志さえ持てばいいのだ。もうこれ以上仕えないと決心すれば、あなたはただちに自由になれる。暴君に手をかけて倒せとは言わない。ただ、もうこれ以上、彼を支えようとしないことだ。そうすれば、台座を引き離された大きな巨像のように、彼は自らの重みで倒れ、粉々になるのを見ることだろう（139-40）。

これこそが、あらゆる支配の核心にある恐怖なのです。それは被支配者が「これ以上仕えないことを決意する」かもしれないということです。資本主義では、支配者は、被支配者が仕えることを求めるだけでなくて、仕える程度を絶えず高めることを要求します。そのとき、資本の恐怖は、被支配者が「これ以上仕えないことを決意する」ことにあるだけではなく、それで十分だと満足されるほどには仕えないと決意すること、あるいは実際にそうすることができなくなることにもあるのです。

すべての支配の根底には、反抗や不服従に対する恐怖があります。支配者は、この恐怖に対処する方法を持っています。それは支配のシステムを再生産するという方法なのです。資本主義において、システムを再生産するうえで使われる最もはっきりした方法は二つ、暴力とお金です。これらは相互に密接に結びついています。お金の力は、私たちが生きていくために豊かさに近づく方法はお金の他にないという事実に基づいています。私たちは、これまでも、そしてこれからも、生産と生存の手段から暴力的に切り離されているのです。私たちが創り出した豊かさにアクセスするためには、お金が必要です。ということは、お金を得るために私たちの労働力を売る必要があるということになります。資本のルールへの服従は、一般に、生きていくための物質的手段を手に入れるために必要な条件になっています。もし私たちが他の方法で手に入れようとするなら、例えば、店で目にしたものを勝手に持っていこうとしたならば、おそらく、私たちを強制的に従わせる物理的暴力にさらされることになるでしょう。お金のルールは、暴力によって作られ、暴力によって強制されるものです。このルールに常に従わないでいるためには、生活に必要なものを手に入れるための他の手段が必要です。

資本が人間の活動をその論理に服従させる手段を持っているという事実は、この服従が単純に当然視されることを意味しません。マルクス主義的分析の主流（特にいわゆる「マルクス主義経済学」）は、一九六〇年代から、オペライスタ［労働者主義者］といわれる人たちの解釈によって、異議を差し挟まれています。資本の論理の押しつけには絶え間ない闘争が伴うという認識をはっきりと導入したのは彼らだったのです。オペライスタは、当時、北イタリアの自動車工場で起こった闘争の波に触発されて、資本主義に対する理解のしかたをひっくり返し、資本の論理からではなく、労働者階級の闘いから見ることが必要であると主張したのです。

逆説的になりますが、労働者階級の闘争の観点から資本主義を見ることは、資本の問題をその観点から見ることにも通じます。つまり、資本を自動的なプロセスとして見るのではなく、そのプロセス自体を闘争として理解するのです。マルクス『資本論』の労働過程の章を読み直すことによって、オペライスタたちは、マルクスも製造業から近代産業への発展を闘争として理解していたこと、特に技術を闘争の過程として理解していたことを知ったのです。「一八三〇年以降になされた発明は、もっぱら労働者階級の反抗に対抗するための武器を資本に供給することを目的になされたとして、その発明の歴史のかなりの部分を書くことができるだろう」（Marx 1867/1965, 436; 1867/1990,

563）。機械化以前は、「資本は、労働者の反抗と絶えず格闘しなければならなかった」（Marx 1867/19 65, 367; 1867/1990, 490）。問題は、労働者に秩序を課すことであり、マルクスは、紡績機と梳綿機の発明者であるリチャード・アークライトについて、「アークライトは秩序を作り出した」（Marx 1867/1965, 36g; 1867/1990, 490）というアンドリュー・ユアの言葉を引用して、次のように述べています。労働者階級の闘争に焦点を当てることで、資本の存在そのものが、「手に負えない労働の手」を封じ込めるための絶え間ない闘いであることが明らかになる（Marx 1867/1965, 437; 1867/1990, 564）と。この闘争がアークライトの発明で終結したのではないことは明らかです。「手に負えない手」の脅威が続いていることは、ストライキやさまざまな妨害行為だけでなく、それに対する反響や、経営学、人的資源管理、監督者、監視カメラなど、労働力のコントロールに費やされてきた大量の時間と費用から見ても明らかなのです。

「手に負えない労働の手」とは、私たちの用語法で言えば、労働者が労働力商品の単なる所有者であるという状態から溢れ出ること、すなわち、抽象的労働のカテゴリーに行為（あるいは具体的労働）を嵌め込もうとする構造に適応しないこと、ということになります。言い換えれば、労働者を労働者としての役割の中に封じ込めようとする資本の絶え間ない闘いは、彼ら／私たちの関係が、商品形態の内に存在しているだけでなく、商品形態に対抗し、それを乗り越えようとする局面にも存在しているという事実を反映しているのです。人間の活動を労働の形態の中に封じ込めようとする格闘と、その形態に対抗しつつ乗り越えようとする格闘とは、資本主義への移行期にだけつきものだったものではなく、資本主義の生産と再生産に絶え間なくつきまとう特徴なのです。

マルクスは、資本主義の起源、いわゆる原始的蓄積あるいは本源的蓄積を論じた一節で、逆のことを示唆しているのです。そこで彼はこう言っています。

資本主義的生産の進展にともなって、教育、伝統、習慣によって、これらの生産様式の条件を自然の自明な法則と見なす労働者階級が成長させられてくる。資本主義的生産過程の組織は、いったん完全に発展すると、あらゆる抵抗を打ち砕く。……経済的諸関係の無言の強制は、資本家に対する労働者の服従を完成させる。経済的諸条件の外での直接的な力は、もちろん、今でも使われているが、例外的なものにすぎない。通常の事態においては、労働者を「生産の自然法則」、すなわち、資本への依存に委ねたままにすることができる。その依存は生産条件そのものから生じ、それによって永続的に保証されている（Marx 1867/1965, 737; 1867/1990, 899）。

この議論は、これまで私たちが主張してきたことに反するものになっています。これは、形式がその内容を実質的に含んでいることを前提にしているのです。しかし、たとえばアドルノの議論は逆に、実際には概念が「含意されていたものを使い果たす」（Adorno 1966/1990, 5）としています。マルクスの議論は、現実の労働者が労働者階級という分類のなかに実質的に含み込まれていることを示していますが、私たちの議論はその逆、すなわち、いかなる帰属もそれ自体が不適合を生み出すというものでした。このことは、非常に重大な政治的問題を引き起こします。もし労働者が「生産の自然法則」の中に包括されてしまっているのならば、革命を胚胎する唯一の方法は、外部から来る力の介入によるものであることになります。しかし、それは、マルクスとエンゲルスが他の場所で明確に否定していることなのです。この違いがいかに重要であるかは、歴史が明らかにしています。レーニンが『何をなすべきか』の中で提唱している議論も、非常に似たような基礎の上に成り立っているのです。レーニンはそこで、労働者は自然発生的には「労働組合的意識」、つまり、労働力商品の売り手としての自分たちの利益に対する意識にしか到達することができないと論じているのです。ここでもまた、「含意されていたもの」がその概念の中に含まれている、労働者がその階級の中に含み込まれているという発想と同じ発想がなされています。この点は、レーニンの議論が、革命は前衛党という外部勢力の介入によってのみ実現しうるという結論に到達するうえで重要なポイントになったのです。この考えは、ソヴィエト連邦の悲劇として知られている人類の悲劇に重大な役割を果たしました。この悲劇は、より良い世界を築くために闘い、命を落とした人たちにとっての悲劇であるだけでなく、直接被害を受けた人たちにとっての悲劇でもあり、また人類全体にとっての悲劇でもあります。というのも、それが、私たちが生きている殺伐とした世界を超える世界があり得るという考えを大きく損なわせるものとなったからです。

「経済的諸関係の無言の強制」の圧倒的な力についての同様の考え方は、マルクス主義のよりリベラルで興味深いバージョンの中にもあります。最もはっきりした例は、一九六〇年代の学生叛乱に大きな影響を与えたマルクーゼの著作『一次元的人間』の表題に表れています。彼の主張は、本質的には「経済的諸関係の無言の強制」によって一次元的なものに還元されてしまった労働者階級に希望を見出すことはできない、というものなのです。その結果、希望は社会の周縁にしか見いだすることができない、学生のように無言の強制に直接さらされることのない人間たちの間にしか見いだすことができない、ということになるのです。いわゆる「社会運動」に関する多くの文献の背後にも、おそらく同じような前提があるのだろうと思われます。

この本には、レーニン主義的であれ、マルクーゼ的であれ、一次元性はありません。反対に、資本の存在そのものが、二次元性を強いていると考えています。資本は、すべての活動を抽象的労働の論理的形態に押し込みますが、この押し込みが完全に成功することは決してありません。それは常に抵抗を引き起こします。その抵抗はまったく意識されないかもしれません。意識されない反抗であったり、精神疾患やいらいらであったりする、何らかの意味で不適合なものなのです。私たちは一次元的であるどころか、資本主義の攻撃によって、自己の内で拮抗しあう二次元性を強いられているのです。私たちの一部は経済的諸関係の無言の強制に屈し、一部はそれが悪夢や神経症としてだけ表れていても、やっぱり不適合であることを示しているのです。時に私たちは、溢れ出し、火山のように爆発します。この世界は、一方では溢れ出る者、他方では内包される者に分けられるものではなく、両方の要素が私たち全員の中にあるのです。その非連続性の根底には、連続性があるのです。内にあることと対抗し乗り越えようとしていること、日常と非日常、内包と溢れ出とは非連続であるかもしれません。しかし、その根底にはやはり連続性があるのです。

この連続性こそが、資本の脆さであり、資本の病であり、資本の恐怖なのです。それは資本の危機なのです。

PART V

客体：貨幣

19　希望は客体に対抗する主体の運動である束縛に対する打破

希望は対抗する運動です。もし、私たちが何に反対しているのかがわからなければ、希望は拡散した一般論に溶け去ってしまいます。逆説的ですが、敵というものは希望を考える上でとても大事なのです。資本という概念は、一見、ただ支配のことを指しているように見えますが、希望を考える上で中心になるものです。もっとはっきり言えば、資本の概念なしには、希望を考えることはできないのです。(1)

サパティスタは、前に見たように、敵のことを資本主義のヒドラと呼んでいます。これは、資本を打ち負かし、人間の尊厳を相互に認め合う社会を創ることの難しさを表現している素晴らしい言い方です。ギリシア神話に登場するヒドラは、毒気を吐くいくつもの頭を持つ怪物で、頭を一つ切り落とされるたびに、代わりに二、三個の新しい頭が生えてくるのです。資本もこれと同じです。資本に対する闘争が成功するたびに、資本の怪物は新たな形態で姿を現します。例えば、あるコミュニティが鉱山開発阻止の闘いに勝利したとしても、鉱山会社は別の場所に投資するだけです。闘いは終わりがなく、勝ち目がない、絶望的なものに思えてしまいます。どうすれば、この怪物を退治し、異なる世界を創り出すという希望を実現できるのでしょうか？

無限に自己再生するという資本の性質は、おそらく貨幣に最もよく現れていると言えます。あの臭い息と毒気を吐く貨幣は、私たちの生活の隅々にまで浸透していて、無限に融通が利くもののように思われています。貨幣の支配を打ち破ろうとしても、貨幣は私たちの中にも周りにも流れ込み、私たちの反抗のあらゆる隙間にまで入り込んできます。あるいは、そうであるかのように見えるのです。しかし、もっとよく見てみましょう。

敵は束縛である
希望は束縛を打破することにある

敵を客体として語ると言うと、静的なものを連想させます。しかし、希望にとって差し迫った問題は、敵である資本から攻撃を受けているという事実にあり、そのダイナミックな破壊に直面しているという事実にあります。敵は名詞としてその姿を現していますが、実際には動詞なのです。

敵とは、私たちの活動に対する束縛であり、さらに言えば、すべての人間の活動に対する束縛であると考えてみましょう。私たち人間は、自分たちの行為を形づくるやりかたを通じておたがいに関係し合っているのです。愛する、憎む、軽蔑する、支援する、共有する、協力する、搾取する、欲望する、殺す、交接する、などなど、私たちはおたがいに一見無限と思われるほどさまざまな関わり方をしています。無限に見えるものは、**見たところでは**無限ですが、実は有限なのです。ここで有限と言っているのは、リストに終わりがあるという意味ではなくて、ある一定の論理の中でおたがいの関係を束縛し合っているという意味で有限なのです。その論理とは貨幣の論理であり、その束縛とは貨幣の束縛なのです。貨幣は私たちの行動や関係を縛りつけます。行動や関係を特定のパターン、私たちを殺そうとしている殺人的＝自殺的パターンに押し込んでしまうのです。

この貨幣による束縛は、社会的結束の特殊な（そして殺人的な）形態であると考えることができます。どんな社会も、人間の生存に必要な社会的結束や社会的統合[2]の確立に基づき、社会的に織りなされたものの上に果てしない人間の活動の豊かさが成り立っています。私たちは、人間の豊かさを最も素晴らしく表現したものに囲まれています。美しい絵画、創造的な建築物、コミュニティの共有の伝統、物語、ダンス、にぎやかな通りのカラフルな賑わい、犬と羊飼いの素晴らしい静けさ、おいしい食事の調理、などなどです。どんな社会でも、これらの豊かさが、何らかの形で、緩やかに、あるいはしっかりと織りなされているのです。

このように、何らかの形でまとまること、まとまりがあることが、豊かさを生み出す上でとても重要なのです。例えば、奴隷制に基づくシステムの中にも、人間の活動の豊かさが集められてくることで、豊かさの運動が形作られます。この場合、ほとんどの人にとっては、「何ものにも制約されない生成の運動」は、所有者の命令によって制限されることになります。所有者にとっては、多くの日常的な活動から創造性が解放されます。しかし、その創造性が発揮される方法には社会的な文脈が影響することになるのです。例えば、エジプトのピラミッドを考えてみてください。また、古代ギリシアの哲学や彫刻の素晴らしさを考えてみてください。社会的に織りなされた文脈が豊かさを殺してしまうというのではありません。しかし、どうしてもある形、ある展開の文法を与えてしまうことになるのです。もし社会的に織りなされたものが相反するものであれば、奴隷制に基づく社会では明らかにそうであるように、豊かさはこの相反するものの中で運動し、その影響を受けることになるのです。例えば、伝統的な家父長制の農村社会でも同じことが言えるでしょう。ここでもまた、社会的に織りなされたものの中を、それを通して、それに抗して、常に生成の運動がなされていくことになるのです。

私たちはおそらく、社会的結束を二種類に区別することができるでしょう。共有することと、束縛することとの二種類です。共有化（またはコモニング）とは、豊かさを自由に、自主的に豊かにしていくことです。私たちは、それぞれの豊かさ（私の料理の技能、あなたの野菜栽培の技能、彼女のコンピュータープログラミングの技能）を自発的に持ち寄り、その活動の成果を共有するのです。このような形での社会の結束は、この社会に生きる私たちにとっても大切なことです。私たちは、家族の一員、友人、職場や近所の仲間と物事を共有します。この強制されたものではない豊かさの共有には、愛、友情、コミュニティ、コモンズ、同志愛など、さまざまな呼び名がつけられています。そして、こうした共有化の核心はその自発的な性格にあるのですから、私たちは参加しないことも、別の共同関係に移行することも自由に選択できるのです。

共有化という概念は、サパティスタが「多くの世界からなる世界」と呼ぶような、色とりどりの共有化のパッチワーク、つまり、異なるグループが自分たちのニーズと欲求に最も適した社会的結束の方法を決定する、大きな多様性のある世界に向かっているのです。

問題は、現在の社会では、こうした共有体や自発的な社会的編成の上に、別のタイプの社会的結束が重ねられていることです。これは、私たちがコントロールできない強制的な社会的結束で、「束縛」または「縛り」と呼んでもよいようなものです。そこでは、私たちは、明らかに外的な力によって結びつけられています。この束縛は、私たちの社会的相互関係にある特有な性格とダイナミズムを与えています。この束縛が私たちが貨幣と呼んでいるものなのです。貨幣は私たちの生活の中できわめて大きな力を振るうものであり、あまりにも遍在しているため、しばしば私たちはそれを見ることさえできないでいるのです。

貨幣はますます私たちの結びつきを侵食し、あらゆる社会的関係を貨幣化しています。貨幣は、私たちが人間の作り出したものにアクセスできるかできないかを決めます。しかし、それ以上に、何がどのような方法で生産されるのかを決めるのです。貨幣は、私たちが朝どうやって起きるか、一日の間に何をするか、そして次の日も、その次の日も、私たちに次の日が来なくなるまで、私たちの生き様を決めるのです。貨幣は、私たちが子供たちをどう教育し、私たち自身をどう教育するかを決めます。貨幣は私たちの健康や医療へのアクセスのあり方、医療に対する考え方を決定づけます。貨幣は、猥雑な社会的不平等と暴力を形づくります。などなど、貨幣の力はすべてにわたっています。私たちは皆、貨幣が私たちの生活をどのように決定づけているかを知っています。貨幣から逃れることはできないし、逃れる方法もありません(3)。貨幣は、私たち全員を社会的諸関係の総体の中に深く深く引き込んでいく全体化する力なのです。この三〇年から四〇年の間に、世界のあらゆる地域で、社会的存在のあらゆる側面が、このように全体化され、貨幣化されるという事態が、大規模に進んできたのです。

貨幣は複合的社会形態の最も表向きの顔である

従来、希望の敵といえば、最も一般的には、資本について語ることでした。すでに述べたように、資本は敵であり、資本の概念がなければ、希望を考えることはできない、というわけです。しかし、希望の前に立ちはだかっている課題の本質を理解し、敵がいかに深く私たちの内に浸透しているのかを理解するためには、貨幣から始める方がよいと思ったのです。「資本」というと、打ち負かさなければならない人々の集団（資本家階級）という外部にある集団との関係がわかりやすい形で示されます。資本家階級は確かに打ち負かさなければなりませんが、問題の中心は、私たちをめぐる社会関係が現在どのように組織されているのかということにあるのです。つまり、資本を生み出し、資本家階級の存在を生み出すような行動パターンに私たちを強制的に引き込むような束縛こそが、中心的な問題にされなければならないのです。

そういうふうに考えると、敵を資本として特徴づけることから始めるのではなく、マルクスが行なったように、私たちの活動を束縛している力を、商品―価値―抽象的労働―貨幣の連関の観点から見ることから始めるほうがいいのです。マルクスは、『資本論』の考察を資本からではなく、商品から始めました。というより、私たちがすでに見てきたように、彼は資本主義社会では豊かさが商品という形態で存在することを指摘することから始めたのです。これがマルクスの主張の核心なのです。豊かさを自由のままにまとめるもののように見える社会的結合は、実は束縛として、つまり、商品という形で存在しているのです。この単純に見えながら恐ろしい意味を秘めた出発点から、マルクスは、現在私たちを絶滅の危機に陥れている破壊的なダイナミズムを導き出してきたのです。

私たちの活動を殺戮に集約するような束縛は、商品交換に根ざしているのです。私たちが作り出した製品は、実際には、自由に分け合うためではなく、市場で売買するために生産されているのです。私たちの豊かさの自由な流れ、個々の豊かさが全体の豊かさになりうるような豊かさは、そうなることを妨げられ、軛をかけられ、縛りつけられて、商品生産、つまり売買されるものの生産に向けられていくのです。この単純で、一見当たり前で、無害に見える人間活動の制御から、すべての破壊の連鎖が生まれるのです。マルクスは、一連の派生物を通してそれを辿っていきます。商品から価値へ、価値から労働へ、価値と労働から貨幣へ、貨幣から資本へ、資本から搾取へ、搾取から、絶え間ない、制御されない、制御できない蓄積への衝動へ。「蓄積せよ！　蓄積せよ！　それがモーゼと預言者の命令だ！」。そして、資本主義システムの中では止めることのできないこの熱狂的な蓄積への衝動が、生活の破壊、地域社会の破壊、自然環境の破壊、そして人間の生命の完全な破壊につながっていくのです。

もっとゆっくりと
これは天罰のなせる業なのだから

資本とは、天罰の論理にほかなりません。希望は、この論理を打ち砕くことにあります。その論理は死の列車の構造を表しています。利益の追求が人間社会の発展を形作ることを保証するのは、機械のメカニズムなのです。資本は、私たちの行動や思考を特定のパターンに強制する一連の封じ込めを司ります。そのパターンは大きな破壊を引き起こしており、私たちを絶滅に向かわせる可能性が非常に高いのです。この封じ込めは、すべての人間の活動を同じ論理に吸い込む、全体化する力なのです。マルクスが提起したのは、この破壊の連鎖のダイナミズムを断ち切るためには、その源にある豊かさを商品形態の内に封じ込めることをやめさせるしかない、というラディカルで大胆な課題だったのです。

マルクスは、この論理を、絶え間ない継起的なプロセスを通じて展開しています。xがあればそれはyとなり、yになればそれはzになるという展開です。このxとyとzは社会的諸関係の形態であり、それぞれが私たちの活動や豊かさが切り詰められて嵌め込まれるプロクルステス的形態なのです。それは概念の連鎖であり、アイデンティティの連鎖です。しかし、それぞれの形態／概念／アイデンティティ／封じ込めは、それ自体の内在的な否定、それ自体の不適合や溢れ出し、それ自体の内にあって対抗し乗り越えていく運動によって挑まれているのです。

以下では、まずこの論理、つまり死の論理、絶望の論理を追っていくことにします。その後で、この論理をどのようにすれば打ち破ることができるかを議論し、不適合、内在する否定に目を向けることにします。

この論理的導出のプロセスは、単に恣意的に選択された方法によるものではありません。それは、世界の現実の社会的まとまり方を追認しようとする試みなのです。それは、私たちが商品交換を通じてたがいに関係し合うという事実から流れ出てくる、社会的諸関係の緊密で全体化するダイナミズムを反映しているのです。こうした導出は、「多くの世界からなる世界」や、もっとゆるやかにまとまった資本主義以前の世界を理解する助けにはならないでしょう。商品の交換、ひいては貨幣の交換が、逃れがたい全体化のダイナミズムを生み出すのです。そうであるからこそ、このダイナミズムを、「xがあれば、それはyとなる」といった乾いた言葉で解明しようとすることが可能であり、また必要なのです。

この議論では、マルクスの仕事、特に『資本論』が重要な役割を果たします。マルクスの言うことが正しいからというのでは必ずしもありません。『資本論』を重視するのは、ドクタ・スペス、すなわち「把握された希望」という考え方が、もし希望について真剣に語るなら、希望というのは対抗的希望、私たちを消滅へと追いやる破壊の論理とはっきりと対抗できる希望でなければならないという結論に至らせたからなのです。この論理に対するマルクスの批判（『資本論』における政治経済学批判）は、この論理をどう打破するかを考える上で不可欠なものです。

以下に、資本主義の論理、貨幣の論理を抽象的に提示します。なぜなら、私たちを絶滅の列車の座席に縛り付けているのは、何よりもこの論理にほかならないからです。もちろん、この問題は警察の残虐行為や国家の暴力の恐れとも関連しています。しかし、何よりも、貨幣の論理こそが、私たちを私たちの居場所に留め、日々行なわれている脅威の再生産に私たちを加担させているのです。このダイナミズムの結集した力が、希望なき時代を作り上げているのであり、その時代のありかたに対して私たちの希望が対抗しているのです。

a　商品ができれば、価値が

商品は無邪気な顔をしています。私が鶏を飼っているとします。鶏は卵を産みます。餌を買わなければならないので、卵を売って、そのお金で餌を買います。この仕組みに、みんな満足しているようです。

しかし、マルクスは、商品関係を資本のダイナミズムの要とみなしています。もちろん、彼は、私の鶏とその卵についてではなく、社会関係全般の商品化について考えているのであって、この全般的商品化は、労働力そのものが商品化されたときにのみ起こることだとしています。それは、労働力そのものが商品であるとき、つまり人々が自分の労働力を売って賃金を得て、その賃金のために課せられる労働によって生きているときにだけ起こることなのです。この関係のもとでは、自分自身の食物や衣服を自分で生産する時間がないため、生きるために必要なものはすべて商品として買わなければなりません。全般的商品化は、人々が持つ生産の手段と生存の手段とを暴力的に切り離すこと、そうした血塗られた分離を前提にしているのです。しかし、この問題はひとまず措いておいて、マルクスがそうしたように、商品の見かけ上の無邪気さから出発することにしましょう。

商品の無邪気さは、商品が一つのダイナミズムを持つという事実によって失われてしまいます。そのダイナミズムは、価値という概念で表現されます。

豊かさが、この社会で社会的に妥当なものとして受け入れられるためには、商品として存在しなければなりません。もし私が友人のために素晴らしい料理を作ったとしても、それは私の私的な問題です。もし私が売るために、おそらくそれほど素晴らしくない料理を作ったとしても、それを売ることに成功すれば、私の料理は社会的な評価を受けて社会的な価値を生むことになります。実は、ここには価値の衝突があるのです。最初のケース、つまり私の素晴らしい料理については、友人たちは「君はなんて素晴らしい料理人なんだ！」と私の努力を評価してくれます（なにしろ彼らは私の友人ですからね）。一方、二番目のケースでは、私の料理という商品と引き換えに私が受け取る貨幣の量によって、その評価が示されるわけです。この価値の衝突において、最初のケースでは、その料理は使用価値を持っている、つまり、私の友人の食欲を満たし、彼らを幸せにするという効用を持っている、と表現することができます。二番目のケースでは、料理は誰かの食欲を満たすことができるわけですから、依然として使用価値を持っていますが、その使用価値より交換による評価のほうが優先されます。その料理という商品の価値や社会的評価は、交換を通して、交換価値として現れるのです。もし、その料理が評価されなければ、文字通り、ゴミ箱に捨てられることになるわけです。私たちが暮らしている社会から見れば、問題になるのは、あくまで二番目の評価、二番目の価値概念の方なのです。これが政治経済学者によって研究され、マルクスによって批判された価値です。これが私たちの社会生活を支配している価値観なのです。そして、これこそが、私たちを破滅に向かわせている価値観なのです。

商品交換において表現される価値は、定量化され、測定されます。私は私が調理した料理をある量の別の商品と交換します。それはおそらく二〇キロの小麦粉でしょう（実際には、そうするよりも、お金でいくらと表現されるでしょうが、それはひとまず措いておきます）。二つの商品が交換される場合の比率は、他の条件が同じであれば、それぞれの商品を生産するのに必要な労働の量によって、より正確には、それぞれを生産するのに社会的に必要な労働の量によって決まります。物を作る能力は常に向上していることを考慮に入れるならば、小麦粉を作る時間も、料理を作る時間も、常に短縮されていることになるでしょう。商品と商品との間には相互作用が働いていますので、商品間の交換関係は、それぞれをより速く、さらにより速く生産しなければならないという圧力となって表れます。もし、私がいつもと同じスピードで料理を作っていて小麦粉の生産者は以前よりずっと速く生産するようになったとすると、私が作った料理の価値は、二〇キロの小麦粉の価値から、一五キロ、一〇キロ、五キロとどんどん下がることになり、私は料理に必要な材料を買えなくなります。自分の製品の価値を維持できるようにするためには、もっと速く、もっと速く、もっともっと速くと、仕事のスピードを上げていかなければならないのです。

友人たちのために料理を作るときは、これは当てはまりません。いつもと同じリズムで料理をして、優しい友人たちは相変わらず「君はなんて素晴らしい料理人なんだ！」と言いつづけてくれるのです。商品関係は、これと正反対のことをします。もし私がいつもと同じリズムで料理を作りつづければ、市場は私の料理に価値がないと言います。その結果、私はそれを売ることができず、私の労働は社会的評価を受けることができなくなるのです。

豊かさが商品として存在し、その商品が価値を持っているということは、私たちが絶え間ない攻撃とそれに対する抵抗に基づいた社会に生きているということを意味しています。そして、それが私たちの生き方のあらゆる側面を形作ることになっているのです。このことは、豊かさが商品という形に集約されるだけでなく、より速く、もっと速く、もっともっと速く生産しろという圧力を常にかけてくる力学が働いていることを意味しています。資本の文脈では、この絶え間ない圧力は、資本家による利潤の絶え間ない追求と労働者に対するより大きな搾取という形に変換されます。しかし、それは価値形態そのものにすでに内在しているものであって、商品として現れる豊かさの一見無害な存在に内在しているものなのです。

b　商品＝価値ができれば、次は労働が

私たちの仕事のやり方、物事の進め方、それがすべての中心です。商品には豊かさが含まれ導き入れられていて、価値には使用価値が含まれ導き入れられていますが、それぞれにおいて核となるのは、商品の価値と豊かさの使用価値が生み出される過程です。マルクスは、労働の二重の性格は、「政治経済学の明確な理解が転回する枢軸である」（Marx 1867/1965, 41; 1867/1990, 132）と述べています。

労働の二重性とは、マルクスが抽象的労働と具体的労働あるいは有用労働を区別していることを指しています。「具体的労働」とは、どんな社会にも存在するような活動のことです。私はテーブルを作り、料理を作る。これらは、社会的・歴史的な文脈を無視して考えることができる具体的で有用な活動です。こうした活動は豊かさを生み出し、使用価値を生み出します。「抽象的労働」とは、これらの活動を商品生産のコンテクスト、資本主義のコンテクストで見たものです。作られたテー

ブルは商品として売られ、貨幣に変わります。売れなければ、お金のない人がいくらそれを欲しがっても、価値は生まれません。テーブルが持つ商品としての性格は、それを作るプロセスに跳ね返り、労働者はより速く働くことを余儀なくされ、おそらくそれを作るプロセスのある小さな部門に専門化させられることになるでしょう。すでに見たように、料理についても同じです。いずれの場合も、具体的労働の背後にある特定の意図や喜びや技術を捨象した労働の抽象化がなされるのです。重要な問題は、そうした活動が、商品生産の全般的な過程、すなわち商品交換に基づく社会の全般的な結合に、それに伴うすべての事象とともに、どのように統合されるかということにあるのです。私たちの活動は、その個別具体的なあり方から抽象化され、その活動の産物にどれだけの貨幣が集まるかだけが重要だとみなされる、数値化された世界に組み入れられていくのです。

労働の抽象化は、私たちを破滅させる束縛のまさに核心にあります。マルクスが「具体的労働」と呼んでいる活動は、私たちが単に「行為する」ことと考えるべきものであり、異なる、そしておそらく非常に緩やかな社会的結束の形態の一部となり得るのです。そのことを私は別のところで示しました[4]。私がテーブルを作るとき、それは自分が使うためだけかもしれないし、友人が使うためかもしれないし、あるいはただ通りすがりの人がテーブルを欲しがったためかもしれません。同じ通りに住んでいる人が使うかもしれないし、地球の反対側に住んでいる人が使うかもしれません。自分一人で作ることもあれば、愛好家の友人や大工仲間と一緒に作ることもあるでしょう。ここには社会的なまとまりはあっても束縛はありませんし、一定の方法や一定の速度で制作することを強いられることもありません。しかし、もし私の活動が抽象的労働（あるいは、通常呼ばれているような「労働」）になるなら、問題は創り出された価値だけであり、重要なのは私が作るテーブルという商品がいくらで売れるかということだけになります。もしそのテーブルが売れなければ、もっと速く作るか、他の材料で作るか、テーブルではなく椅子を作るか、あるいは大工仕事からお払い箱にされて、タクシーの運転手になるか、信号待ちの人たちに物乞いをするか、ということになるでしょう。私たちの活動は、自分ではコントロールできないところで、束ねられたり、縛られたり、決められたりしているのです。それは市場の力、売買の流れによって決定されるもので、私たちも他の誰も意識的にコントロールすることはできません。私たちの人間性は私たちの活動を自ら意識的に決定することに関連しているととらえる（これがマルクスの見解の基本的な要素です）なら、そうした把握から見る限り、労働は人間性を奪うものになってしまっています。そして同時に、この非人間化あるいは抽象化のプロセスこそが、社会を成り立たせる社会的束縛をもたらすのです。この束縛＝抽象化によって、日々私たちの活動は特定のパターンに導かれ、このパターンは私たちの人間性を失わせ、私たちを破壊する社会を成り立たせていくのです。労働（自由に決定される活動として理解される労働ではなく、価値や利潤の追求によって動かされる抽象的で疎外された労働として理解されるもの）は、破壊の列車の中に私たちの居場所を定めている核心なのです。

c　商品＝価値＝労働ができれば、次は貨幣が

私たちのほとんどが、自分ではコントロールできない活動を強いられているのは、貨幣が必要だからです。貨幣は、商品＝価値＝労働＝貨幣という束縛複合体が最もわかりやすい形を取ったもの

です。貨幣は、私たちを朝でも夜でも働かせ、より速く働くことを強いる奴隷主の鞭なのです。

『資本論』第一章の中で、マルクスは、商品形態から貨幣を導き出すのにかなりの手間暇をかけています。(5) いったん商品の定期的な交換が社会の特徴になると、ある特定の商品（金《きん》）が、他のすべての商品と交換できる普遍的な等価物として特別視されるようになります。貨幣は、商品形態から特殊なものとして区別された社会形態として発展します。貨幣は商品の交換を通じて生み出されますが、社会的関係の特殊な形態として存在することによって、それ自体のダイナミズムを発展させることになります。「われわれはその時、商品が貨幣に恋しているのを見るが、『真の愛の進路は決して平坦ではなかった』」（Marx 1867/1965, 107）。具体的に見ていきますと、まず商品の交換（W—W）が貨幣を媒介とする（したがってW—G—Wとなる）ことで、取引が販売（W—G）と購入（G—W）の二つに分かれることができるようになります〔原文では商品をC、貨幣をMで表していますが、『資本論』はドイツ語で書かれているので商品 Ware はW、貨幣 Geld はGで表され、日本語訳もそうしているので、そのように表します〕。貨幣は、交換の手段であることを超えて、別個の存在意義を獲得することができます（そして、実際に獲得しています）。貨幣は、ビルがトムからトマトを買い、トムがその交換で得た貨幣でサラから卵を買うというような単純な関係において問題になるだけではなく、貨幣がトマトや卵から分離されているという事実そのものが、貨幣に自律性を与えているのです。サラがチーズを買うためにそのお金を使うのではなくて、より多くのお金を取り戻そうと試みるかもしれないということは、すでに貨幣というものの存在に刻み込まれているのです。貨幣は、商品を売るために商品を購入する（G—W—G）、あるいは、商品をまったく使わないで、お金を取り戻すためにお金を貸す（G―G）という新しいダイナミズムの出発点になります。しかし、この最後の二つの取引（G―W―GとG―G）は、プロセスの最後にある貨幣が最初にある貨幣よりも数量的に大きくなる場合にのみ意味を持つのです。つまり、G―W―G′とG―G′ということです。貨幣が商品形態とは異なる形態としてあるという特殊性は、自己増殖のダイナミズムという新たな力学を生み出すのです。貨幣の原動力は、それ自体の自己増殖です。別の言い方をすれば、商品と貨幣は、抽象的労働の産物である価値の異なる形態ですが、社会発展の原動力としての価値が自己増殖していく理由を明らかにするのは、貨幣という形態なのです。そして、この貨幣の自己増殖が資本なのです。

貨幣から資本への移行に伴い、支配がどんなやり方で社会形態の緊密な結合として織り成されていくのか、そして、それが根本的に異なる社会への希望とは対立するものであること、について話していくということが明らかになってきたのではないでしょうか。さて、この支配の紡ぎ織りの次の段階も同じように重要なのですが、この段階が強調されることはほとんどありません。

d　商品＝価値＝労働＝貨幣ができれば、次はアイデンティティが

商品、労働、価値、貨幣の批判は、一般に、政治経済学批判の中心的なものと見なされています。ところが、アイデンティティの批判は、マルクスの『資本論』では非常に重要なテーマなのですが、普通は、この文脈には含まれません。

交換は交換者を形作ります。交換の行為は取引の両当事者を規定します。それは、交換関係を確

立するまさにその過程において、それぞれを他から切り離すのです。そこで、交換者は、独立した個人として確立されます。

この譲渡が相互的でありうるためには、人間にとって、譲渡可能なものの私的所有者として互いを扱い、まさにそのために、互いに独立した人格として扱うことに暗黙のうちに同意することが必要なだけである。しかし、この相互的な孤立と異質性の関係は、自然起源の原始的共同体の構成員には存在しない……（Marx 1867/1990,182; 1867/1965, 87）。

つまり、交換は共同的なものを壊すということです。交換行為において、交換者はそれぞれ交換される商品の代表者となるのです。

ここでは、それぞれの人は単に商品の代表者として、したがって所有者として、互いに存在しているにすぎない。考察をさらに進めると明らかになってくるが、一般に、経済の舞台に登場する人物は経済関係が擬人化されたものに過ぎず、彼らが互いに接触するのは単に経済関係の担い手に過ぎないのである（Marx 1867/1990, 179; 1867/1965, 85）。

原文の翻訳をもう少し正確に、しかしあまり優雅でない表現で述べれば、次のようになります。

「人物の経済的性格を表す仮面は、彼らがその担い手として互いに接触している経済関係の擬人化にすぎない」[6]。つまり、交換関係は、人々に性格を表す仮面を押しつけ、彼らを経済関係の擬人化あるいは担い手へと変容させるのです。

商品交換という行為（そしてそこから派生するすべてのもの）を通して、私たちはそれぞれが果たす役割に押し込められ、キャラクターの仮面を顔に付けられるのです。仮面は、私たちを役割の中に閉じ込める牢獄（デュマの『鉄仮面』を思い起こさせます）なのです。交換者は、もはや愛や追憶や情熱を持った人間としてではなく、単に役割として、商品の売り手と買い手として数えられるようになります。私たちの中に潜在している生成は、固定されたアイデンティティに従属させられます。このような基盤の上に、社会的アイデンティティが成り立つのです。そこでは、生成の流れが遮断されてしまい、役割として、何々であることとして固定されてしまうのです。私は車のセールスマンです。私は教授です。私はメキシコ人です。私たちは労働者階級です。私たちは女性です。私たちは先住民です。これらの断定はすべて、真実を語っているように見せかけているだけで、社会における役割や立場を投影したものであって、私たちが溢れ出すことを阻み、内において対抗し乗り越えていく社会的生成を否定するものです。アイデンティティの表明はすべて肯定なのですが、それは、私たちを人間として成り立たせている否定や対抗する運動を否定するような肯定を提示するものなのです。アイデンティティは定義し、囲い込み、束縛するのです。

e　貨幣の次は資本と搾取が

ここで示されているのは、マルクスの主張の中で最も根本に関わる連関の一つです。これをもって、貨幣を資本から引き離すことは可能であり、貨幣をW—G—W（商品—貨幣—商品）の式で表される交換手段としての機能に限定することは可能であると考えられているのだとされることがあります。こうした推定は、今日の多くのラディカルな運動に共通して見られるものです。マルクスの主張はそれとは逆に、いったん貨幣が他の商品とは異なる形態として存在し、商品の交換が貨幣を媒介として行なわれるようになると、G—W—Gという反対の運動が必然的に起こるのであって、つまり、貨幣の所有者は、同じ量の貨幣を得るだけでなく、より多くの量の貨幣を得ることで交換を終わることを目指して交換過程に参入してくるというのです。つまりG—W—G′になるということです。社会的なレヴェルで見た場合、このような増加は、貨幣の所有者が、それ自体の価値以上の過剰または余剰の価値を生み出すことができる特別な商品を市場に見出すという事実によってのみ説明できることになります。この特別な商品とは、労働者の労働力であって、貨幣の所有者が受け取る価値の増大は、労働者の搾取の結果なのです。

このように、商品と貨幣の存在は搾取と不可分なのです[7]。社会で商品関係が一般的なものになるのは、労働力の商品化が確立し、賃金労働が抽象的労働の支配的形態になるときなのです。労働力が商品化されなければ、貨幣、特に商品交換は人々の生活においてわずかな役割しか果たさないことになるでしょう。私たちがここまで分析してきた論理的つながりの連鎖は、商品関係と賃金労働の一般化にかかっているわけです。

貨幣の所有者が、市場で労働力を売らざるを得ない労働者を見出すのは、偶然でも自然の産物でもないことは明らかです。

一方では、貨幣や商品の所有者が自然に生み出されることはなく、他方では、自分の労働力以外には何も所有しない人間も自然に生み出されることはない。この関係は、自然的基礎を持たず、その社会的基礎も、すべての歴史的時代に共通するものではない。それは、明らかに、過去の歴史的発展の結果であり、多くの経済革命の産物であり、一連の古い社会的生産形態が消滅したことによって生み出されたものである。(Marx 1867/1965, 169; 1867/1990, 273)

金持ちにとって幸運《フォーチュン》でもあり良い財産《フォーチュン》にもなった（両方の意味で）事態は、労働者が生産手段から、一般に暴力によって切り離されたことに基づいていたのです。

いったん貨幣が資本になれば（いったん商品生産と賃金労働が一般化すれば）、価値の増大（G′）を追求することが社会の原動力となるのです。資本は、価値の自己増殖です。しかし、価値の真の増殖は、「隠された生産拠点」（Marx 1867/1965, 176; 1867/1990, 279）で、労働者の搾取を通じて起こっているのですから、自己増殖だと見えるのは表面を見ているだけだからに過ぎません。資本の拡大が社会の支配力となります。「蓄積せよ！　蓄積せよ！　それがモーゼと預言者たちの命令だ！」(Marx 1867/1965, 595; 1867/1990, 742)。資本の蓄積は、モーゼと預言者たちが命ずるところであり、資本主義社会を形成する法則なのです。

蓄積せよ、蓄積せよ――価値の「自己増殖」を熱狂的に追求することが、自然を破壊し、人間の存在条件を破壊しています。しかし、その前に……

f　資本の次は国家

マルクスは、『資本論』に国家を含めるまでには至りませんでした。彼は、資本主義の他の社会関係から国家を「導出」することはしなかったのです。この導出は、一九二〇年代初頭にエフゲニー・パシュカーニスによって初めて試みられ、一九六〇年代から一九七〇年代にかけて、いわゆる「国家導出論争」によって再びこのテーマが取り上げられるようになりました。

この議論は、おそらく二つの脚で支えられています。その一つは、資本は、国家なしには存在しえないということです。より正確には、資本の存在は、国家を社会的・経済的領域から離れた特殊なものとすることを必要とするということです。資本は、搾取の直接的なプロセスとは別に、物理的な強制力を行使するための制度を構成する必要があるのです。なぜそうなるのか？　これに対する答えは、二つの点での強化が必要だということです。第一点は、商品交換には度量衡の設定と、交換過程の外に立つ何らかの制度による規制の過程が必要とされるという点です。第二に、もう一つのアプローチは、むしろ搾取のプロセスを強化することに関わるものです。搾取は、契約、労働力の売買を媒介として行なわれます。この契約を執行するためには、契約当事者とは別の制度、すなわち国家が存在しなければならないのです。例えば、封建制は一見対等な当事者間の契約に基づいてはいないわけですが、そこにおいて搾取は端的に支配の階層の一部なのです。封建制では、政治と経済の分離もなければ、国家の特殊化もなく、人としての王と支配者としての王との間の明確な分離もありません。国家のこのような特殊化は、政治的に非常に重要なのです。というのは、この特殊化が、資本の利益との関係で、国家に中立性または潜在的中立性の外観を与えるからです。

この見かけ上の潜在的な中立性が、進歩的あるいは改革的な政治の核心なのです。

しかし、特殊化は、それ以上のものではありません。特殊化であって、分離ではないのです。国家は、資本関係の特殊な形態として存在し、その存在は、その関係の再生産に依存しているのです。国家が搾取の直接の過程から切り離された特殊な制度として存在しているということは、国家の歳入が資本家の行なう搾取に依存していることを意味しています。国家は自己を再生産するために、資本の蓄積を促進する上でできる限りのことをしなければなりません。この点での中立であるかのような外観を取っているのは、単なる外観に過ぎません。国家が取る措置が、特定の資本家の利益に反することも、実際に資本家組織の希望に反することもありえますが、全体として資本蓄積を促進するという利益のためにのみ、そうした措置が取られるのです。現在、盛んに議論されているルーズベルトのニューディール政策は、その良い例です。ルーズベルトは、資本全体の再生産を確保するために、多くの資本家と資本家組織の反対を押し切ったのです。もう一つの例は、マルクスが『資本論』の中で論じた工場法における国家による労働時間短縮です。もし国家が資本の利益を著しく損なうような行動をとれば、資本は他の領土に逃げ出し、政府はほぼ間違いなく自国の支持者から失敗したとみなされ、収入源を失うことになるでしょう。左派政権が公約を果たせなかった事例が繰り返されているのは、個人的な裏切りよりもむしろ、この構造的な制約が原因なのです。(裏切りも一役買っている場合もあるかもしれませんけれど)。

このように見てくると、根本的な希望を実現する上で、国家をその手段と見なすことは、あまり意味をなさないことがわかります。政府は資本主義の枠組みの中で人々の生活を改善することができるかもしれませんが、最も「左翼的」な政府でさえ、資本の運動の力に圧倒され、しばしば約束とは正反対のことをしてしまうことも事実なのです（ギリシアのSyriza［シリザ］政権の例がそれをはっきりと示しています）。いずれにせよ、どんなにラディカルな意図を持っていたとしても、国家が資本の論理を断ち切ることはできないのです。国家はむしろ、資本の論理を強制するように構造的に制約されているのです。

希望についての議論において、この点を強調することは重要です。なぜなら、資本とは別のものとして特殊化されていることによって、国家はしばしば希望の拠り所とみなされているからです。特に民主的な選挙を行なっている国家の場合、希望は国家の存在とほとんど不可分なものになっています。希望は選挙に参加する根拠になっていて、その場合の希望とは、次回はより良いものになるだろうという思いなのです。しかし、国家が資本関係の一形態としてあり、資本主義的社会関係の全体を包括しているということは、国家が別のタイプの社会への道を開くことができないということを意味しているのです。異なる社会を求める闘いを民主主義のための闘いと見なすのはナンセンスです。なぜそう見なすのかは理解できますが、それにしてもナンセンスであることには変わりありません(8)。

こうした関係が一層強い決定要因になっているのは、それぞれの国家が多数の国家の中の一つでしかないのに、資本の動きは全体として一つであるという事実によっているのです。資本は利潤を得るために最適な条件を求めて世界中を駆け巡りますが、国家は領土に縛られています（もちろん、公式・非公式に他国の領土を侵略することはありますが）。つまり、それぞれの国家は、「国内資本」

とでも呼ぶべきものの蓄積のために良い条件を提供しなければならないだけではなく、自国領土に資本を引き寄せるために他のすべての国家と競争しなければならないのです。各国は、資本蓄積のために最も魅力的な条件を提供するために競争しているのです。もし、それが成功しなければ、資本はどこか別のところに行ってしまうだけです。資本が何らかの「国籍」に帰属するという考え方は、ほとんど意味を持っていないのです[9]。

g 商品＝価値＝労働＝貨幣＝アイデンティティ＝資本＝国家となれば、自然破壊＝パンデミック＝地球温暖化＝絶滅へ

あるいは、短縮形として、商品から絶滅へ。

これは、現時点で、私たちが直面している恐ろしい論理展開です。もし社会関係が商品交換を中心に成り立っているならば、私たちを絶滅に向かわせる力学が全面的に作動していることになります。その中心は、資本蓄積にあります。野放図な利潤追求は、人間が生存する上で必要な自然な前提条件を破壊する方向に資本を駆り立てています。このことは、近年、二つの点で特に明らかになってきました。一方で、利潤追求は、農業の工業化、生物多様性の破壊、利得の目的のためにあらゆる生命を道具にすること、要するに、COVID-19 のようなパンデミックの基盤を作り出すあらゆる生態系の破壊、そうしたものにつながっているのです。他方では（実際には同じことかもしれませんが）、利益を追求するあまり、化石燃料の使用、交通量の多い大都市の増加といった要因が、気候変動や地球の温暖化を引き起こすという状況が生まれています。いずれの場合も、環境破壊の

程度を抑えるために国家による措置がとられてきましたが、実際にはすべての国家が資本蓄積に最も有利な条件を促進するために競争しているという事実がある以上、それらの措置があまり効果的でなかったのは当然のことと言わなければなりません。

商品が人々の活動の支配的な形態でありつづける限り、世界は資本蓄積の法則によって支配されつづけるでしょう。「蓄積せよ！　蓄積せよ！　それがモーゼと預言者の命令だ！」。そして、資本蓄積が地球を支配している限り、私たちは絶滅の危機に瀕しているのです。これがパンデミックが明らかにした教訓なのです。

資本という名の列車は絶滅へ向かって進む

私たちを拘束し破滅へと突き進ませる束縛は、論理によって織られたものであり、「資本」と呼ぶことのできる網なのです。天罰の列車には「資本」という名前がつけられています。エンジンの側面には、太い文字でこう書かれています。「蓄積せよ！　蓄積せよ！　それがモーゼと預言者の命令だ」。

二〇二〇年の最も際立った闘いは、三月八日（M8）の巨大なデモで最も明確に示された女性の闘いと、ジョージ・フロイド殺害事件に続いて米国で展開されたブラック・ライヴズ・マターの運動でした。資本主義という観念は、いずれの闘争においても主要な役割を演じてはいません。資本主義について言及されるとしても、「資本主義的家父長制」や「人種資本主義」のように、かなり曖昧な統一のための基準ポイントとして言われているだけです。では、なぜ人種や家父長制ではなく、資本（あるいは貨幣）が私たちが直面している破滅の原因であると主張するのでしょうか？

理由は三つあります。第一の理由は、私たちが生きている状況の恐るべき緊急性を強調するためにそうすることが必要だからです。資本の概念には、商品から恐ろしい「蓄積せよ！　蓄積せよ！　それがモーゼと預言者の命令だ！」に至るまで、ダイナミックな動きが刻み込まれているのです。そして、その動きは、そこから人々の搾取と自然破壊の激化へとつながっているのです。その転がる雪玉式のダイナミズムは、例えば家父長制の概念には明らかに見られないものです。

第二の理由は、資本の概念が危機の概念と不可分なものだからです。すなわち、両者ともそれ自体の脆弱性を持っているという点です。この点については、もう少し後で触れることにしましょう。

第三の理由は、いかなる抑圧にも基づかない社会を創ることができるというラディカルな希望の根拠となるものとして、打ち破るべき抑圧の統一的な概念を求めているからです。私たちは多種多様な抑圧を経験しています。私たちを苦しめ、人生を台無しにする抑圧、そうした抑圧に私たちは抵抗してきました。女性に対する抑圧、黒人やＬＧＢＴに対する抑圧、外国人に対する抑圧、子供に対する抑圧、精神的・身体的に異なる者に対する抑圧などなど、実にさまざまな抑圧を受けているのです。抑圧が終わることはないように見えてしまいます。まるで私たちは、無限に続く抑圧の蜘蛛の巣に捕らえられた蝿のようです。私たちは剣を取り出し、ひとつ、またひとつと切りつけていきます。あるときは、蜘蛛の巣の糸を一、二本突き破ることに成功し、あるときは、突き破れないで、あるときは、新しい糸が私たちを拘束していることに気づくだけだったりします。したがって、資本の重要性を主張することは、これらのさまざまに異なる抑圧の間に統一性があること、たとえば、黒人の闘いと女性の闘いの間のつながりは、選択的親和性のつながりではなく、むしろ、それらが同じ社会関係の全体的なあり方に対する闘いであることを提示することなのです。

私たちは、サパティスタが比喩として表現した資本のヒドラに戻って、人種差別と性差別は、多頭のヒドラである資本の二つの頭に過ぎないことを提示したいのです。身体は霧に包まれています。それはよく考えてみてはじめて見分けることができるものです。しかし、その場合でも、それがただひとつの身体であるのか、あるいは身体のいろいろな部分のルーズな配置として理解した方がいいのかは、はっきりとはわかりません。切迫した問題になっているダイナミズムと危機がどのようになるかという展望は別にして、資本が多頭をまとめるひとつの身体であると考えることを正当化する根拠はどこにあるのでしょうか?

答えがもしあるとすれば、それはアイデンティティの概念と、商品がアイデンティティを創り出すやり方の中に求めなければならないでしょう。これまで述べてきた抑圧はすべて、特定のアイデンティティに対する差別に基づいています。人々はある特徴に基づいて、そのアイデンティティに特定され、そのために虐待され、あるいは殺されるのです。女性やLGBT、外国人などが、ある特徴によって識別され、そのために虐待されたり、殺されたりしているのです。それは日々起こっていることであり、日々恐怖をもたらしているものでもあります。

誰かを特定しアイデンティティを与えるということは、その人にラベルを貼ること、分類すること、特定の箱に入れることです。あなたは女性だから、男性である私の言うとおりにしなければならない。あなたは女性であり、あなたにできることとできないことがあることを認識しなければならない。――といった具合です。あなたは黒人だから……あなたは外国人だから……いずれの場合も、「であること」が「すること」に勝ります。あなたが誰であるかの定義が、あなたに何ができるかを決定します。アイデンティティは、あなたを箱の中に閉じ込めます。アイデンティティ化は、私たちを人間たらしめる溢れ出るものを否定するものです。

確かに、アイデンティティの言葉は、そのようなアイデンティティ化に異議を唱えるために使われることがあり、また実際に使われています。私はゲイです、だから何なんですか？　私は女性ですから、他の女性たちと一緒に男性が押しつけた制限に逆らうつもりです。私は黒人なので、バスのどの席であろうと好きな場所に座るつもりです。これら全てのケースで抑圧に対するアイデンティティに基づく反応があり、それによって、そうした抑圧の限界に挑戦しているのです。こうした場合、アイデンティティに基づく反応が、逆説的にアイデンティティの限界から溢れ出してしまうのです。いずれの場合も、危険なのは、そうした反応がアイデンティティの限界から溢れ出ることをしなくなり、新しいアイデンティティに落ち着いたり、あるいは押しつけたりするようになることです。私は女性であり、五〇年前の女性のようにはふるまいません。私は新しい女性であり、解放された女性ですから、それにふさわしい違った行動をとるのです。どんな場合にも、溢れ出るものには、必ず新たな囲い込みをしていく種が含まれていることがありうるのです。

この点は、適合という言葉で言い表すことができます。アイデンティティ形成はプロクルステス的な嵌め込みなのです。箱にうまく収まるように強制されることでアイデンティティが成立するのです。抑圧に対してアイデンティティに基づいて反応することは、結局のところ箱を定義し直すことにつながりがちです。例えば、女性であることの意味を定義し直すことに終わってしまうのです。反アイデンティティの立場からの反応はどうかというと、それはあくまで不適合を選び、溢れ出ようとするのです。「女性であるかないか、ゲイであるかないか、先住民であるかないかはどっちでもいい。われわれはそういった区別を超えた存在なんだ」ということなのです。私たちは、どのカテゴリーにも当てはまりません。なぜなら、私たち自身が何かになっていこうとする生成の運動なのですから。

ヒドラのさまざまな頭部は、非常に多くのアイデンティティ化を象徴するもの、何かになろうとする生成の運動を抑えようとする非常に多くの強制を象徴するものとして理解することができます。資本がこの多種多様な頭の中心にあるというのがどういうことなのかを示すことは、商品がアイデンティティを生み出す方法を指摘することにつながります。交換という行為そのものが、交換する者を、交換される二つの異なる商品の体現者として分離してしまうのです。そうした分離は、二人の人間がそれぞれ共同体の中で相互に浸透し合う部分であるという理解を断ち切るものです。商品をその生産から切り離すこと(マルクスが商品物神崇拝と呼ぶもの)は、社会的生産者=行為者を個人的所有者=存在者に変換してしまうのです。行為者すなわち「するもの」が存在者すなわち「であるもの」として定義し直されると、どういうことになるのでしょうか? 行為すなわち「すること」は、それ自体として社会性を持つことを避けられず、また何の定義づけも必要としない社会性を持つものだったのに、そうした社会性が失われるのです。そうした「すること」から抽象化された「であること」はそれぞれ異なる存在者のグループ、異なるアイデンティティに分けることができるようになるのです。

乱暴に言ってしまえば、ヒドラのさまざまな頭は、人種差別、性差別、ナショナリズムなどへと導くアイデンティティ化のプロセスなのです。これらのアイデンティティ化のプロセスは、中心にある動力装置によって動かされていますが、その動力装置は霧に包まれていてよく見えません。しかし、よくよく観ると、それが商品交換であることがわかってきます。私たちが言えることは、アイデンティティ化の動力は商品交換の中にあり、より目に見える抑圧の形態はアイデンティティ志向の差異化に基づいているということです。豊かさ、つまり、何ものにも制約されない生成の運動が、商品形態の中に閉じ込められることで、アイデンティティ化された世界が生み出されるのです。豊かさは商品に適合することを余儀なくされ、私たちの生成は存在に拘束されることになるのです。闘争は必然的に、そして適切にアイデンティティ化するヒドラの頭部に向けられることになります。しかし、もし闘争がそこから溢れ出ることなく、アイデンティティを生み出しているプロセスそのものを攻撃しないなら、そこの一つのアイデンティティの頭を切り落としても、別のところに他のアイデンティティの芽を生じさせることになるだけなのです。

こう言ったからといって、闘争に何らかのヒエラルキーがあるべきで、資本との闘いが性差別や人種差別との闘いに何らかの形で先行すべきだと主張するものではありません。それどころか、私たちを最も直接的に攻撃してくるのはヒドラのそれぞれの頭なのです。特定の抑圧との闘いは、人々の生活に大きな変化をもたらします。例えば、ほんの五〇年前と比べて現在の非常に多くのゲイの人々の生活がどうなっているかを考えてみてください。しかし、攻撃によって課せられた定義づけに閉じ込められてしまう危険性は常にあります。そうなった場合、私たちは単に修正されただけで本質的には同じアイデンティティを再生産する結果になりかねません。それは、ドイツ人対ユダヤ人がユダヤ人対アラブ人に換わるようなものです。しかし、ヒドラの本体を直接攻撃する方法はおそらくないでしょう。個々のアイデンティティ化に対抗し、それを乗り越える闘争を溢れさせるしかないだろうと思われます。おそらく、革命的な闘争について考える唯一の方法は、より限定された闘争から溢れ出したものとして革命的な闘争を位置づけることしかないと思われます。おそらく、どのような闘争の中にも、アイデンティティ志向のものと反アイデンティティ志向のものとの間、既成のカテゴリー内へ封じ込めようとするものとこれらのカテゴリーから溢れ出させようとするものとの間に、緊張が存在し、また実際に開かれた対立が存在するのではないでしょうか？ 例えばサパティスタの支持者の中でも、これを先住民の闘争と見る人たちと、むしろ刷新された世界を目指す闘争と見る人たちとの間で、意見が分かれています。クルド人運動においても、それを民族主義的な闘争として理解する人々と、社会の再構築を強調する人々との間に緊張関係がありま す(10)。

資本（あるいは商品、貨幣）をアイデンティティ化を統一して推し進めるものとして、ヒドラの本体であると見て、さまざまに異なる闘争の統一の鍵がそこにあると見なすことについても、議論の余地がないわけではないのです。資本主義以前の社会で家父長制の支配を受けている女性のアイデンティティ化はどうなるのだろうか？ 商品交換が社会関係において非常に限られた役割を担っていた時代に、特定の役割に縛られていた女性たちはどうなるのだろうか？　それらの社会では、アイデンティティ化を行なう別の主体、役割決定を行なう別の主体が働いているのだろうか？　アブドゥラ・オカラン、マレー・ブックチン、デヴィッド・グレーバーのような立派な著作者が示唆しているように、資本主義は家父長制発展の一段階に過ぎないと見るのが至当なのだろうか？　それとも、それぞれの間に内的なつながりのない、さまざまな種類の抑圧があると認めるべきなのだろうか？　もし、商品というヒドラを退治したら、その後に、他の多くのヒドラ（家父長制、人種差別などなど）に直面することになるのだろうか？　それとも、商品を屠ってしまえば、それがあらゆる形態のアイデンティティ化にとって致命傷となるのだろうか？　豊かさを商品形態から解放すれば、それが何ものにも制約されない生成の運動が十全な形で解放されたことになるのだろうか？　それとも、豊かさを封じ込める方法は別にあるのだろうか？

その答えは、ヒドラを葬ることに成功したとき、より明確になるでしょう。ある形態の抑圧が他の形態のものより有害であるという問題ではありません。私たちが言えることは、アイデンティティ化の動力は商品交換の中にあり、より目に見える抑圧の形態はアイデンティティによる差異化に基づいているということです。また、商品関係の普遍化が他の抑圧の形態にも変容をもたらしたことを指摘することができます。例えば、資本を家父長制の特殊な位相と見なすならば、この「特殊な位相」の力は、家父長制支配の意味と特にその力学を規定し直すようなものなのです[11]。家父長制と人種差別は、商品＝貨幣＝資本が生み出す破壊のダイナミズムに巻き込まれることになるのです。

これに続く以下の論議では、抑圧のさまざまな頭部のダイナミズムを規定する身体としての商品=貨幣=資本に引き続き注目することにします。サパティスタは、最近の一連のコミュニケの第一部で、[12] 彼ら持ち前の簡潔さと深遠さをもってポイントになるところを表現しています。すべての相違にもかかわらず、私たちを団結させるものは何かについて、次のように言っています。

それは、地球の痛みを自分たちのものにすることです。地球の痛みとは、女性に対する暴力、感情や性的なアイデンティティが異なる人々への迫害と侮蔑、子供時代の消滅、先住民族に対する大量虐殺、人種差別、軍国主義、搾取、収奪、自然破壊などのことです。

これらの痛みの原因は、あるシステムにあることを理解することです。その実行犯は、搾取的で、家父長的で、ピラミッド型で、人種差別的で、泥棒のようで、犯罪的なシステムである資本主義なのです。

20　破滅への連鎖を断ち切るのは難しい

私たちは、社会的関係が、現在に非常に大きな苦痛をもたらし、将来にはより大きな災害へと導くような形で織り成されている世界に生きているのです。この社会編成に内在するダイナミズムを断ち切ることは困難です。世界を大きく揺るがしたパンデミックが起こりました。でも、それにもかかわらず、貨幣の禍々しい支配は揺るぎませんでした。どうすればその支配を打ち破ることができるのでしょうか?

貨幣は社会的関係の総体を織りなす歴史的なプロセスなのです。今はおそらく、かつてないほど緊密に織りなされた社会編成が世界的に成立しています。資本主義以前の社会では、例えばメキシコの町の社会組織が変わっても、中国の人々の生活状況にはほとんど、あるいはまったく影響がなかったことでしょう。マルクスの時代でさえ、社会的関係としての貨幣の地球上の大部分への浸透はわずかなものであったでしょう。今日、COVID-19のパンデミックによって、社会編成の織目の緊密さが劇的に示されました。感染の拡大という点のみならず、(モバイルトラッキングや追跡アプリの影響もあるのはもちろんのことですが）ワシントンの金利や香港の証券取引所の株式の動きに関する決定が、直ちに世界中に影響を与えるという点にもその緊密さが示されています。資本の論理、貨幣の論理は、私たちの生活の中に深く深く入り込んでいるのです。

社会的関係全体が一体化するということは決してありませんが、社会的関係の全体化が進んでいることは確かです。束縛はますますきつくなり、すべてを包含するようになっています。私たちが壊さなければならないのは、このきつく締め付けてくる束縛なのです。今これが重要な問題になっているのは、前世紀のコミュニズムを支配していた観念が、ある束縛を別の束縛に、ある全体性を別の全体性に置き換えるというものだったからです。このことは、ルカーチにおいても見られることです。ルカーチは、全体性という概念を、批判的な概念としてだけでなく肯定的な概念としても展開したのです(1)。いわゆる「共産主義」社会において別の意味での全体性を生み出すということの考え方は、そうした「共産主義」社会を批判する論者たちが、そうした社会を「全体主義」社会と特徴づけることにつながっていきました。ここでは、全体化する束縛を打ち破ることとしての希望に力点を置き、社会関係をより緩やかに構成するという逆の方向が目指されているのです。

全体化とは、しばしば反抗的で、しばしば抵抗するものですらある他の社会関係に対して資本の論理を押しつけるプロセスなのです。その論理は闘争のプロセスなのです。その論理は、自動的に働く数学的な論理ではありません。それはむしろ、内部の一貫性、傾向の論理なのですが、そうではあっても非常に効果的に働くものなのです。

この破滅へ向かう論理の連鎖を断ち切るためにはどうしたらいいかということについては、おそらく二つの考え方があると思います。この連鎖とは、私たちが一連のカテゴリーの連鎖で特徴づけてきたものです。商品＝価値＝労働＝貨幣＝アイデンティティ＝資本＝国家＝自然破壊＝パンデミック＝地球温暖化＝絶滅という連鎖です。二つの考え方のうちでよりはっきりしているのは、この連鎖のそれぞれをつないでいる「＝」、言い換えれば鎖の環を断ち切ることに焦点を当てる考え方です。「xがあれば、それはyとなり、yになれば、それはzになる」という展開のそれぞれのステップで「…になる」という連結を断ち切ろうとしなければならないということです。もう一つのアプローチは、次のセクションで展開されますが、それぞれのケースで「…になる」が強すぎるため、連鎖の環に焦点を当ててもうまくいかないということなのです。だから、私たちが求めるべきは、むしろ、「xならば」「yならば」というところを切開して連鎖を分裂させることだというのです。この二つのアプローチは、それぞれ異なるタイプの反資本主義政治を導くものです。まず、「…になる」を打破しようとするアプローチについて見ていくことにします。

私たちが示した論理的連鎖のそれぞれのステップに対する挑戦は、しばしば非常に意識的に行なわれています。物々交換運動はその一例です。二〇〇二年のアルゼンチンでは、何百万人もの人々が参加する非常に強力な物々交換運動が起こりました。この運動は、人々がお金を持っていなかったということもありますが、貨幣の力に対する抵抗として、また代替的な社会関係を発展させる試みとして行なわれたのです。これは、一方では商品＝価値という論理的連鎖を断ち切ろうとする試みであり、他方では貨幣に挑戦する試みであると見ることができます。この場合、貨幣は敵でありながら、商品から切り離されたものとして捉えられています。物々交換は、金融危機の瞬間や、貨幣の支配に対する劇的な抗議として確かに重要ですが、それは商品交換と価値の枠内にとどまるものでもあるのです。(2) そして、物々交換が貨幣の発達をぬきにして長期にわたって有効に機能しうるとは考えにくいのです。

また、一方の商品＝価値＝労働＝貨幣と、他方の資本との連関もよく問われるところです。小規模商品生産者の社会は、資本、特に大資本の侵入に対して守られるべき理想と見なされています。「ウォルマートはダメ。私たちの小さなお店を残したい」。あるいは「大きな工場はダメ。慣れ親しんだ小さな製作所を守りたい」。これは資本主義の発展において常に繰り返されるテーマです。しかし、これは、価値法則の作動、つまり利潤を増進するために、もっともっと安く生産し安く流通させようとする資本の絶え間ない動きと衝突することになるわけです。普通、小さな単位では大資本のように安く生産することはできませんし、小さな商店ではスーパーマーケットのチェーン店のように安く売ることはできません。その論理は、自動的に押しつけられるものではありません。しかし、資本主義社会を組み立てている内部的な一貫性から生じる強い傾向があるのです。

この論理的連鎖を断ち切ろうとして出されている、もう一つの主張は、資本は利益の最大化を追求するのではなく、投資決定において道徳的規範に従うべきであるというものです。エコロジーや脱成長をめぐる言説の背景には、このような考え方があるように思われます。おそらく、資本や貨幣を廃止するというような考えはタブーであり、想像力の域や品位ある会話の域を出る話題だと思われているためでしょうが、エコロジー運動から出される改革案の多くは、資本主義が破滅へ向かう要因を作っているというコンテクスト、あるいは利潤の最大化を追求することを通じた資本蓄積への衝動といったものを抽象化してしまっているのです。確かに、利潤の最大化が行なわれる条件は、ある種の行為を抑止するための法律によって影響を受けることがあるでしょう。しかし、蓄積への衝動は資本の存在と切り離せないものなのです。環境破壊を食い止めるために緊急の変革を主張する人々は、このことと資本主義批判[3]との間には何の関係もないと考えていますが、彼らは、事実上、極めて非現実的な方法で、資本と蓄積への衝動とを切り離そうとしているのです。

おそらく、この論理的連鎖を攻撃する主要な方法は、国家と資本の間の関係において行なわれるものであろうと思われます。民主主義のお題目が繰り返されるたびに、国家と資本の間のつながりは存在しない、あるいは存在すべきではないということが表明されます。そして、そういう民主主義に幻滅させられるたびに、このつながりは存在することが再確認されるのです。何度も何度も繰り返されてきました。ツィプラス［ギリシア急進左派連合の指導者］に投票せよ。AMLO［メキシコの政治家アンドレス・マヌエル・ロペス・オブラドール。頭文字を取ってAMLOと呼ばれている］に投票せよ。サンダースに投票せよ。コルビンに投票せよ。メランションに投票せよ。物事が変わるかもしれないという絶え間ない希望、それに続いて繰り返される失望。何度も何度も、国家は、資本がもたらす破滅に対して対抗できるもの、あるいは少なくとも潜在的対抗装置として提示されます。しかし、経験は、実際にはそうではないことを暗黙裡に示しているのです。自らを「左派」あるいは「進歩的」と称する政府は、場合によっては（もちろん全てではありませんが）ある程度の所得再分配を達成したり、資本の蹂躙に何らかの制限を加えたりするかもしれません。しかし、決してその約束を果たしたり、貨幣の支配にはっきりと対抗するような措置をしたりはしないのです。

しかし、これまで見てきたように、そうなるのは個々の政治家の特定の「裏切り」（それは明らかに起こってはいるのですが）が原因なのではなく、国家がその存立を資本蓄積の促進に依存しているからなのです。

論理的な連鎖の各段階において、物神崇拝化が行なわれているのです。それを通じて、社会的関係の各形態がそれぞれ特定のものとして固定化されるのです。それらは、それぞれ分離しているように見えますが、実際はそうではなくて、全体の中の特定の形態に過ぎないのです。したがって、労働は全体から分離しているように見え（だから、仕事の人間化あるいは民主化について常に語られるわけです）、貨幣は全体から分離しているように見え（だから、貨幣は単なる交換手段でありうるという考えが出てくるわけです）、そして国家は社会関係の全体から分離しているように見えますが、実際にはそうではないのです。多くの幻滅を生み出すことになる多くの希望がこの見かけ上の分離に託され、そしてその場で打ち砕かれてきたのです。その結果、すっかり疲れ果て、シニシズムに塗れるようになり、受け入れがたいものを受け入れるようになってしまうのです。

ですから、資本の論理は闘争の論理であり、何度も何度も課され再び課されるという経過を辿らなければならない論理なのです。しかし、非常に強力で、内的に凝集された論理なのです。おそらく、この論理は決して完全に押しつけられることはなく、完全に受け入れられることもないでしょう。なぜなら、それは常に力によって、野蛮な暴力によって支えられているからです。それでも、この論理は非常に強力で、繰り返し反対を打ち破り、私たちを破滅に向かって押しやっていくのです。それは、内部の凝集の強さから力を引き出している論理なのです。

改革主義とは、資本の論理の存在や力を否定しようとするもので、それは幻滅と死のダイナミズムの再生産をもたらします。リベラルな思想とは、一般に、論理的連鎖を見ること、あるいはそこに重きを置くことを拒む思想です。そのような思想からすると、社会関係のそれぞれの形態（貨幣、国家など）は全体から抽象化され、形態としての性格が否定されることになります。それらは、歴史的特殊性からも、社会関係の全体的ダイナミズムにおける位置からも抽象化されて見られることになります。こうして、例えば、一方では国家と資本蓄積との関係、他方では資本蓄積と地球温暖化との関係をまったく考慮することなく、国家が地球温暖化をコントロールすることができると保証することになるのです。

論理的な（そして現実の）つながりを見ようとしないこと、私たちすべてが浸かっている社会の凝集の力を見ようとしないこと、それは選挙でよりよい政府を作ることに期待をかける場合に限ったものではなく、よりよい世界を求める闘争の中で繰り返し再発する病症なのです。それは、例えば脱成長やコモンズに関する議論[4]に見られるように、繰り返し現れてくるのです。そこには、しばしば、資本の全体化する力を見たり、言及したりすることに消極的な態度が見られます。「資本」という言葉はほとんどタブーになっています。「資本」などという言葉を口にすれば、それによって社会関係を全体化する真の力に注意が向けられるのではなく、古くて空虚な呪文を唱えていると見なされるからです。貨幣を廃止する必要があるなどと提案したら、頭がおかしいと思われてしまいます。

資本の論理は、いま存在しているのは社会的結合のパターンの力として見ることができます。この社会では、社会的結合は、別の世界ではそうであるかもしれないように、愛し、行ない、分かち合い、歌い、踊るといった自由な流れによって成り立っていくものではないのです。資本主義社会では、社会関係の流れは、マルクスが社会関係の**諸形態**として批判しているものに凝集され、凝固させられているのです。資本の論理とは、これらの諸形態相互のダイナミックな結合なのです。それは、搾取に基づく社会的結合であり、世界の人口の非常に大きな部分を悲惨な生活条件に追いやり、私たちすべてを破滅に向かわせるものなのです。それは、絶え間ない攻撃、抵抗や叛乱に対する攻撃、異なる生き方へ向けての前進に対する攻撃、そうした攻撃を通じて自己増殖していく論理なのです。

21 束縛の弱点は、諸形態の間のつながりにではなく各形態内部の拮抗にある

「xであれば、それはyになる」が資本の論理ならば、「xである」を切開しなければならない

資本の論理構造は、私たちを今いる場所に縛り付けます。今いる場所とは、破滅に向かう列車の中です。その座席にしっかりと固定されてしまっているのです。この論理は、私たちに対する絶え間ない攻撃であり、そのことは絶えず問題になっているのです。前の章では、資本の支配に対する抵抗が、商品と貨幣、貨幣と資本、資本と国家という、社会関係の異なる形態同士のつながりを断とうとするとき取られるいくつかの方法について見ました。いずれの場合も、こうした試みのそれぞれが、途方もなく凝集され体系化された資本の論理にいかに立ち向かっているかを見ました。

資本の束縛を解くもうひとつの方法を考えることができます。それは、諸形態の間のつながりに注目するのではなく、それぞれの形態の内に存在する拮抗に注目することです。これまで提示され

てきた論理は、逐次的な論理であり、自己同一化の論理といえるかもしれません。xならばyになる、商品であるならば価値が生まれるという形式をとります。ある形態から別の形態が導き出されるという派生の論理です。この論理は、連結する環である「であれば」を攻撃するように私たちを誘います。「xであればyになる」と提示されたとき、私たちは「であれば」を攻撃して、xであればyになるとは限らないと言って逃げ道を探そうとします。しかしおそらく私たちは「であればy」ではなくて、肯定の最初の部分である「xであれば」に注目すべきなのです。この「xであれば」は閉じた自己同一性を提示します。それは一連の流れの出発点としては当然とされるものです。しかし「xであればyになる」という形で提示されたときは、どうなのでしょうか？「xであればyになる」と提示されたとき、私たちが「xであれば」とはどういう意味なのかと問うことで対応したらどうなるでしょうか？「xは私たちが受け入れられない形で閉じられている。それを開いて、『xであれば』という自己同一化された閉鎖性が隠している対立を見る必要がある」と言うのです。

私たちは「商品があれば、価値になる」というところにもどって、「そうです。この順序は正しいのですが、『商品があれば』というところを切開して、それが隠している拮抗関係を見る必要があります。おそらく、そこに希望が見出されるはずです」と言うのです。そして、おそらく、他のすべての社会的諸関係の形態を切開して、それが私たちの助けとなるかどうかを確認する必要があるのです。

どのようにすれば、商品というものを切り開くことができるのでしょうか。マルクスはその答えを提示しています。けれど、これまで見てきたように、その答えの提示には問題があります。『資本論』の冒頭で、マルクスはこう言っています。「資本主義的生産様式が支配的に行なわれている社会の富（豊かさ）は、一つの巨大な商品の集積として現れ、一つ一つの商品は、その富（豊かさ）の基本形態として現れる」（Marx 1867/1965, 35; 1867/1990, 125）。問題は、これにすぐ続く文にあります。「それゆえ、われわれの研究は商品の分析から始まる」（35; 125）。そして、商品から、価値、抽象的労働、貨幣など、すでに見てきた他の形態を導き出すことになるのです。マルクス主義の分析は、ほとんど例外なく、このマルクスの二番目の文に従って、商品を出発点として分析を始めます。

ここが問題なのです。なぜなら、マルクスは、この二番目の文で、「xがあればyになる」という定式を立てているわけで、そこから「商品があれば……」に続くすべての連鎖への道を開いていくのです。しかし、これはすでに最初の文で開かれたものを閉じる効果をもたらすものなのです。マルクスの『資本論』に関する膨大な文献の中で、最初の文はほとんど無視されています。[1] このことは、重要な理論的・政治的意味を含んでいます。最初の文を無視したことは、マルクス主義理論を反資本主義闘争から切り離した理論的・政治的な配置の一部をなすものです。

二番目の文は、明らかに事実と異なっています。マルクスは、商品から分析を始めていると言っていますが、実際には、富あるいは豊かさという別のカテゴリーから始めているのです。「資本主義的生産様式が支配的に行なわれている社会の富（豊かさ）は、一つの巨大な商品の集積として現れる」。二番目の文は、少なくとも資本主義社会では、富ないし豊かさと商品の間に自己同一性があることを示唆していますが、最初の文は、そこには自己同一性がないことを明確にしています。

富は商品として**自己を呈示する**のです。これは、富と商品との非同一性、両者の間には距離があることを明確にしたものです。最初の文は富ないし豊かさから始まり、それが商品と同一ではないが、商品という形態で存在する、あるいは商品として**自己を呈示する**のだということを明確にしているのです。商品形態を超えて存在する、あるいは存在しうる豊かさというものが、マルクスが『経済学批判要綱』で示唆したように、何ものにも制約されない生成の運動を意味するとするならば、商品形態を脱ぎ捨てた豊かさと、商品という形態で存在する富との間に、激しい対立があることが明らかになるでしょう。

この拮抗をどう考えたらいいのでしょうか？　これは、マルクスが「**ああ、豊かさが制約を受けない運動として存在するようになったらいいなあ**」と空想しているだけなのでしょうか？　それとも、想像上の過去の黄金時代のことを指しているのでしょうか？　あるいは、死んで埋もれてしまった何かを指しているのでしょうか？　マルクスがこのような豊かさの概念を持つためには、ある種の漏れ、ある種の溢れがなければなりません。何らかの形で、豊かさは、商品形態に完全に包含されるわけではないのです。何らかの溢れ出し、不適合があるのです。対象が余剰なくその概念に収まることはないのです。最初の文では、マルクスは、豊かさを商品形態に対する内在的で溢れるような否定として考えるように私たちを誘います。だが、その後、二番目の文では、もしxならば……、もし商品ならば……とつづけることで、その誘いの道を閉じているように見えます。あるいはまた、最初の文は、豊かさが商品形態の内に、それを超えて存在することを示唆していますが、二番目の文では、豊かさが（少なくとも当面は）商品形態としてのみ存在すると仮定しています。

といっても、xならばyという論理的な順序が正しくないということではありません。それは、資本主義社会における社会的凝集、あるいは社会的総合の力を実際に捉えてはいるのです。しかし、その社会的結合の論理は抑圧、理論的・実践的抑圧なのです。アドルノは、このことを見事に表現しています（Adorno 1966/1990, 39）。「論理の科学は、最も単純な意味で抽象的である。一般概念への還元は、それらの概念に対して反対作用をするものをあらかじめ排除するのである。すなわち観念論的弁証法は、自らの内に抱え込み展開すると自負している具体的要素を前もって排除しているのである」。この場合、「もしxならばy」「もし商品ならば価値」という論理は、これらの概念に対して反対作用をするものをあらかじめ排除しているのです。「もし商品ならば価値」の論理によって排除された反対作用をするものとは豊かさなのです。マルクス主義の伝統が、最初の文を無視し、第二の文とそこから続く一連の論理的派生を基礎とする限りにおいて、それは、この反対作用をするものを排除することに加担しているのです。私たちにとっての課題、闘争運動によって開かれつつある課題は、「もしxならy」「もし商品なら価値」と続く一連の論理の圧倒的な力との闘いにおいて、この反対作用をするものの力を回復することなのです。この一連の論理は、そのままにしておけば、「蓄積せよ！　蓄積せよ！　それがモーゼと預言者の命令だ！」に行き着くとともに、それには絶滅が続くかもしれないのです。

豊かさは、商品の内で、それと対抗し、それを乗り越えて進む

それは単に概念的にとらえられた溢れ出し、概念的にとらえられた反作用なのでしょうか？　実際には、すべての豊かさは商品形態の内に存在するのだけれど、マルクスは何らかの理由で、それが異なるかもしれないと想像したということもあります。しかし、これはありそうにないことです。もっとありうると思われるのは、商品形態に完全に収まらない豊かさという概念には、経験的あるいは物質的な根拠があったのではないかということです。つまり、マルクスが単に賢かったとか、非常に想像力が豊かだったということではなく、彼の社会的経験の中に、商品形態に完全に収まらない豊かさという考え方に至る何かがあったのではないかということです。この議論のなかで、この点に至ると、私たちは皆、商品という形態を超えた豊かな経験を持っていることが明らかになります。先週友人のために作った夕食、道端で摘んだ花、今朝シャワーを浴びながら歌った歌、など。すべての豊かさが商品形態に組み込まれてしまっているわけではないことは明らかです。マルクスが商品から出発しているという主張を正当化する根拠になっているのは、私たちが議論した支配の論理的連鎖の基礎には商品形態がますます富の支配的形態になっているという事実があるということなのです。今書いているこの原稿は、商品交換のために書いたものではありませんが（本として皆さんの手に渡れば商品になりますけれど）、私の机の上は、書いているパソコン、お茶を入れているカップ、お茶そのもの、携帯電話、一冊の『資本論』、ノートと、商品でいっぱいです。これらのこととともに、私自身の再生産が、私の労働力を商品として大学に売るという事実に依存していることは、言うまでもないことです。すべての豊かさが商品形態に適合するわけではありません。しかし、商品は豊かさが存在する形態として支配的になっています。商品は豊かさの支配的な形態であるだけでなく、その支配はますます広がっています。豊かさは、例えば二〇年前や五〇年前よりもずっと商品化されています。教育や食べ物はほんの一例です。商品とは、実は、豊かさを商品化する過程なのです。

商品形態の外に立つ豊かさがあるのではありません。現代の資本主義では、商品形態があまりにも浸透しているので、完全に商品形態の外に立っている豊かさを想像することは困難です。純粋な豊かさというようなものはないのです。豊かさは、商品形態の内に存在していますが、同時にそれに対抗して、またそれを超えたところに存在しているのです。ここには拮抗関係があります。豊かさは、商品形態に捕捉されていると同時に、商品形態に対抗して進み、それを乗り越えたところに到達しようとしています。商品形態は、すべての形態と同様にプロセスなのです。形態＝過程、あるいは形成のプロセスであって、それは豊かさを形成するプロセスでありながら、豊かさを商品形態の制約に従属させるものなのです。商品は豊かさを封じ込めようとして闘っているのです。それに対して、豊かさは商品形態からの自らの解放を目指して抵抗し反抗しているのです。

豊かさとは流れであり、何ものにも制約されない生成の運動なのです。生成の流れは、商品形態に凍結されようとしたり、硬直化されようとしたりしていますが、完全にそうなっているわけではありません。常に商品形態に対抗し乗り越えて押し進んでいく潜在的な底流が存在しているのです。その底流は、あるときには目に見え、あるときにはまったく隠れていますが、常に対抗し乗り越えることを通じて覆そうとする推力を持っているのです。この豊かさの流れこそが、希望の運動なのです。

こうした見方は、豊かさを存在論的に捉えようとしたり、豊かさにある種の超歴史的な性格を与えようとしたりしているわけではありません。豊かさとは常に、対抗する豊かさであり、あるいは、より正確に言えば、内にありながら対抗し乗り越えてゆく豊かさなのです。過去数百年間は、商品化の内にありながら、それに対抗し乗り越えてゆく豊かさでした。それ以前は、封建社会や奴隷社会の硬直性によって生成に対して課せられた限界の内にありながら、それに対抗し乗り越えてゆく豊かさだったのです。

豊かさとは、内にあって、対抗し、乗り越えようとするものであって、その意味で否定的で対立的なものです。生成の絶対的な運動は、肯定的に存在するのではありません。豊かさを否定する物神化され、制度化され、硬直化した存在に対抗し、それを乗り越える何ものにも制約されない生成の運動としてのみ存在するのです。それは、それ自身が持つ否定の様式の中に、したがって、それ自身の否定に対抗する運動として存在するのです。豊かさは、マルクスが『経済学批判要綱』で述べたように、そのブルジョア的形態から脱却しようとします。ブロッホの言葉を借りれば、それは「いまだないもの」なのですが、それは、約束としてあるだけでなく、私たちが目指すものとして、また、拮抗作用の極として現在存在しているものなのです。私たちが自分自身の生成の結果としての豊かさに向かって努力しているのは、豊かさがないからではなく、豊かさが商品形態によって否定されるという形で存在しているからなのです。私たちの希望は、彼方にある希望ではなくて、現在において、内にあって対抗し乗り越えていく希望なのです。私たちは破滅へと向かう列車の中に座っています。私たちの希望は、この状況に対してNOと言うのです。そして、この破滅へ向かう列車の窓を壊そうとし、非常ブレーキを見つけ、ドアを開けて飛び出そうとしているのです。この世界に対して怒り、その向こう側へと押し出ようとしているのです。

そのとき、豊かさは、潜在するものとして、すなわち否定的で拮抗的な潜在、地下にある破壊的な火山のような潜在として存在するのです。マルクスが『経済学批判要綱』の一節で明らかにしているように、ありうべき豊かさ（われわれの創造的潜在能力が制約されずに発揮されること）と資本主義社会における現在の存在（完全に空っぽの状態）との対比は、嘆きではなく、生きた対抗関係として理解されなければ、まったく意味をなさないのです。これと同じように、資本主義社会において豊かさは商品の巨大な集積として自らを呈示すると説く『資本論』の冒頭の文は、豊かさと商品との関係を、両者が同一化された閉じられた関係としてではなく、生きた対抗関係として理解されなければ、まったく意味をなさないのです。この文は、豊かさが商品に適合するだけでなく、同時に積極的に適合しないものでもあると捉えない限り、書くことができなかったはずなのです。

「x であれば…」を破ろう：商品形態に対抗する豊かさ
富に対抗する豊かさ

商品とは、豊かさを束縛するものです。多数の結び目や結節点で縛りつけ、物神的な社会関係の形態で固定してしまうのです。束縛の各点には、束縛している鎖を引っ張る動きや、内から反対側や向こう側に押しやる動き、抵抗、少なくとも不同意を表す動きがあります。資本の課題は、束縛を調和のとれた結合にすることです。二頭の馬や牛が鋤を上げては下ろし、上げては下ろしと、うまく上下させるように引き具の軛を嵌めてやるのです。資本が、さまざまな方法を使って、人間の労働力をきわめて効果的に利用していることは疑いありません。その利用は、労働者、人間の生活、そして地球にとっては災いをもたらすものですが、それが効果的であることを否定するのは困難です。そして、まだそれは続いています。牛馬の引き具の軛のような束縛のそれぞれの結び目には、見えるか見えないかにかかわらず、絶え間ない緊張があります。公然の反抗、潜在的な反抗、あるいはただ単に引き具の軛を摩耗させたりするだけの抵抗でも、日常的に行なわれていれば、徐々に束縛を弱めていくことでしょう。

両方にとって重要なのは、一方はうまく引き具をつけること、他方は縛めに絶え間ない緊張を与えることです。旧来のマルクス主義は、資本がうまく軛をつけて労働者を効果的に利用することの方を強調してきました。この利用は、生産力の巨大な増大をもたらし、また、利用された労働者階級の階級形成をもたらします。利用された労働者階級は、資本の倒錯した破壊的な性格を打破し、労働力の利用を資本主義の倒錯した方法から解放する力を持つと想定されていました。xであればyになり、yであればzになる。商品であれば、「蓄積せよ！　蓄積せよ！」になり、「蓄積せよ！　蓄積せよ！」であれば、恐るべき絶滅が続き、その結果、労働者階級の革命の態勢が整う、というわけです。「xであればyになる」は恐ろしいことですが、しかし希望は「ならばzになる」にかかっている、労働者階級の革命の態勢にかかっているということになるのです。今や、『資本論』が書かれてから一五〇年経ちました。そして、いまだに「xであればyになる」が恐ろしい結果を招くことに変わりはありません。おそらくマルクスが想像していたよりもずっと恐ろしい結果だと思われます。しかし、私たちは、「ならばzになる」を、すなわち労働者階級の革命の態勢を失ってしまっているのです。私たちは、確かに労働者階級を失ってはいません。私たちが失ったものは、軛が革命につながるという考え方に対する信頼です。私たちは、システムの論理が私たちを別の世界に運んでくれるという考え方に確信を持てなくなったのです。それどころか、このシステムの論理は私たちを奈落の底に突き落とそうとしているように見えます。歴史そのものが、私たちが注目すべき対象を「軛」から「縛めにかかる緊張」に向け替えるよう促しているのです。このことは、軛の有効性を否定するものではありません。しかし、希望はその逆の方向、軛から脱すること、束縛から脱すること、全体化から脱することにあるのです。[2]

この点については、マルクス自身の態度は明確ではありません。『資本論』の第一〇章（英語以外の言語では第八章）において、マルクスは、労働力の商品化を完全に受け入れ、その上で権利を求めて闘う階級という観点から、労働者階級の出現を論じています。[3] ところが、この後のマニュファクチュアと近代産業への移行についての議論では、むしろ労働者の不服従が主要な役割を果たすことになっています。

私たちの議論にとってより重要なのは、『資本論』の中で展開されてはいるものの、その後のマルクス主義の議論では相対的にほとんど役割を果たしていない、対抗カテゴリーの底流です。豊かさ、使用価値、具体的労働、協同、社会労働の生産力などの概念がそれです。これらの概念は、二様に理解することができます。ひとつには商品、価値、抽象的労働、産業、資本主義的発展といった支配的な形態に効果的に利用されたり包含されたりしているものとして、もうひとつには、それらの形態に対して常に緊張関係に立ち、抵抗したり反抗したりしながら存在しているものとして、というふうに二面において理解することができるのです。この二様の理解のうち、前者の理解では従属性に重点が置かれています。対抗カテゴリーは事実上従属的なものであり、革命を考えるというような政治的な関心を持っていませんし、固有の文法を持っているわけでもありません。ここでの議論を形づくる後者の見解では、これらの一見従属的なカテゴリーは、支配の形態に決してきれいに適合することがないので、重要性を獲得します。豊かさは、支配的な商品形態に対抗して溢れ出し、あるいは不適合を露呈し、あるいは緊張関係をもたらします。使用価値は価値に対抗して緊張関係に立ち、具体的労働（あるいは、この本の母親や祖母に当たる前著でいうところの行為［doing］）は抽象的労働に対抗して緊張関係に立ち、協同は産業規律から溢れ出し、創造性の推進は決して生産力の資本主義的発展の中に完全に収まることはないのです。このアプローチでは、対抗カテゴリーの文法は本質的に否定的であり、内にあって対抗しながら乗り越えていく文法、内容がその形式から溢れ出る反自己同一性の文法なのです。政治的にも理論的にも、これは拒否の文法であり、叛乱の文法なのです。希望は軛にあるのではなく、軛を壊す不服従か、あるいは絶え間ない磨耗によって軛をますますもろくしていく非服従にあるのです。

富に対抗する豊かさ。それは、商品に対抗する豊かさだけでなく富に対抗する豊かさ、富の分身、富そのものの形に対抗する豊かさです。より正確には、富の内にあって富に対抗し、富を乗り越えていく豊かさなのです。豊かさの商品化とは、単に豊かさを量的に捉え直すことではなく、商品として売れるものでなければ生産されないという事実に表れているのです。より重要なのは、豊かさの質的変換です。商品化のプロセスに入れられた豊かさは、別のもの、つまり富となって出てくるのです。豊かさ、つまり何ものにも制約されない生成の運動が、物質的な、数値化できる物の富へと変換されてしまうのです。富とは、豊かさを貧しくすることであり、定義可能なものへと還元することです。富とは、豊かさの否定的な文法を肯定的な文法にすることであり、その何ものにも制約されない生成の運動を抑制することなのです。豊かさの富への変換は甚大な影響を及ぼします。危険なのは、商品化によって豊かさと富の区別がつかなくなることです。商品化の対象となるもの、つまり豊かさを、商品化のレンズを通して読み直し、そこに富だけを見るのです。豊かさは視界から消えてしまいます。豊かさと商品との間の拮抗は、富と商品との間の拮抗に変容させられてしまいます。そうすると、闘いは、豊かさの解放のための闘いではなくて、価値生産の制約から解放された物質的に満ち足りた世界のための闘いになります。自己決定は豊かさの要素であって、富の要素ではないのです。

マルクスには二つの読み方があります。ひとつは自己同一性からのアプローチ、もうひとつは反自己同一性からのアプローチのどちらかです。マルクス自身がどちらの読み方をしてほしいと思ったかは、重要かもしれませんが、二次的な問題です。彼は私たちとは異なる歴史的経験をしていますし、自分の思想が「共産主義的」抑圧を正当化するためにどのように使われるかに思いを致すことはなかったでしょう。私たちは、おそらくマルクスを（そして、どんな著作者をも）、著者自身の内に立ちながら、著者自身に立ち向かって、著者自身を乗り越えていくような読み方をする必要があるのではないか、と思います。

ここには、マルクスの読み方の正しさの問題を超えて、もう一つ、より実質に関わる正しさの問題があります。これまで見てきたように、以前から、人間の労働は有効に利用され、資本主義的利潤の拡大という目標に有効に従属させられている、と仮定している見解がありました。それに対して、ここで提起している見解は、束縛している縛めにかかる緊張が常に存在していて、それが労働に対する司令の有効性を常に問題にしているというものなのです。これはある程度、経験に左右される問題にちがいありません。労働者の反抗が顕著な時期もあります。イタリアのオペライスタに影響を与えた一九六〇年代と一九七〇年代における北イタリアの自動車工場は、明らかにその一例です。(4) しかし、反抗的な態度を示すことが、関係する労働者に悲惨な結果をもたらすような状況があることも確かです。にもかかわらず、資本の労働に対する指令が不服従または非服従を必然的に引き起こすような要因もまた存在しているのです。価値というものを人間の労働力を資本のために利用することだと考えると、そこには、まえに述べた馬や牛を耕作に利用することとは決定的に異なる要素があるのです。その違いは、命令関係としての価値の力学にあります。価値が社会的に必要な労働時間によって測られるということは、価値の産出行為としての労働が絶えず強化され加速されることになるということを意味しているのです。価値は、必然的に、もっと速く、もっと速く、もっと速くと要求するのです。これは、引き具をつけた馬や牛が、いつもと同じ穏やかなリズムで畑を耕しながら、上へ下へと進んでいく、牧歌的なイメージとはまったく違うものです。価値の規則に刻まれた「もっと速く、もっと速く、もっと速く」は、必然的に人間の活動を縛っている軛を緊張させることになります。この緊張の結果は、あからさまな、もしくはひそかな不服従として、あるいは単なる非服従として、あるいはしばしば、労働者が資本が求める労働強度を精神的・肉体的に満たすことができないという事実として表れることが考えられます。

議論の中心にあるのは労働です。労働とは、資本の利益に資するために人間の活動を束縛して利用することに与えられた名称です。この束縛による利用は、労働者階級の形成と、利用された労働者の利益のために闘う労働運動の構築をもたらし、革命的変革の希望がそこに託されてきました。xであればyになり、yであればzになる、資本であれば労働になり、労働になれば革命になる、というわけです。革命の希望は資本に対する労働者の闘争にあるというこの展望は実現しませんでした。それが実現しなかったのは、労働者階級がその使命を果たせなかったから、zを実現できる能力がなかったからではありません。そうではなくて、「xであればyになり、yであればzになる」という考え方に問題があって、そういう具合にはいかなかったからなのです。商品であれば労働になる、というのは封じ込めなのです。現実には、生産するのが商品であれば、人間の活動を労働に転換しようとする資本による絶え間ない闘争があり、またこの転換のプロセスに対する絶え間ない抵抗と叛乱がある、というふうに考えるべきなのです。ここで必要とされている闘いは、資本に対する労働の闘いではなくて（人間の活動が労働という形態に封じ込まれている限り、その闘いは存在するけれども）、労働＝資本に対する人間の行為の闘いであり、私たちの活動を労働から解放するための闘いなのです。

オペライスモ［労働者主義］あるいは自主管理運動の系譜は、資本の労働に対する命令統制という問題に焦点を当てて、資本家の支配が常に問題であることを強調してきました[5]。この主張は非常に有益ですが、二つの注釈が必要です。第一に、「労働に対する命令統制」は同義反復です。なぜなら、効果的に命令されている活動のみが労働であり、命令されない労働は別のもの、つまり労働にうまく変換されていない活動と考えられるべきだからです。もう一つには、労働に対する命令という考え方について、それが前段の価値生産の問題ではなく、剰余価値生産の問題であることにこそ注意を向けるべきだということです。労働力を売るとき、私たちはその労働力の買い手である雇用者の命令下にあることは確かです。その命令に従うかどうかは別ですが。しかし、その前段階として、労働力を売らせる力があるのです。これは、豊かさの商品化という観点からのみ理解できるものなのです。言い換えれば、「労働に対する命令」の問題は、すべての社会的活動、すべての豊かさ、すべての生成を商品形態に縛りつける、より広範な結合の中心にある問題なのです。したがって、課題は、労働者が資本家の命令に叛乱を起こすこと（常に起こっていること）だけではなく、私たち全員が、貨幣を通じて豊かさを商品へのみ結びつけていく束縛を断ち切ること（これも常に起こっていること）も課題としてあるのです。

資本主義による束縛の基本的要素に対する叛乱は、しばしば矛盾した形をとってはいますが、近年高まってきています。この叛乱の例としては、自主管理運動の系譜や、ドイツのクリシスやイクジットグループやモイシェ・ポストンに関係する人々の仕事のように、闘争に関与する多くの異なるグループが表明している労働の拒絶があります。さらにその先には、「ゲームの規則」に従うことを拒否する多種多様な人々がいます。これらの運動は、（マルクスの工場法の分析における労働者のように）「社会的結合の確定された規則の中で、われわれがいかに強い力を発揮できるかを見せてやろう」という観念からではなく、「お前らのルールには従わない、お前らの言う社会的結合は胡散臭い」というところから始まるのです。そして、おそらく「われわれは、お前たちの論理や文法を受け入れない。われわれは別のゲームをしているんだし、別のやり方で社会的なまとまりを作っているんだ。われわれ自身の反論理、反文法によってね。われわれのゲームは、お前たちの富に対抗する豊かさなんだよ」と言っているのです。このように社会的結合を支配している文法全体を拒否することは、女性運動、先住民運動、人種差別反対運動、その他多くの運動の主要な要素だったのです。これらの基本的な規則の拒否、「xであれば」の拒否は、さまざまな闘争の中に自己確信と創造性の波を波及させていったのです。

22 束縛を解く：革命を革命する

希望は革命的です。私たちは、価値の増殖を目指すのではなく、尊厳の相互承認を目指し、共生の自己決定に基づいて形成される社会を希求しています。

しかし、今や革命は恐ろしいものであると同時に、想像するのすら難しいものになってしまいました。二〇世紀の偉大な共産主義革命（なかでもロシア革命と中国革命）は、私たちの多くが住みたいと思うような社会を作り上げはしませんでした。あの革命の痛みと情熱と苦しみは、すべて価値があったのでしょうか？　もちろん、ありませんでした。それに、たとえ今日、私たちが革命を口にしたとしても、それを実現する革命的な力はどこにあるのでしょうか？　それなのに、なぜ、革命の話をつづけるのでしょうか？　いっそのこと革命なんていう考えを丸ごと忘れてしまったほうがいいのではないでしょうか？

革命の希望に固執しつづける理由は二つあります。ひとつは、私たちが、現在大きな苦難と破壊を引き起こし、悲惨な未来、あるいは未来が失われる絶滅に向かって突き進んでいるように見える社会のダイナミズム、その力学にとらえられてしまっているということがあります。そしてもうひとつは、私たちを取り囲む廃墟から生じる、[1]あり得るかもしれない世界、相互扶助と相互承認に基づく社会関係の世界を創造するための、抑えがたい渇きと飽くことのない飢えです。私たちを前方へ突き動かす嵐。私たちの心の奥底で共鳴し、私たちを惹きつけてやまない「いまだないもの」。

革命の希望をどう考えるかは、敵をどう理解するかに大いに関係があります。ここで、資本が、貨幣という形態において、最もはっきりと目に見える束縛として提示されます。貨幣は、私たちを利潤の論理、価値増殖の論理に縛り付けます。資本主義は、搾取に基づく階級社会ですが、この本の議論で強調したのは、その点ではありません。資本主義の搾取は、労働力を商品として売買することを通して行なわれます。つまり貨幣を媒介とする搾取なのです。私たちが生存し、人間の活動によって産み出された生産物を享受するためには、貨幣が必要であるという事実から、私たちは人間としての活動を労働として行なわざるを得なくなります。ひとたび私たちの活動が労働に変換されると、それを搾取することが可能になり、資本によって占有される剰余を生産することを強いられるようになります。

この生産には二つの拮抗するプロセスが含まれています。第一は、私たちの日々の活動や行為が、価値を生産する（あるいは価値の生産を支える）必要性によって決まる規律ある活動である労働（抽象的労働あるいは疎外された労働）へと変換されるプロセスです。第二は、資本として蓄積できる剰余価値を最大化するために、この労働を搾取するプロセスです。

従来のマルクス主義的な分析では、剰余価値生産が重視され、価値生産が軽視されてきました。

労働は既存のカテゴリーとして想定され、労働の二重性を中心に置くマルクスの主張には注意が払われていません。労働と資本の間の対立だけが見られ、それが階級闘争として理解されているのです。革命は、資本を打倒するための労働者の闘いであり、その主体は労働運動、すなわち労働に基盤を置いて組織された運動であると見なされていました。

ここでの議論は、そうした剰余価値生産をめぐる拮抗から価値生産をめぐる拮抗に、したがって、人間の活動の労働への変換の局面に重点を移しています。この変換のプロセスもまた、剰余価値生産の場合ほどではありませんが、やはり拮抗的なプロセスなのです。剰余価値生産をめぐる拮抗は、賃金闘争、労働条件や労働時間の長さをめぐる闘争に見ることができます。人間の活動を労働に変換することをめぐる拮抗は、目に見えにくいものです。それは、朝の目覚まし時計の戦いであり、子供たちが時計の時間を受け入れ、宿題をやってから遊ぶようにさせる長年の学校教育であり、お金が足りなくて貧乏になってしまう経験であり、などなど、さまざまなことから成り立っています。このような対立は、認識されにくいがゆえに、より現実的なものなのです。

ここには、二つのレヴェルの階級闘争があります。剰余価値生産をめぐる拮抗は、資本家階級に対する労働者階級、資本に対する労働の、階級闘争です。価値生産のプロセスも階級闘争ですが、それは階級化をめぐる闘争であり、階級に押し込もうとすることをめぐる闘争です。ここにおける階級闘争とは、類別することをめぐる闘いであり、類別されることに反対する闘いなのです。第一のレヴェル、すなわち剰余価値生産のレヴェルでは、資本に対する労働**の**闘いは、労働によってすでに構成されている世界の中での闘いです。価値生産のレヴェルでは、労働**に対する**闘いは、その世界の構成に対する闘いなのです。剰余価値生産に焦点を当てる従来のアプローチは、労働と資本からなる世界が資本主義の起源（原始的蓄積）で構成されたと仮定するのに対して、価値生産へのシフトに焦点を当てて価値生産自体を闘争とみなすアプローチは、その世界の構成と再構成を、常に問題になっている、継続的なプロセスであると見なします。

束縛を作り出すプロセスとしての資本に注目することは、剰余価値から価値へと重点を移し、革命の意味の再考をもたらすのです。従来のアプローチでは、階級対階級、労働対資本という形の、権力をめぐる闘争という観点から革命が提示されます。このアプローチの大きな問題は、労働が、自らが挑戦する対象としているシステムの中に構成されていることなのです。この難問に対する解決策として前衛党が立てられるわけですが、それは解決策にはなりません。価値生産に重点を移行させると、革命思想の中心は、階級対階級の闘争ではなくて、階級に対する闘争、階級化に対する闘争、人間の行為＝活動が労働に転換されることに対する行為＝活動の闘争という、より深い意味での闘争に置かれるのです。それは、束縛から逃れようとする闘いであり、束縛を解き、全体化を解除することを目指すのです。

あるタイプの階級闘争から他のタイプの階級闘争へと溢れ出る絶え間ない流れがあります。例えばストライキは、階級対階級との闘いの典型的な例で、ここで労働者階級は、資本に要求を受け入れさせるように自らの力を示すのです。ストライキはまた、通常、強いられた労働の拒絶であり、そうした労働に対抗して意味のある活動を賞賛することでもあります。価値と対抗する闘争と剰余価値をめぐる闘争との区別は、個人的な区別ではありません。例えば、労働運動内部における工場労働者の闘争は、常に、サボタージュ、アブセンティズム［遅刻・早退・欠勤を繰り返すこと］、フットドラッグ［のろのろ働くこと］、そして労働そのものに対する日常的な闘争へと溢れ出していくことでしょう。その境界は必ずしも明確ではありませんが、労働というコンテクストの中での闘争と労働に反対する闘争との区別は依然として重要なものです。

資本を束縛するものとしてとらえ、反資本主義を束縛を解き放つ、あるいは束縛から離反させるものとしてとらえて、その点を強調することは、マルクス主義の議論におけるいくつかの理論的潮流と関連しています。資本を不断の闘争として理解することが、自主管理運動あるいはオペライスタ運動がおこなった視点の反転の影響を受けていることはすでに述べましたが、ここでの議論は、これらの運動がその限界を押し広げながらも、階級対階級の枠内にとどまっているという点において、異なった立場を取っています。この流れで展開された自己を価値あるものとしてとらえる考え方は、この本で展開されている豊かさの理念に近いものですが、そのアプローチでは、すべてのカテゴリーを開いて、その内部における拮抗を見つけ出そうとはしていません。

剰余価値重視から価値重視への転換は、特にいわゆる「新しいマルクスの読み方」（*Neue Marx-Lektüre*）［一九六〇年代に起こった価値形態論を中心にマルクスを解釈し直す潮流］と関連した価値批判のより広い議論と関連していますが、これらの議論は一般に、その読み方の政治的意味には踏み込まないものでした。

この本の冒頭で述べたように、ベンヤミンは、革命の任務は歴史の列車に非常ブレーキをかけることである、と言っています。それ以降、さらなるつながりが生まれています。この非常に示唆に富む比喩は、史的唯物論の旧来からの流れを完全に断ち切り、革命的変化を悲惨な監禁状態からの脱出として考えるように仕向けるのです。非常ブレーキに手が届かなくても、衝突する前に列車から飛び降りる方法はあるのでしょうか?

このように資本を束縛するものとして提示し、革命を束縛を解くものとして考えなければならないという提案は、資本が何を意味し、革命的変化をいかに想像しうるかについて、近年、より一般的に見直されている動きの一部なのです。こうした再考の動きは、ソ連崩壊後の反資本主義闘争の性質の変化と、革命的であると主張する政党の衰退に、直接的あるいは間接的に関連しているのです。それ以降、権力獲得のための闘争から、権力からの脱却を目指す闘い、資本主義的権力の行使を阻む闘いへ、つまり資本主義的な意味での価値支配に対抗して他の価値を主張する闘いへと移行してきているのだろうと思われます。共産党の崩壊と消滅で、闘争は求心力によるものではなく遠心力によるものになってしまいました。私たちは脱出したいのです。世界を止めて、そこから降りたいのです。

しかし、ここには大きな危険性があります。「私たちは出て行きたい」というのは、貨幣の支配に何の挑戦もしないアイデンティティ志向の分断化になりやすいのです。ブレグジット[イギリスのEU脱退]がそうです。私たちは、大資本と結びついた権威主義的な官僚主義から抜け出し、英国のアイデンティティを取り戻したい、というわけです。メイク・アメリカ・グレイト・アゲインもそうです。資本からの逃避が、一九三〇年代のファシズムで起こったように、最も悪質で権威主義的な資本への逃避となっているのです。束縛からの脱出は、もしそれが私たちを助けるものであるならば、アイデンティティ志向ではなく、反アイデンティティ志向の脱出として理解されなければならないのです。

束縛からの脱出としての革命。これは革命の言い換えですが、この言い換えが何かの役に立ちますか？　こういうふうに言えば、革命的な変革を目に見えるものにすることができるのでしょうか？　いつも私たちのそばには、希望的観測という妖怪が立っていて、すべての文章、すべての段落を監視し、その皮肉たっぷりな目で嘲笑しているのです。「**とっても面白い。とっても賢いねえ。でも本当にできると思ってるのかい？　君は解放を本当に見ることができるのかい？　何百万もの試みがあり、何百万もの亀裂があることはわかったよ。でも、それで偉大なる束縛者マネーを打ち負かせるのかい？**」

黙れ、妖怪め。私は議論を続けるぞ。

23 商品に抗する豊かさ 世界は二つの道に直面している

こうして私たちは、希望に反する希望に、ヤヌス思考〔前向きの思考と後ろ向きの思考を同時に働かせること〕に、弁証法にもどっていくことになります。

一方において、私たちは、資本の論理を見てきました。資本の論理は、それを抜きにしては、社会がこれほどにも発展した理由を理解できないような、束縛による利用の論理なのです。この論理は強い結束力という性質を持っており、その結束を作る働きは、一般に闘争と認識されないほどスムーズに機能する絶え間ない闘争なのです。しかし、この論理は、フラストレーション、悲惨さ、破壊という点で、いま・ここで災いに満ちた結果をもたらし、私たちを絶滅の方向へ追いやろうとしているものでもあるのです。この論理が、この本の序文で描き出した列車なのです。私たちは、この列車の非常ブレーキを見つけ出す必要があるのです。

資本の論理は、恐ろしい物語として左翼によって繰り返し語られてきました。この論理で社会が組織化されると、悲惨な結果をもたらすのです。前世紀には、数え切れないほどの何百万人もの人々の命が、残酷にも、無為に奪われました。そして、多くの場合、語り手はそこで立ち止まってしまうことになるのです。かつては、ここで「だから革命が必要なんだ」と言っていたのですが、その革命というものが想像しづらくなったので、たいていそこで話が止まってしまい、結末が見えないわけです。一般的な左翼の言説は、資本主義を批判しつづけるものの、それ先には行こうとしないのです。

「心配するな、何とかなるさ、次はもっといい政権に投票しよう」と言って、いつも済ましてきたわけですが、資本の論理はそれを覆しつづけてきたのです。おそらく、私たちは皆、そのように考えていたり、そのように考えたがったりしているのでしょうが、そうはいかないのです。グローバルな利潤の追求が生み出す力、マネーの動きが生み出す風や洪水や嵐は、どんな国家も抵抗したくてもできないほど大きなものです。COVID-19 のパンデミックにつながる自然破壊は、特定の政府の決定によるものではなく、利潤追求によってもたらされたものだったのです。個人の意識的な決定をはるかに超えた社会的諸力の構造的性質は、資本の論理によってこそ説明できるものです。

資本の論理は、進歩、発展、現実主義を推し進める列車であるという議論は、あらゆる抵抗に対して、絶えず繰り返されてきました。こうした議論は、進歩を支持する人たちが何度も何度も主張してきたものです。例えば、イギリスの鉱山労働者の大ストライキに参加した労働者は気の毒だと思うけれど、進歩に対しては頭を下げなければならない、とか、メキシコ南部の先住民のコミュニティの人たちは気の毒だと思うけれど、最終的には進歩が勝利することを理解しなければならない、とかいう具合です。それは、すべての社会的関係、すべての感情、すべての夢、すべての抵抗を、グローバルな論理的結合、合理的結合に引き込んでいく全体化運動なのです。この全体性こそが理性を定義づけるのであって、そこから溢れ出し、それに適合しないものはすべて非合理として退けられるのです。

私たちが、相互に結びついたすべての資本形態に潜在する底流の力について語るとき、そのことによって、その論理の圧倒的な力をなんら弱めることにはなりません。「資本があり反資本があり、どちらかが優勢なときもあればもう一方が優勢なときもある」というような問題ではないのです。そうではなくて、私たちは資本主義社会に生きており、その社会においては、社会がどのように発展するか、その方向を決定する上で、資本の論理は圧倒的な重みをもっているのです。この殺人的な論理に対する抵抗は絶えずあって、それは確かに論理の実行に大きな影響を与えますが、それによって論理が社会の発展を形作ることをやめるわけではありません。資源採掘に反対する闘争は、世界中のどこでも行なわれています。例えば、コミュニティの存続を脅かすような鉱山開発に反対する闘いがそれです。こうした闘いはしばしば成功を収めてきましたが、その後、資本はただ移動し、どこか別の場所で鉱山を開き、別の方法で利潤を得ようとするだけなのです。怪物はいまだに健在なのです。

社会関係の資本主義的形態というのは、資本主義的あり方とは別のあり方で行為を行なっていこうとすること、別のあり方で生活を営んでいこうとすることに対して闘いを挑み、自らの内に封じ込めてしまおうとしているのです。論理的連鎖の各段階、資本主義的関係の各形態は、それぞれの内に、反対方向に動く潜在的な力、時には予測できない形で爆発する火山性の潜在力を孕んでいる

（あるいは孕もうとしている）のです。予測できないものではありますが、そうした潜在力は常にそこにあるのです。それは、資本主義の形態に対抗し、それを乗り越えて押し進められていく尊厳なのです。そうした尊厳は、商品に対する豊かさ、価値に対抗する使用価値、抽象的な労働に対抗する行為、貨幣に対抗する贈与、アイデンティティに基づく同定化や階級化に対抗する相互承認といった形で存在しているのです。プロセスのすべての段階において、不適合があり、溢れ出しがあり、内にあって対抗しながら乗り越えていくものがあるのです。

まだ足りない！　まだ足りない！　まだ足りない！　列車が私たちを絶滅に近づけるとき、常にこの「まだ足りない！」という弁証法的で絶え間ない叫びが聞こえるのです。私たちは、これらの潜在的なもの、これらの形態に反するもの、これらの拒否と不適合と溢れ出しを、何らかの形で示さなければならないのです。

PART Ⅵ

希望を考え、危機を考える

24 希望の理論に必要とされているのは希望が対抗しているものの弱点や危機の理解である

希望とは、資本主義が人類を滅亡に導く前に、それを確実に終焉させるという決意です。

エドガー・アラン・ポーの物語に着想を得た比喩はすでに述べたとおりです。私たちがいる部屋の壁がだんだん迫ってきて、私たちを深淵に突き落とそうとしています。私たちは必死に拳で壁を打ち、壁を破る方法を見つけようとしています。しかし、壁は前進しつづけています。私たちは拳の打撃を、なんとかして壁そのものの構造的な欠陥である断層に結びつけたいのです。しかも、単なる断層ではなく、壁が外側に倒れるような隠れた断層を見つける必要があるのです。なぜなら、壁が内側に倒れ、私たちの上に被さってくるような断層もあるかもしれないからです。

まだ足りない！　まだ足りない！　私たちの闘争は、公然たるものも潜在的なものも含めて、とてつもなく大きいのに、壁はどんどん私たちに迫ってきています。私たちは、資本の構造の中に脆弱さを見つけ出す必要があります。単なる脆弱さではなく、私たち自身の闘争の産物である構造的な脆弱さを見つけたいのです。それが見つけ出せれば、壁は私たちが望むような形で崩壊するという確信を持つことができます。私たちが壁を叩いている間、時にはそんなことをしても無駄なように見えることもあります。しかし、私たちが叩きつづけることによって実は内部に亀裂が生じているのだということを見つけ出したいのです。そうすれば、壁は正しい方向に倒れるという確信が得られます。

危機の理論。壁の亀裂の理論。マルクス主義は、危機の理論であるという点で、他の反資本主義のラディカルな理論と異なっています。それは危機の理論を持っているというのではなくて、それ自体が危機の理論なのです。支配についての理論であるだけでなく、その支配の構造的な脆弱性についての理論でもあるのです。というより、支配の構造的な脆弱性という観点から理解された支配の理論なのです。形態という概念の重要性は、まさにそこにあるのです。マルクスが、価値を価値形態として、商品を商品形態として、貨幣を貨幣形態として理解すべきだと主張するとき、彼はこれらの現象は、実質において、いつまでも続くものではなく、歴史的に過ぎ去っていく性質のものであるという観点から理解すべきだということを述べているのです。

希望を考えるには、危機を考えなければなりません。それがドクタ・スペスすなわち「把握された希望」の核心なのです。ブロッホが考えた希望の背景にあった、労働者階級が共産主義を創り出す途上にあるという想定をもはや私たちは共有できません。ですから、私たちは希望の合理的根拠という問題に別の方法でアプローチしなければならないのです。絶え間ない闘争は不可欠です。しかし、それだけでは不十分で、壁はどんどん迫ってきます。希望を持つということは、希望を阻むものに逆らうことだと言いました。今、私たちは、希望と対立するものに脆さの徴候がないか、よく調べてみなければなりません。そして、もしその脆さを見つけたなら、その脆さが私たちの希望に力を与えてくれるのかどうかを問わなければならないのです。希望と脆弱性を結びつけるのは難しいことです。「危機が到来したら革命の時だ」という旧い着想はもはや通用しません。一九三〇年代の危機は、むしろファシズムと戦争につながったのです。希望は、単純化に陥ることなく、危機の問題へと私たちを導くものでなければなりません。

批判理論は危機理論に、危機理論は批判理論にならなければならないのです。この本は、核心において、そこに賭けているのです。批判理論は、資本主義が永続的ではない（少なくとも必ずしも永続的ではない）という事実から、その科学的妥当性を引き出しています。そこから、批判理論の諸々のカテゴリーが引き出されているのです。批判理論は、資本主義はいつまでも続くものではない、あるいはいつかは滅びる可能性があるというところに基礎を置いているのです。ということは、この理論が資本関係の脆さや壊れやすさ、危機という認識の上に構築されていることを意味しています。逆に言うと、資本の克服を中心に据えない危機の理論、危機を構成している不適合を探求しようとしない危機の理論は、アイデンティティ志向の概念の中にとどまり、「困難な時期」としての危機という概念[1]の中に閉じ込められたままだということです。危機を困難な時期や破局として理解していると、資本を打破する可能性に対して心を閉ざしてしまうことになります。むしろ必要とされているのは、危機を単に社会的災厄と考えるのではなく、異なる世界の誕生を助ける助産婦になりうるものとして考えることなのです。批判理論家は手を汚さなければならないし、危機理論家は視線を上げなければならないのです。

希望を考えることは危機を考えることなのです。危機を考えることは希望を考えることなのです。

25 危機は資本に内在している

私たちは、壁の中の亀裂を探しているのです。滅亡へ向かわせる壁、私たちに迫り、奈落の底へと突き落とそうとしているその壁は、ますます不滅で、ますます完璧になっているように見えます。近年、現在の社会を「完成されつつある管理社会」として捉える傾向が顕著になってきています。パンデミックによって、警察や軍隊による監視が強化され、個人情報の収集が大幅に増え、それが集中化され、新しい社会規律が押しつけられて、それが受け入れられていくといったことを通じて、管理社会を完成させる機会がもたらされていると、多くの人々が見ています。確かに、管理のシステムが、これまで以上に洗練されていることは間違いありません。

この本はそれを拒絶します。頑固な娘であり孫娘であるこの本は、主張します。壁には亀裂があるに違いないし、一見完璧に見える構造の中に弱さや脆さを見つけなければならないのだ、と。私たちは、私たちが「内在的な否定」と呼んでいるもの、あるいは「内にあって溢れ出ようとしている否定」と呼んでいるものを見つけなければなりません。それは、支配のシステムの内部における私たち自身の拒否の叫びの反響や、その目に見えない広がりであり、あらゆる外見とは逆に、実はそれが支配のシステムを損ない、衰弱させているのです。システムが全能であることからではなく、それが危機に面していることから考えなければならないのです。

私たちは、二重の意味で危機を探っています。私たちは、危機を、根本的な変革の展望を開く可能性のある周期的な動揺として見ていますが、同時に、それらの動揺を、システムのより深い構造的欠陥の現れ、内在的で潜在的な否定の現れとしても理解しようとしているのです。そして、そうしたシステム深部の状態を恒常的な危機として見ることができると考えています。

どんな支配体制にも、それを貫いている断層帯のようなものがあります。それは、支配者が被支配者に依存していることです。被支配者が日々の生計を支配者に依存していることは明らかです。それがこのシステムの強さでもあるのです。しかし、イデオロギーや権力のイメージによってどれほど曖昧にされようとも、その逆もまた真なのです。支配者は常に被支配者に依存しているのです。そして、それが彼らの弱さなのです。それは、前に見たように、不幸なピール氏が、自分のもとから去っていった三〇〇〇人の労働者階級に自分が依存していたことを直視しなければならなかったケースに見られた通りです。これもすでに引用したように、ラ・ボエシは、臣下は領主を打倒する必要はなく、ただ領主に仕えることをやめ、領主が自分たちに依存している事実に直面させればよいのだ、と主張しています。それは、ヘーゲルが『精神現象学』で述べた有名な「主と奴の弁証法」の核心でもあります。主人は、自らの自己認識のために奴隷の検証に依存しているが、奴隷は主人に認められていないために、決してその検証を与えることができないというのです。支配者が被支配者に依存していることは、常に恐怖を伴うものです。彼らが立ち去っていってしまうのではないかという恐怖です。恐れの対象を封じ込めることは、あらゆる形態の社会的統合の中心にあることです。支配者と被支配者の相互依存は、相互反撥でもあるのです。被支配者は支配されることから逃れたいし（ピール氏の三〇〇〇人のことを考えてみてください）、支配者もまた被支配者に依存することから逃れたいのです。

封建制の崩壊は、この相互反撥の爆発と見ることができます。農奴は領主の束縛から町の自由へと逃げ出します。領主もまた、特定の農奴集団への依存から逃れるために、その富を貨幣に換えます。例えば、農奴を土地から追い出して、貨幣収入を得られる羊（農奴より信頼できます）を飼う道を開くのです。資本主義の誕生によって、支配と相互依存の新しいパターンが確立されます。支配者である搾取者は、農奴の逃亡によって後手に回り、後退し、再編成し、再攻撃することを余儀なくされます。新しい攻撃は、労働者の新しい自由を認識し、その自由を価値として新しい支配のパターンに取り入れることに基づいています。相互反撥は、新しい関係のまさに中心にあって、その関係に独特の柔軟性を与えますが、同時に独特の不安定性をも与えることになります。それは、労働者がある主人に仕えることを拒否し、別の主人に仕えることができること（しかし、どんな主人も見つけられないというリスクを伴います）、主人が労働者を解雇し、生きた労働を死んだ労働である機械に置き換えることができることに表れています。

すべての支配者の夢は、被支配者への依存から自らを解放することにあります。この夢は、支配者自身によってだけでなく、彼らの批判者によっても、しばしば現実と錯覚されています。例えば、全体的社会統制理論の支持者の場合がそれに当たります。自己増殖する価値として現れる資本の物神的な現象形態は、マルクスが『資本論』で批判の対象にしたものです。労働者の関与なしに新しい価値を生み出す価値、つまり、貨幣が貨幣を生み出す金融資本に至高の表現を見い出す物神がそれです。

その夢が現実になることはありえません。支配者は彼らが支配する人たちがいなくては存在できません。搾取する側は、搾取される側がなければ生きていけません。それなのに、夢はそこにあるわけです。相互反撥、あるいはリベラル派の言う「自由」は、奴隷制や封建制にはなかったあり方で、資本主義支配のまさに核心にあるのです。被支配者は、さまざまな方法で、自分たちの（それは私たちのでもあります）活動に対して疎遠なところから下される決定から逃れようとするのです。たぶん、あまり目立たないけれど、資本も常に労働から逃げようとしているのです。価値と社会的に必要な労働時間の要請と、それに付随する生産過程の秩序確立の必要性によって、資本は絶えず労働者を機械に置き換えようとしているのです。搾取する側が搾取される側を追い出すのです。これは自分たちの危機を招くことになる戦略です。竹馬に乗った人が、竹馬の一本を切り裂き、その後に竹馬から転げ落ちて驚くことになるのと同じです。

資本の支配方法とこれまでの支配方法とでは、被支配者への依存という点で、重大な違いがあります。奴隷所有者と封建領主は、支配体制の再生産に関心をもっていました。封建制の崩壊後、支配体制の要素に組み込まれた自由価値のために資本家が払わなければならなかった代償は、単に支配体制の再生産を行なうだけでは済まないのです。彼らは、絶えず、労働の搾取を強化することを余儀なくされているのです。このシステムの生来の不安定さは、価値の大きさを、商品に組み込まれた労働の量によってではなく、それを生産するのに必要な社会的に必要な労働時間の量によって決定することに表れています。このことは、すべての商品生産者が、その商品をできるだけ速く、効率的に生産するように強いられることを意味しています。だから、彼らは、機械を導入して労働者と置き換え、資本に充当される価値の源泉を取り替えることを余儀なくされるのです。このことによって、資本主義の支配には以前の支配体制にはなかった不安定さや脆さが刻印されることになります。そして、これが危機として表れるのです。

マルクスは、正確にこの通りに表現しているわけではありませんが、実際にこの点が、『資本論』第三巻の第一三章から第一五章にかけて叙述されている利潤率の傾向的低下に関する分析の核心をなしているのです。根本的な問題は、マルクスの言うところの資本の有機的構成の高まり、つまり、資本が労働者を機械に置き換えることによって生じる生きた労働と死んだ労働との関係の変化にあるのです。搾取率（労働者が生み出す剰余価値と労働力の価値との比率）が一定であると仮定すれば、これは利潤率の低下につながります。言い換えれば、もし価値が生きた労働によって生み出されるとするなら、生きた労働が生産過程から排除される傾向は、利潤率の低下をもたらすことになるでしょう。資本がそれぞれの労働者からより多くの剰余価値を引き出さない限り、利潤の形で資本家に分配できる剰余価値の総量は、投下資本と対照してみると減少していくことになるのです。

しかし、この一般的な傾向には、それに逆らう作用が働きます。マルクスは、『資本論』第三巻の三つの章のうち第一四章で、それを分析しています。マルクスは、六つの要因を挙げています。

搾取の強度が増大すること、労働力の価値を下回って賃金が下落すること、不変資本の構成要素が安価になること、相対的な人口過剰、外国貿易、株式資本の増加の六つです。実際には、それらは、資本の有機的構成の上昇を遅らせるもの（機械や原材料が安価になることなど）と、搾取率を高めるもの（それぞれの労働者からより多くの剰余価値が引き出されるようにすること）の二つに絞ることができます。また、第三の要因も考えられます。それは、重要な影響を与えるもので、資本の排除によって、生産される剰余価値の総和がより少ない単位に分配されるようになり、その結果、それぞれの取り分が増加するというものです(1)。

三番目の章（第一五章）では、利潤率低下の傾向とそれに逆らう作用の働きを見ることができます。これらの逆らう作用は常に働いていますが、基本的な傾向を打ち消すほど十分なものではありません。したがって、基本的な傾向は一般的な利潤率の低下という経験則に帰結し、危機として認識されることになります。利潤率低下に逆らう作用が動員されるのは、本質的に、こうして認識された危機を通じてなのです。そうなると、失業によって労働力の価値（少なくとも価格）が低下し、（厳しい労働条件が課されることによって）搾取が増加することが考えられます。また、不変資本の廉価化（原材料価格の下落、機械のコストダウンのための技術革新）も起こるでしょう。第三には、競争力の低い資本が広く淘汰され、より少ない単位に剰余価値全体が分配されるようになることでしょう。資本にとってすべてがうまくいけば、危機を通じたこの逆作用の動員は、より収益性の高い基盤での資本の再編成につながることでしょう。その過程で引き起こされる膨大な破壊と悲惨に目をつぶれば、ハッピーエンドということになるのでしょうか。

政治経済学批判という文脈においては、マルクスの危機論は、外見上は、経済学的な用語で提示されています。しかし、その根底にある問題は、資本が自らの富の源泉である労働から自らを解放しようとする絶え間ない衝動にあるのです。この労働からの解放という衝動は、それが実現不可能であるがゆえに、社会的統合のシステム全体を、危機とそれによって可能になる再編という周期的な激動に駆り立てていくのです。

26 危機から再編へ、あるいは再編失敗へ これが資本の「命がけの跳躍」なのだ

危機は資本の脆弱性の理論としてある

利潤率の傾向的低下に関する基本的な議論は、単純なものです。その重要性は、純粋に経験的なものと見ることができます。利潤率が低下する傾向があるのはなぜなのかは、マルクスの時代の経済学者によってすでに観察されていました。この傾向は、あるいは、まったく別の観点から、世界のダイナミックな動きを簡潔に表現していると見ることもできます。

長期的な経験則についての議論は、ここではあまり関心を呼びません。確かに、利潤率の長期的な低下については議論の余地があります。この長期的低下をとらえて、崩壊の傾向があること、つまり、資本主義システムが、それ自体のダイナミズムによって崩壊に至ることを意味すると見る向きもあります。しかし、この見方は妥当ではないと思われます。それは、この見方が、傾向とそれに反する動きとの間の相互作用を見落としているからです。崩壊の傾向は、実際に崩壊するかどう

かとは無関係に存在することがあります。子供には転びやすい傾向がありますが、だからといって実際に転ぶかどうかはわかりません。

私たちが関心を持っているのは、崩壊の理論ではなく、脆弱性についての理解なのです。崩壊の理論は、前世紀前半のマルクス主義者の議論において重要な位置を占めていました。その理論は、歴史はわれわれの味方であり、資本主義が現時点でいかに勝利しているように見えても、いずれは崩壊するシステムであるという主張を補強するものだったのです。これまで見てきたように、歴史はわれわれの味方であるという見方を維持することは今や困難です。さらに、この崩壊の理論が危険なのは、闘争の理解から可能な未来をとらえるのではなくて、これを切り離してとらえる決定論的な見方を提示することにあります[1]。

しかし、パンデミック、地球温暖化、未曾有の経済危機に直面している現状において、私たちが崩壊の軌道に乗っているという考えは、新たな魅力を獲得しているのです。闘争と切り離されたままシステムが崩壊したとしても、私たちがその犠牲者であるならば、それは希望を消し去ってしまうものです。ここで私たちが関心を持っているのは、崩壊の理論ではなく、私たちの闘争の結果、システムの脆弱性が増していることを理解することなのです。迫りくる壁が勝手に崩れることはないだろうし、崩れたとしても私たちの上に落ちてくるかもしれません。私たちが求めているのは、それとは別のものです。壁の構造的な断層帯を理解することが必要なのです。そうすれば、私たちが拳で叩くべき場所、少なくとも叩きつづけることを促すような場所が示されるかもしれません。

マルクスの危機の提示には、崩壊論はありませんが、危機が資本に自らの死期を突きつけていることを強調しています。リカードをはじめとする経済学者について、彼は次のように述べています。

利潤率の低下に対する彼らの恐怖の主なものは、資本主義生産が、その生産力の発展において、それ自体としては富の生産とは何の関係もない障壁に遭遇しているという感覚を与えられることによるものである。この独特の障壁は、資本主義的生産様式の限界とその単なる歴史的・一過的な性格を証明し、その生産様式が富の生産にとって絶対的な様式ではないこと、さらに、ある段階で、むしろそのさらなる発展と衝突するようになることを証明するものである（Marx 1894/1971, 242）。

危機は、資本が生き残るためには再編成が必要であることを突きつけるのです。マルクスの理論で重要な点は、利潤率の傾向的低下ではなく、その傾向とそれに逆らう作用との間の相互作用にあるのです。

これらの異なる影響は、ある時は主に空間的に隣り合わせで働き、またある時は時間的に相次いで働く。時折、拮抗する諸機関の衝突は、危機の中にその発露を見い出す。危機は常に、既存の矛盾の一時的かつ暴力的な解決に過ぎない。それは、乱れた均衡を一時的に回復させる激しい噴出でしかない（Marx 1894/1971, 249）。

こうした反作用は常に存在します。搾取を高め、不変資本の要素を安価にし、非効率的な資本を排除しようとする動きが絶え間なく続いているのです。しかし、それでも、一般的な収益性の周期的な下落を防ぐには十分ではありません。そのとき、資本そのものにおける対立や攻撃が激化するのです。資本は、生き残るために、自らを再編成し、反作用を動員し、搾取を強化し、不変資本を安価にし、あるいはその破壊を容易にし、競合する資本の数を減らさなければならないのです。これは、ある程度は市場の作用に任せることができます。収益性の低下は、多くの個別資本の崩壊、失業の増加、賃金の低下、労働の強化、需要の低下による原材料の価格下落を意味するからです。このプロセスは非常に暴力的で、何百万人もの人々が悲惨な目にあい、飢餓に陥ることが考えられます。さらに何百万人もの人々が生活への期待を打ち砕かれることになるでしょう。資本間の競争は非常に激化します。彼らは生き残るために「兄弟喧嘩」を戦うことになります。国家は、このような対立の外にいることはできません。国家は、自らの領域内で資本蓄積のための最良の条件を提供する者として、この争いに介入し、他の国家との競争を激化させざるを得ないのです。ここでもまた兄弟喧嘩の敵意が高まっていきます。労働者の力と権利を削減する立法、利益として分配できる余剰価値を増やすための公共支出の削減、怒りを制御するための警察・軍事力の強化、支配力を強化するための権威主義や場合によってはファシズムの推進、戦争を含む他国への侵略の増加、そういった措置が採られます。trpf［tendency of the rate of profit to fall　利潤率の傾向的低下］という略語の背後には、世界史全体が隠されているのです。最後の大きな危機である一九三〇年代は、約七〇〇〇万人の虐殺によって達成された資本の大再編と収益性の回復に終わった長い闘争の期間だったのです。

危機から再構築すなわちリストラへの動きは、単純なものではありません。危機とリストラはしばしば同一のものとして扱われますが、この関係は、シュンペーターが危機を「創造的破壊」(Schumpeter 1942/1976)と特徴づけたことに最もはっきりと表現されています。それは、資本主義は創造的破壊の繰り返しによって発展するものであり、それが資本主義が持つダイナミズムの秘密であるという主張なのです。また、マルクス主義者の多くも、危機とリストラを同一視しています。確かに、過去を振り返れば、危機は常に資本の再編と蓄積のための有利な条件の回復をもたらしたのは事実なのです。しかし、この移行が自動的に行なわれると考えるならば、闘争の世界に目をつぶることになります。一九二九年の大恐慌による危機の発生から第二次世界大戦後の数年間における資本主義の再編成の確立までの動きは、決して自動的に行なわれたプロセスではなかったのです。資本にとって危機の一つひとつは、安全な着地を保障も約束もされていない虚空への跳躍であり、「命がけの跳躍」なのです。一九三〇年代や一九四〇年代に見られるように、安定した蓄積速度を確立しうるような再編成を達成するには長い時間がかかるかもしれませんし、実際には不可能かもしれないのです。その場合、一九三〇年代の資本主義の現実としてポール・マティックが見たような永続的危機が訪れることになるでしょう。(2)

利潤率の傾向的低下は闘争の理論としてある

利潤率の傾向的低下に関するマルクスの説明には、闘争についての明確な言及はありません。その傾向は、資本の構造によって自動的に発生するように見えます。実際、『資本論』第三巻のこのテーマを扱った部分（第三篇）には、「利潤率の傾向的低下の法則」というタイトルがつけられています。とはいっても、「傾向の法則」を闘争の観点から読み解くことは難しいことではありません。危機から再編への移行を述べたところで見たように、これは生活のあらゆる面にかかわる闘争の世界で起こることなのです。(3) 確かにそうなのですが、これでは、構造的な自動的過程によって闘争が引き起こされるという考え方が残ってしまうことになります。これでは、利潤率の傾向的低下そのものは、依然として闘争の外にあるものとして残されたままなのです。

「傾向の法則」という概念と闘争という概念とをどのように調和させればよいのでしょうか。おそらく、闘争を形の決まった闘争として考えるためにうまく行かないのだと思います。闘争は真空の中で起こるものではありません。資本主義における社会関係がある種の形態において（より正確には、ある種の形態の内に、それと対抗して、乗り越える形で）存在するのと同じように、闘争もそうした社会的な形態によって形作られるのです。ボクシングの試合を考えてみましょう。対戦者の戦い方は、対戦が繰り広げられる社会的形態によって形作られます。それによって、ボクシングの戦い方は、レフェリーの指導のもとで、リングで行なわれること、戦いは二人に限定されること、二人が生きて帰ってくること、一人が勝者とされること、などの特徴が規定されるのです。資本主義における闘争形態は、封建制や奴隷制と区別される歴史的に特殊な形態を取っています。資本主義のもとでは、例えば、搾取は、賃金による労働力の売買を媒介としています。この事実は、賃金闘争が闘争の方法の重要な要素になることを意味しています。封建制や奴隷制では、賃金闘争は存在していませんでした。

私たちの社会における闘争の形成とダイナミズムの中心は、マルクスによって「社会的に必要な労働時間」として概念化されたものに基づく攻撃性にあります。商品の価値の大きさは、それを生産するために必要な労働の量によって決まりますが、この労働は、社会的に必要な労働でなければなりません。

> 社会的に必要な労働時間とは、通常の生産条件のもとで、その時点で一般的に平均的な技能と強度をもって、ある品物を生産するのに必要な労働時間である。イギリスに力織機［動力付き織機］が導入されたことで、一定量の糸を織って布にするのに必要な労働力は、おそらく二分の一に減少した（Marx 1867/1965, 39）。

マルクスは、このように、価値の量的決定を定義するのと同じ瞬間に、後に説明することになる資本の有機的構成の高まりという考えを導入しています。これが価値の法則なのです。商品の価値は、それを生産するために社会的に必要な時間によって決定されるのです。この簡潔な言明には、計り知れない暴力が隠されているのです。マルクスとエンゲルスは『共産党宣言』の中でブルジョアジーについて、次のように語っています。

その商品の安い価格は、すべての中国の壁を打ち壊す重砲であり、未開人の外国人に対する強烈な憎悪を屈服させるものである。それは、すべての民族に対して、滅亡したくなければブルジョア的生産様式を採用するようにと強制する。それは、文明と呼ばれるものを導入すること、すなわち、ブルジョア自身になることを強制するのである。一言で言えば、ブルジョアジーは、自己の姿に似せて世界を創り出すのである（Marx, Engels 1848/1976, 488）。

社会的に必要な労働時間とは、資本による人間への攻撃の先鋒なのです。「社会的に必要な」労働時間を議論に導き入れる直前に、マルクスは、「もし商品の価値がそれに費やされた労働の量によって決定されるなら、労働者が怠惰で未熟練であればあるほど、その商品の価値は高くなると考える人がいるかもしれない、なぜなら、その場合、その生産には、より多くの時間が必要になるからだ」（1867/1965, 39 ; 1867/1990, 129）と言っています。しかし、もちろん、そうではありません。商品の価値の量を決定するのは、単なる労働時間ではなく、社会的に必要な労働時間なのです。資本主義には、怠け者や未熟者が入る余地はないんだよ。そんな奴らは飢えさせておけ、価値を生み出さないんだからな。

資本は、社会的に必要な労働時間を短縮することによって前に進みます。その様は、怠け者や未熟者、ペースに追いつけない資本、この生産方法になじまない他の生活様式、そういったものを破壊する、まさしく重砲のようなものです。それは、絶え間ない攻撃であり、生活と行動の既存の慣行に対する絶え間ない攻撃なのです。世界を破壊することを「成功」と呼ぶことができるならば、それが資本主義の成功の秘訣なのでしょう。

社会的に必要な労働時間の短縮は、マルクスが利潤率の傾向的低下を提示している二つの要素を含んでいます。新しい機械の導入（例えば、力織機の導入）は、生きた労働ではなく、死んだ労働が果たす役割を高める傾向があります。これが資本の有機的構成の高度化ということです。マルクスは、すでに見たように、技術が闘争であることを明確にしていました。従って、資本の有機的構成の高度化もまた、闘争として理解されなければなりません。社会的に必要な労働時間には、マルクスの分析における第二の要素である搾取率も含まれています。そこには、怠け者や未熟者が入る余地はありません。労働者は、一生懸命働き、適切な技能を身につけ、搾取される分を働き出すために、つまり、資本家が利益として充当する剰余価値を生み出すために、効率的に身を捧げなければならないのです。

「社会的に必要な労働時間」は、階級闘争が上からやってくることを理解するための鍵です。資本は絶え間ない攻撃であり、より多くの価値を生み出すための絶え間ない動力なのです（しかし、商品を安くすることによってその価値を下げているという皮肉がそこにはあって、その皮肉は利潤率の傾向的低下に表れています）。社会的に必要な労働時間は、資本が自分のイメージ通りの世界を創り出すために使う重砲なのです。闘争は上から来るものであって、それが常に下の抵抗を受けるからこそ、まさしく闘争になるのです。上から来るのは、人々の怠惰で未熟なやり方を許さず、すでに確立されている習慣や慣行を変えさせようとする攻撃です。資本は、反抗や意識的な反対に直面するよりも前に、非服従、つまり、人々が日常的な実践において、資本の要請や「社会的に必要な労働時間」の必要性に進んで従おうとせず、あるいは従うことができないという事実に直面するのです。

商品の生産に必要な「社会的に必要な労働時間」を絶えず引き下げようとする動きこそ、危機と利潤率の傾向的低下に関するマルクスの分析の中心に置かれているのです。それは、資本の有機的構成の高まりに表現されます。そして、**もし搾取率が一定であると仮定すれば**、利潤率は低下するとマルクスは主張しています。この議論の弱点は、おそらく搾取率は一定に保たれないだろうというところにあります。通常、新しい機械が導入されれば、搾取率は上がります。なぜなら、機械化によって労働力の価値が低下し、つまり、労働力もより短い時間で生産されるようになるからです(衣服、食料、住居の生産速度の向上は、生活水準の上昇を補う傾向があります)。マルクスの議論は定式化し直されなければなりません。しかし、そうしたからといって、その一般的妥当性が損なわれるわけではありません。資本の有機的構成が高まれば、それに対応して搾取率が上昇しない限り、利潤率は低下するのです。経験的に見ると利潤率が低下しているのは、資本が、資本の有機的構成の高まりに対抗して、それを相殺できるまでに搾取率を引き上げる闘争に成功していないことを示すものなのです(4)。

利潤率の傾向的低下は、階級闘争から切り離された「法則」であるどころか、実際には、形態を決定する闘争を凝縮して定式化したものなのです。資本は、社会的に必要な労働時間を短縮するために絶えず闘争しているのです。これは、資本関係の形態によって決定されるものであって、選択の問題ではありません。もし、個々の資本がそれをしなければ、すぐに競争相手によって淘汰されてしまうでしょう。もし、資本が全体としてそれをしなくなれば、それはもはや資本ではなく、剰余価値の最大化によって動くものではなくなるでしょう。資本がおこなう、この基本的闘争は、社会関係の既存のパターンに絶えず立ち向かい、それを破壊しようとするのです。しかし、同じ闘争過程（機械の導入、新しい労働慣行、資本の論理に従属させるための世界の再編成）が、それにもかかわらず、資本の有機的構成の高まりによって引き起こされる利潤率の下落を相殺するに足るだけ搾取率を引き上げることができない傾向があるのです。そして、このことは、経験的に確かめられる収益性の低下、危機と資本への巨大な圧力として立ち現れます。この危機と圧力に対して、資本は自己を再編成し、それに伴って、自己の論理に従って刷新された自己のイメージで世界を再編成するのです。

富は資本の危機であり、豊かさは富の危機である

危機は、使用価値と価値との間の矛盾（または拮抗）のクライマックスです。資本の有機的構成の高まり、すなわち、生産過程において機械が果たす役割が増すことは、労働の生産性が向上し、富を生産する人間の能力が進歩したことの現れです。この生産能力の増大は、人間の生産力の進歩にほかなりません。危機に際して、これは、生産が資本家に利潤をもたらすことを要求する価値生産と、鋭い矛盾に陥ります。資本の有機的構成が高まるということは、それぞれの商品に含まれる

剰余価値の部分が小さくなるということです。そうなると、価値の観点から見れば、生産は魅力的ではなくなるわけです。危機に際して、潜在的な使用価値生産と価値生産との間の衝突は、はっきりしたものになります。その時、使用価値を価値に従属させているなら、その結果は、悲惨なものになります。現在のような危機的状況では、この従属化は、富を生産しうる何百万人もの人々が、失業、貧困、不安、そしておそらくは飢餓に追い込まれることを意味するのです。

現在のような状況においては、使用価値こそが価値の危機であることが明らかになるのです。私たちは危機という言葉を、たがいに少し異なるが密接に関連した二つの意味で使っています。私たちが通常、資本主義の危機とみなすもの、すなわち、定期的に繰り返される収益性の低下とその結果として起こりうる再編成は、実は常にいま・ここにあるのだけれども、通常は潜在的で、たまにしか表に出てこない根本的な欠陥の表れなのです。危機として公然たる形で表れたものは、価値関係あるいは資本関係という関係そのものの、より深い、隠された欠陥の表れなのです。したがって、使用価値とは、価値の危機なのです。それは、資本の目に見える危機の中で周期的に現れる構造的な欠陥、矛盾なのです。前に使った言葉に戻って言うと、使用価値は、それが価値に不適合であるという事実によって、価値の危機であると言うことができるでしょう。使用価値は価値の概念に余すところなく適合するものではありません。そこには、危機の発生という目に見える出来事の中で顕在化する、絶え間ない充溢や緊張があるのです。この根底にある不適合は、価値の支配に制限を加えます。

それは、ここで、純粋に経済的な方法で、すなわち、ブルジョアの観点から、資本家からする理解の限界内で、資本主義生産自体の観点から、それが障壁を持ち、相対的であって絶対的ではなく、生産の物質的要求の発展における一定の限られた時代に対応する歴史的生産様式にすぎないことが表面化されるのである（Marx 1894/1971, 259）。

使用価値と価値との間の矛盾は、『資本論』の冒頭で提示されたテーマです。マルクスは第一章で次のように指摘しています。「富の量の増大に、その価値の大きさの同時的な下落が対応しているという場合がありうる。このような相反する運動は、労働の二重の性格から生ずるものである」（Marx 1867/1965, 46）。マルクスは、ここの議論では、使用価値が実質的に価値に従属することを前提としています。しかしながら、豊かさの潜在的生産としての使用価値と、そうした生産の利潤への従属としての価値との間には、常に緊張や矛盾が存在しているのです。その後、このことが利潤率の傾向的低下とその結果としての危機として明らかにされるのです。

使用価値＝対＝価値（「この拮抗する運動」）は、資本に最初から潜在しているものであって、その拮抗関係が、資本がその限界に直面し、自らの相対的・一過的な性格に直面する危機につながっていくのです。あるいはまた、「社会的労働の生産力」は、資本の危機を構成する潜在的な要因であると言うこともできます。あるいは、最も重要なこととして、具体的労働は抽象的労働の潜在的危機（あるいは構造的断層）であり、それが利潤率の低下として現れ、危機を顕在化させるというふうに考えることもできます。いずれの場合も、危機が顕在化した瞬間、つまり実際に利潤率が低下したときには「純粋に経済的な方法で……表面化される」根本的な不適合が問題になっているのです。

顕在化した危機において示されるのは、根底にある不適合、内在的な否定の力なのです。しかし、このような不適合、内在的な否定をどのように理解すればよいのでしょうか？　使用価値とは何なのでしょうか？　そして、具体的労働とは何なのでしょうか？　先ほど、壁の断層帯を見つけるだけでなく、その断層帯が、壁が私たちの上に落ちてくるのではなく、私たちが望んでいるような崩れ方をする性質を持っている断層であることが重要だと述べました。『資本論』におけるマルクスの理論は、何よりもまず、支配機構の構造的断層に関する理論です。彼の理論は、危機の理論であり、希望の理論でもあります。しかし、私たちが探し求めている断層を彼は示しているのでしょうか？

ここで、私たちは、マルクスが持つ曖昧さ、あるいは自己矛盾的な性格という問題に立ち戻ることになります。非常に端的に解釈するなら、マルクスは、資本主義的生産関係のシステムが、物質的生産力、すなわち、より多くの富を生産する人間の能力と衝突し、このことが、資本主義の構造的弱点と歴史的限界を構成していると言っているのです。この衝突が、利潤率の低下傾向として現れているわけです。

私たちにとって問題なのは、私たちの闘いが、物質的生産力を解放するための闘いではないということにあります。少なくとも量的に多くの富を生産できるという意味で生産力を解放しようとしているのではないのです。こう言ったからといって、物質的な富の生産が重要であることを否定しているのではありません。世界人口の大多数は貧困にあえいでいます。彼らの生活は、より多くの富、より多くの食料、より良い住宅、より良いコミュニケーション手段などを手に入れることによって、実質的に改善されるはずです。しかし、すでに存在する生産能力（マルクスの時代よりはるかに大きい）を考えると、この貧困は、われわれの生産能力よりも、富の分配や生産構造のあり方に関係しているのです。私たちの経験は、二つの点でマルクスの経験とは大きく異なっています。まず第一に、いわゆる「ソヴィエト連邦」（それはソヴィエトそのものを弾圧した上に築かれたものなので括弧付きで表現しました）において、量的成長を重視した結果、何百万人もの死と不幸が生まれ、階層的で権威主義的なシステムが構築された経緯を見てきたということがあります。そして第二に、私たちは、経済成長（物質的生産力の発展）が、人間たちと人間の生命が依存している他の生命体との関係を破壊していることを、現在の状況の中に、ありありと見ているということがあります。これらの理由から、少なくとも従来の解釈による限りは、マルクスが私たちに提示しているように見える断層帯や構造的危機は、私たちが求めているものではないと言わなければなりません。

私たちは、ここで、富／豊かさ、使用価値、具体的労働、生産力といったものが何を意味するのかということに立ち戻ることになります。私たちは、これらすべてのものが疎外された形で、つまり、否定された様態で存在していることを見てきました。否定された様態で存在しているということは、必然的に、それらがある関係の拮抗する極として存在していることを意味します。商品は、豊かさに対する絶え間なく繰り返される攻撃として存在しているのです。それは、封建制から資本制への移行に伴って完成された攻撃ではありません。そもそも完成されることはありえません。この攻撃は、必然的に抵抗を引き起こします。豊かさは、商品形態の内に存在しているだけでなく、不可避的に商品形態に対抗する形で存在しているのです。そうすることで、商品という形態を越え、別の世界の可能性を切り開くのです。言い換えれば、豊かさは商品形態の〈内〉に、それと〈対抗〉しながら、それを〈乗り越えて〉存在しているのです。それ以外にはありえません。豊かさとは、潜在的で、否定的で、溢れ出る力なのです。

物質的な富として豊かさを概念化することは、それをそのまま肯定することになります。それは、否定として拮抗する極をないがしろにして、あたかも豊かさが物質的な富としてのみ、すでに存在しているかのように扱うことになります。これは、従来のマルクス主義的解釈が行なったことであり、それが悲惨な結果を招いたのです。マルクス自身もそこに含まれるかどうかは、ここでの主要な関心事ではありません。他の著述家と同様、マルクスにも矛盾する契機があるのは当然のことです。

豊かさが商品という形で存在するということは、将来の衝突という意味だけでなく、絶え間ないプロセスという意味で、そこに人間の生産能力を阻害するものがあることは確かなのです。商品という形態は、豊かさと、それを生み出す行為を、あらゆる瞬間に歪め、制限されたパターンに押し込んでしまうように強いるのです。しかし、今述べた文で決定的なのは「強いる（force）」という言葉なのです。豊かさとは、自己決定へと押し進むものです。商品形態はその逆で、「資本主義的生産の法則」という、独自の力学を持ち、誰によっても意識的に決定されない法則を押しつけるものなのです。商品は、豊かさと人間の活動を、資本に最大限の利益をもたらすような、ある種のパターンを取るように**強いる**のです。豊かさが行なう抵抗は、より多く生産しようとして押し進んでいくものではなく、私たちの活動を異質なものにしてしまう押しつけに対抗して押し進んでいくものなのです。私たちは、世界に山積する食料と住居をはじめとするすべての問題を解決するために、もっと生産するべきだと判断することもあるかもしれませんし、あるいは、「脱成長」を提唱する人たちが主張するように、私たち自身の生活や他の生命体との関係を尊重するために、今とは異なる方法で生産し、生産の速度を落とそうと決断することもあるかもしれません。

もう一度言います。使用価値とは、価値の危機、あるいは価値の構造的な断層なのです。それは、あからさまな危機の瞬間に明らかになります。その時には、生産されうる使用価値と生産することが利益を生むものとの間に衝突が起こるのです。これと同じように、富は商品の危機であるとも言えます。富と商品の間には矛盾があり、それは、あからさまな危機の瞬間に、商品形態がより多くの富の生産を妨げるとき、明らかになるのです。これだけははっきりしています。

さらに一歩踏み込みたいと思います。富と商品との間には、確かに矛盾があります。旧来の意味での社会主義とは、この矛盾に基づく商品に対する富の闘争なのです。しかし、これまで見てきたように、富とは、豊かさを貧しいものに変え、その上でそれをそのまま肯定的に捉えたものなのです。単に物質的な豊かさとして富を考えるのは、商品形態という眼鏡を通して豊かさを読み直した結果に過ぎません。何ものにも制約されない生成の運動へと向かって固定化から脱しようとする努力は失われ、容器に向かって収容されていく動き、結合に向かう結合の動きに拮抗して不可避的に起こる否定は、非人格的な矛盾に還元されてしまうのです。

豊かさを富に還元することは、囚人を看守の目を通して見ることに通じます。ダンサーが狭い独房に収監されていると言いますが、それは抽象的な人間しか見ていないから言えることなのです。看守は囚人が快適に過ごしていると言いますが、それは抽象的な人間しか見ていないから言えることなのです。彼は、ダンサーが胸に懐いている憧れを満たすような音楽のリズムに合わせて宙を舞う姿を見てはいないのです。矛盾は否定されてはいません。囚人が独房から出たいと願っていることは明らかです。見えないままなのは、ダンサーの一挙手一投足に脈打つ反抗、阻まれている、踊りたいという欲求なのです。

この問題は、文法の問題として捉えることができます。独房の中のダンサーの文法は、否定の文法であり、固定化から脱しようとして溢れ出ようとしているものの文法なのです。ここでは、豊かさ、使用価値、具体的労働、生産力といったカテゴリーに表現される内在的な否定や根本的な不適合が論じられているのですが、そうした否定や不適合は、否定の文法、溢れ出るものの文法によって特徴づけられるものです。それはまた、原動力になっている衝動が自己決定に向かって突き進もうとする、内にあって対抗しながら乗り越えていこうとする動きの文法であり、それは同時に自分とは疎遠な決定に抗して突き進んでいく動きの文法でもあるのです。これらの豊かさ、使用価値、具体的労働、生産力といったカテゴリーを経済的なカテゴリーとして扱って実証してみると（すなわち、それらを「純粋に経済的な方法で、すなわち、ブルジョアの観点から、資本家からする理解の限界内で、資本主義生産自体の観点から」理解してみると）、内在的否定の原動力が物質的な富の生産に還元されてしまい、私たちは非常に、非常に異なった政治に、本質的にはスターリン主義の政治に引き込まれていくのです。

あるいはまた、商品という形態に豊かさを封じ込めることは、単に量の問題ではなく、質の問題なのです。豊かさ（何ものにも制約されない生成の運動）が富（商品形態をとった豊かさ）に変換されるとき、質的な貧困化が起こるのです。富とは、貧しいものに変換された豊かさであり、貨幣で測れるものであり、豊かさの核心である自己決定や自己実現を完全に抽象化したものなのです。この豊かさを富に変える質的な転換は、マルクスの政治経済学批判では見失われてしまっているのです。それは、マルクスが、彼が参照した政治経済学者たちが開発したカテゴリーに焦点を合わせてしまっているからかもしれません。それらの政治経済学者たちは、自らのカテゴリー構成において、形態というものを見ようとせず、そのために豊かさと富との関係、豊かさが富としての固定化から脱しようとしている関係を見ようとしていないのです。

マルクスの議論は、「たとえこうであったとしても」という議論の極端な例として理解することができるかもしれません。そうすると、豊かさと富の区別を維持したまま、何ものにも制約されない生成の運動から、商品の巨大な蓄積へと貧弱化していくことが富であると言えるのかもしれません。そうすると、マルクスの『資本論』冒頭の一節は、次のように言い換えることができるでしょう。

資本主義社会では、豊かさ（何ものにも制約されない生成の運動）は、富（膨大な商品の集積）という貧弱化された形態に還元される。われわれが批判する政治経済学は富しか見ないので、富から豊かさが不可避的に溢れ出ることは今は脇に置いて、富の生産が搾取に基づくこと、富と商品形態との間には根本的な矛盾があること、その根本的矛盾が資本を危機へと不可避的に導くことを示すために、商品という形態を取った富から出発する。このことは、富が商品形態に完全に従属すると仮定しても妥当するのである。

マルクスの議論が、この「たとえこうであったとしても」を基礎にして、この後も展開されていくとするなら、(マルクスの内で、マルクスに対抗しながら、マルクスを乗り越えて)進み、次のように言うことになるでしょう。

そうなのだ。たとえ豊かさが商品化の過程を通じて完全に富の状態に還元されたとしても、富は商品の危機(潜在的に存在し、かつ周期的に顕在化する)を構成することになる。しかし実際には、豊かさは決して完全に富に還元されるわけではなく、富の内で、富に対抗し、富を乗り越えて押し出ていき、富から溢れ出るものなのである。溢れ出ることは、商品の構造的断層の亀裂(あるいは潜在的危機)を深め、危機と再構築との間の歴史的・社会的裂け目を深めるのである。

あるいはまた、価値生産の危機は単に「より多く生産する能力」にあるだけではなく、「異なった形で生産する能力」も価値生産の危機を構成しているのです。現在の危機では、その両方を見ることができます。私たちはまた、価値の生産がいかに無駄の生産であるか、つまり資源の無駄遣いや、世界をより豊かに富ませることができたはずの何百万人もの失業者の力がいかに無駄にされているかを見ることができます。しかし、同時に、価値生産がいかに倒錯した生産であるか、有害な生産であるか、それは価値生産が、より多く生産することではなくて、異なった形で生産することと衝突するものであり、富ではなくて豊かさと衝突するものであることに由来するものであることも見えてきます。今日の闘争は、より多くの生産を推し進めるのではなく、異なる方法での生産を推し進めることを、根本的な否定として見るべきだということを指し示しています。そしてこれは、『資本論』の下位カテゴリー（豊かさ、使用価値、具体的労働、生産力）を、反アイデンティティの充溢の文法を通して読み解くことを意味しているのです。

富には主体があります。それが、労働者階級です。階級に類別化された労働者階級です。『資本論』の第一〇章（英語版）に登場し、自分たちの商品である労働力を守るために声を張り上げる賃労働者の階級です。労働組合や政党に組織された労働運動としての労働者階級です。豊かさにも主体があります。豊かさが富の外にあるのではなく、富の内にあって、富に対抗し、富を乗り越えて存在しているのと同じように、豊かさの主体は労働者階級の外にあるのではなく、労働者階級の内にあって、労働者階級に対抗し、労働者階級を乗り越えて存在しているのです。その名前は何なのでしょうか。マルクスは、それを「手に負えない労働の手」と呼んで（1857/1965, 437; 1867/ 1990, 564）、工場法が分析している階級として類別化された階級から溢れ出ていることを暗に示しているのです。カテリーナ・ナシオカ（Nasioka 2017）は、それを「プロレタリアート」と呼び、二〇〇八年のアテネ、二〇〇六年のオアハカにおける蜂起の主体を、労働者階級に対抗するプロレタリアートとして捉えています。しかし、「プロレタリアート」は「労働者階級」の同義語とみなされることもあります。だから、正確さを期せば、この主体は名前のない主体である、と言うべきでしょう。なぜなら、それは〈内〉にあって〈対抗〉しながら〈乗り越える〉形で存在するものであって、どんな定義にも収まりきらないものだからです。しかし、文章にする以上、物事や考え方に名前をつけることを迫られます。少なくとも当面は、「ラブル」[rabble 叛徒・暴徒]とでも呼びましょうか。労働者階級の〈内〉にあって〈対抗〉しながら〈乗り越える〉形で存在するもの、労働者階級から溢れ出る力、すなわち反労働＝反階級の力なのです。あるいは、「我ら」と呼ぶべきかもしれません。「我ら！」[We!]と感嘆符をつけて、私たちの怒りと否定性を表現してもいいかもしれません。「我ら!?」[We!?]と疑問符をつけることで、私たちの不確実性、無限定性、開放性を表現してもいいかもしれません。

豊かさとは、自らのポジティヴ化である富の危機であると言えるのでしょうか？「暴徒」(We!?)は労働者階級の危機であると言えるのでしょうか？　具体的労働あるいは行為は抽象的労働の危機であると言えるのでしょうか？　確かに、根底にある構造的な欠陥としての危機、あるいは内在的な否定としての危機という第一義的な意味においてなら、そうであると言えます。豊かさは常にそこにあり、富の中に含まれているだけでなく、富に抗い、それを乗り越えて押し出されているのです。たとえば、あなたがこの本を買うとしたら、それはあなたの富を増やすためではなく（もちろん、あなたが貴重な初版本のコレクターでなければの話ですが）、あなたの人生を豊かにするために買うことになるのです。しかし、豊かさは、第二の意味での富の危機、つまり、豊かさに対する富の支配の再生産に対する公然たる挑戦へと突き進む何らかの根源的なダイナミズムがそこ存在するという意味での危機を孕んでいるのでしょうか？　今のところ、この問題は未解決のままにしておきますが、確かに現時点では、価値に対する富の衝突（何百万人もの失業者）と同時に、富に対する豊かさの衝突（異なる質に対する同質の量の支配が引き起こす悲惨な結果）も起きています。資本の再編成のための闘争は、非効率的な資本の排除と搾取の増大だけでなく、異なる価値を従属させることをも含んでいるのです。

豊かさとは、社会的に必要な労働時間からの攻撃に対する保守的でもあり叛逆的でもある反応である

資本は、既成の生活様式と行動様式に対する絶え間ない闘いを孕んでいます。この闘いがもともと困難なものにならざるをえない要因は、搾取率の上昇が資本の有機的構成比率の上昇の影響を相殺しない傾向に表れています。この利潤率の低下の傾向が、この闘いを周期的に激化させているのですが、この闘いで資本が勝利すれば、資本の再編成、すなわちシュンペーターの言う「創造的破壊」が実現するわけです。しかし、もし資本が成功しないとしたらどうなるのでしょう？　自動的と思われがちな危機から再編成への移行が達成されない場合はどうなるのでしょうか？　その時、何が起こるのでしょうか？

私たちは、豊かさの強さ、使用価値の強さ、具体的労働や行為の強さについて話しているのです。

すでにしっかり確立されている生活と行動のパターンは、資本からの絶え間ない攻撃を受けている豊かさの隠れ家になっています。だけど、本当にそうなのでしょうか？　私たちは、豊かさを何ものにも制約されない生成の運動として見てきました。しかし、それは現実には存在していません。というより、それ自身に対する否定に対して、〈内〉にあって〈対抗〉しながら〈乗り越える〉形でのみ存在しているのです。ここには純粋さはありません。それは自己決定への衝動として、あるいは少なくとも自らにとって疎遠な決定に対して抗う衝動として存在しているのです。憧れながら押し進んでいくものとして、そして、無言の抵抗、あるいは公然たる抵抗として。尊厳として。予測不可能で不安定な順序で継起する、保守と拒絶と叛逆の衝動として。

希望が現実的であり、実際に科学的であるためには、私たちの闘争は、私たちがそれと対抗して闘争する対象の危機でなければなりません。豊かさは商品の裏側に潜在して拮抗する反アイデンティティの存在であるというだけでは不十分であって、それ自体が商品形態の危機であるものとして理解されなければならないのです。私たちは、以下のように論じてきました。第一に、商品の核心は価値であり、価値とは、商品を生産するために要請される社会的に必要な労働時間を短縮しようとする絶え間ない衝動であること。第二に、この衝動は、自己決定へと押し出すものとして理解される確立した生活様式が持つ豊かさと絶えず対立すること。第三に、この対立が、資本の有機的構成の上昇による影響を相殺するために必要な搾取率の上昇にブレーキをかける傾向にあること。第四に、結果として、利益率の傾向的低下が起こること。こういったことを論じてきました。

これは、マルクスが提出した利潤率の傾向的低下の法則を、階級闘争の観点から定式化し直したものです。この中で最も議論を呼ぶ要素は、おそらく、すでに確立されている生活と行為の実践が多くの点で非常に貧弱なものにされていることがわかっていながら、それを豊かさと結びつけているることでしょう。しかし、そうでなければならないのです。資本は絶え間ない攻撃であり、疎遠な決定を私たちに押しつけようとするものです。ですから、資本主義に反対するほとんどの闘争は、その最初のモーメントにおいては保守的なのです。

今この瞬間に、私の、そしておそらく多くの読者の生活に影響を与える事例があります。このパンデミックの結果、私は授業をオンラインで行なっています。そして、このやり方が教育界における新たなトレンドになるのではないかという懸念があります。私にとって、これは人生の豊かさ、学生との触れ合いの豊かさに対する重大な攻撃です。この資本主義的教育の推進に対する私の最初の反応は、消極的で保守的なものでした。私は、できるだけ早く、これまで慣れ親しんできた学生との関係に戻りたいのです。問題は、この消極的で、保守的で、自己防衛的な動きが、教育の意味を問い、教えることと学ぶことの区別を問い、そしておそらく今後数年のうちに、オンラインであれ物理的な接触であれ、より多くの非制度的・反資本主義的教育の形態を発展させていくことになるのかどうか、ということなのです。資本主義的な攻撃、保守的な対応、溢れ出る可能性。

同じパターンは、多くの、実に多くの闘争に見ることができます。いわゆる「メガプロジェクト」と呼ばれる採掘やダム建設、道路建設などのプロジェクトは、近年非常に多くの紛争を引き起こしていますが、これらの紛争はいずれも、それに対する対処が同じ保守的な反応を示すことから始まります。いや、私たちの地域で採掘を始めて欲しくはない。なぜなら、小規模農家では農業ができなくなり、コミュニティや長年にわたって築いてきた社会関係のネットワークが壊れるからだ。これは、世界の多くの地域で大規模な破壊を引き起こしている、資本によるいわゆる抽出主義［ex-tractivist　世界市場で販売して利潤を得るために天然資源を乱開発する方式］の攻撃の一部として、この採掘プロジェクトを認識させることにつながるかもしれませんし、つながらないかもしれません。そしてそれは、この地域やそれ以外の場所での他の反抽出主義運動との合流につながるかもしれないし、つながらないかもしれません。そしてそれは、資本主義に対するより全般的な批判と、社会を組織化する異なる方法への叛逆的・革命的な推進へとつながるかもしれないし、つながらないかもしれません。最初の反応は保守的で、溢れ出るものは叛逆の性質を帯びる、ということがありうるのです。

ひとたび資本を攻撃と見なすならば、旧来の区別は疑問視されることになります。資本は攻撃的かつ進歩的であり、私たちの反応は、保守的かつ叛逆的なのです。資本は保守的で反動的であり、反資本主義は進歩的であるという既成概念は誤りなのです。そうした既成観念こそが、今日、世界の多くの地域でいわゆる「左翼」を貫いている大きな神話なのです。そうではなくて、今日提供されている唯一の「進歩」は資本主義の進歩であり、しかし、これは人々の生活の豊かさに対する攻撃なのです。反資本主義者の反応は、最初は保守的なもので、普通それは公然とした反資本主義的な反応ではなく、自分たちの今あるものを守るというものなのです。それは、「これが私たちなんだ」という保守的でアイデンティティ志向の反応にとどまるかもしれません。しかし、逆説的に聞こえるでしょうが、「私たちのありようはあまりよくなく、子供たちはニューヨークへの移住を余儀なくされている」という、より批判的な反応のほうが、資本に有利に働く可能性があるのです。地域社会のロマンティシズムと親資本主義的進歩主義の間のディレンマがここにあります。このディレンマからの唯一の出口は、溢れ出ることなのです。「そうだ。私たちの地域には素晴らしい豊かさがある。でも、それだけでは十分ではない。今いる場所から出発して、豊かさを発展させるために闘わなければならない。それも、自分たちが決めた方法で闘うのだ」。これはサパティスタの反応とほぼ同じなのです。サパティスタ運動もまた、その参加者の多くにとっては、メキシコ政府が集団所有の土地を民営化のために開放し、先住民や農民のコミューンの存在を脅かしたことに対する保守的で自己防衛的な反応から始まったものでした。サパティスタの場合、この当初は保守的だった反応は、最も素晴らしい方法で溢れ出し、今も溢れ出しつづけています。既存の共同体を基礎としながら、それと対抗して、またそれを乗り越えて、共同体の豊かさを大きく発展させているのです。共同体のアイデンティティ志向のロマンティシズムは答えではありません。希望の展望を切り開くのは、溢れ出るもの、現状と批判的に対抗し乗り越えていくものなのです。

従来の「進歩的」と「保守的」の区別は崩れ、それとともに「左派」と「右派」の区別も崩れていきます。このことは、私たちをこの本の冒頭で紹介した列車に立ち返らせます。私たちは絶滅に向かう列車に乗っています。これが今日の進歩の意味するところなのです。ここで考えられる反資本主義とは、ベンヤミンが比喩として述べた「非常ブレーキを引く」ことなのです。これは、社会の力学（あるいは、それはしばしば政府が体現します）が押しつけようとする進歩にNOと言うことを意味します。最初の反応は、反進歩的な保守主義なのです。このような反応において、「左」と

「右」をいったいどのように区別すればよいのでしょうか？　あるいは、そもそもこうした区別は必要なのでしょうか？　一九八四年から八五年にかけて炭坑閉鎖に反対して行なわれたイギリスの炭坑労働者の大ストライキは、進歩的だったのでしょうか、それとも保守的だったのでしょうか？　間違いなく保守的でした。そして、移民に対して国境を閉ざそうとする世界中の動きはどうでしょうか？　これも間違いなく保守的です。炭鉱ストと国境閉鎖、この二つをどう区別すればよいのでしょうか？　一方は「左」で、もう一方は「右」なのでしょうか？　そうでしょう。しかし、何を根拠にして、そう言えるのでしょうか？　両者を結びつける「ユートピアの核」[5]のようなものがあるのでしょうか？

それに答えるには、おそらく、文法という観点から見る必要があるでしょう。溢れ出るものの文法と封じ込めるものの文法が対立しており、反アイデンティティの文法とアイデンティティ志向の文法が対立しているのです。炭鉱労働者のストライキは、確かに「われわれは炭鉱労働者である」というアイデンティティから始まりましたが、「われわれは反動的なサッチャー政権と闘う労働者階級である」へと速やかに移っていき、さらに「われわれは資本主義社会の不正義と闘っている」という方向へと移行していったのです。この動きは、闘争の深いところに潜んでいる伝統の一部であり、ストライキに勝利するためには同盟を形成しようという方向性でもありました。このストライキは最終的には敗北したのですけれども。移民排斥運動は、「われわれはメキシコ人（あるいはイギリス人、ドイツ人など）であり、外国人が入ってくるのは好ましくない」という非常に異なる文法を持っています。それは通常、そのアイデンティティ志向の出発点を超えることはありません。

それは通常、溢れ出るということがありません。その運動が「私たちは、人々が自分の家郷や愛する人たちから離れることを強いる社会組織の形態に反対しているのです。私たちは彼らの痛みを共有し、資本主義に反旗を翻します」という方向に進んでいくことを想像することはできるのに、そうはならないのです。どちらの場合も（炭鉱労働者のストライキも反移民の立場も）、保守的で反進歩的な出発点をもっていることを指摘できます。最初のケースではすぐに溢れ出しました。二番目のケースでは溢れ出ることはなさそうですが、かならずしも不可能ではありません。最初の立場は一般に「左」、二番目は「右」と特徴づけられています。しかし、この特徴づけは、まさに閉鎖性、自己同一化を押しつけるものであるため、非常に危険です。第二の立場を「右翼」とすることで、私たちは、まったく異なる結果をもたらすかもしれない溢れ出しの可能性を、すっかり閉ざしてしまうのです。まさしく世界の多くの地域で「右派」の擡頭が著しい今だからこそ、人々を類別するのではなく、その文法、類別の文法を攻撃することこそが重要なのです。この時点で資本は、「左」からの叛乱と同様に、あるいはそれ以上に「右」からの叛乱を恐れています。なぜそんなふうな形で恐れているのでしょうか？　それは、類別化の文法が脆いものでありうることから説明できます。

資本とは、つまり、私たちの生活様式や行動様式に対する絶え間ない攻撃なのです。この攻撃の背後にある基本的な衝動は、商品をできるだけ安く生産し、その生産に必要な「社会的に必要な労働時間」を絶えず短縮することです。この推進力の働きは、生産過程から生きた労働を徐々に排除すること（資本の有機的構成の上昇）につながっていきます。この資本の有機的構成の上昇が利潤率の低下をもたらすのを防ぐ唯一の方法は、この低下と同時並行して搾取率の上昇を図ることでしょう。これらの両方の要素（資本の有機的構成の上昇と搾取率の上昇）は、資本を、既成の慣行や生活様式との終わることのない衝突の渦中に引き込むのです。この衝突は、保守的な「消え失せろ。俺たちをこのままにしておけ」という服従から離れていく傾向が、「消え失せろ、資本、お前は存在すべきではない」という積極的な反抗に合流していく可能性を後押しするものにならざるをえないのです。支配は、資本にとって常に苦しい闘いなのです。貧しい資本家のことを考えるのをいつも忘れないように。資本家は、先祖伝来の慣行をただ繰り返すだけで済む封建領主の生活の贅沢を自分には許すことができません。資本は、人間の活動を資本の論理に従わせることを絶えず強いられるのです。それは、下から見ていると、しばしば見落としてしまうものなのです。仕事のスピードアップや職場内外の統制の強化は、下から見ると抑圧の強化に見えますが、この強化は、資本家、いや、国家や資本全体が、価値生産の必要性に対応するために行なっている必死の試みであるかもしれないのです。企業が労働者に「もっと長時間働かないと会社がつぶれるぞ」と言うのは、単に利益をさらに引き出すための手段かもしれませんし、本当につぶれる寸前の企業の必死の叫びかもしれません。しかし、こう言うのは労働者がそれに従えということではありません。むしろ、自分たちの力を評価するためには、相手側の困難さを理解することが重要だと言いたいのです。

利益が減少してくる危機の時代には、資本は、労働者の「怠け者で未熟」な性格に対する攻撃と、世界全体の社会関係に対する攻撃を強化する必要に迫られます。そこで問題になるのは、労働時間、労働者の確立した権利、労働組合の力、労働意欲を失わせるものとして作用しうる国家の社会支出、いかなる場合にも利潤の形で分配可能な剰余価値からの控除、環境保護のための確立された管理、などです。これらのすべては、非服従・不服従の既存勢力との衝突を意味します。そして、資本の利益を代表する機関（政府、中央銀行、主要資本家組織、最重要資本）は、この衝突に自分たちが勝てないのではないか、あるいは避けたほうがいいのではないかと感じているのかもしれないのです。その場合、彼らは、危機を回避する方法、あるいは危機を先送りする方法、資本蓄積の確固たる基盤を再確立するために必要な「創造的破壊」を先送りする方法を探そうとするはずです。かくして、危機は、危機の先送りと危機管理の試みに織り込まれ、あるいは実際に取って代わられるようになるのです。

PART Ⅶ

先送りされた危機

27 希望は貨幣のヒドラに立ち向かう

貨幣に対する豊かさ。巨人同士の格闘。そこに世界の未来がかかっている。貨幣が攻撃し、豊かさが抵抗し反撃する。豊かさは押し進み、貨幣は封じ込める。衝突。確かな結果のない衝突。危機に至るような闘争の激化はやりすぎだ。先送りしたほうがいい。貨幣の膨張によって先送りするのだ。

私たちの希望は、資本主義が私たちを人類の終焉に追いやる前に、私たちが資本主義の終焉を到来させることができるかどうかに向けられています。資本主義は自動的に崩壊することはなく、私たちが崩壊を実現させた場合にのみ終わりを迎えるのです。私たちの拒否と闘争と創造が、希望の中心です。しかし、これまでのところ、それらは十分ではありません。資本主義は、その絶え間ない破壊的な攻撃を続け、滅亡に向かって絶え間なく進みながら、まだそこにあります。

私たちは、希望の別の次元を切り開きたいと望んでいます。私たちの闘争が、資本の内部で、その弱さ、脆さとしてどのように再生産されるのかを知りたいのです。それが、長期的な不安と虚構の世界への逃避として表れてくるのか。危機の先送りとして表れてくるのか。これらについて考察しても、革命への王道を開くことにはならないでしょうが、おそらく私たちの強さを理解することができるでしょうし、またある意味で、はっきりとした変革に結びつかない変化を見分けることもできるでしょう。

このことを通じて、私たちは貨幣に注目するように促されます。貨幣は、危機の先送りによって中心に置かれるようになったのです。危機は、貨幣の膨張によって先送りされるのです。かつてないほどまでに、貨幣はこの世界の支配者であり、主人であると見なされるようになっています。これは、希望についての議論をする上で、最も分かりやすい接近方法だとは言えません。気候変動や環境破壊に対する反撥が高まっている方向に目を向けていった方が、ずっと良いように思えるかもしれません。この問題は、社会批評の中心的なテーマであり、特にここ数年、若者の関心事となっています。ちょうどここ数年（コロナウィルス流行の前）の学校の生徒たちによる大規模なデモを思い浮かべるなら、事態はいよいよ変わっていくのだという大きな希望を懐かせるものがあったに違いありません。

この運動の重要性を否定しようとするつもりはありませんが、私はサパティスタが見事な表現で「資本のヒドラ」と呼んだものの方に関心があるのです。そのため、この議論を別の方向に持っていきたいのです。資本の頭をひとつ切り落とせば、すぐにもう三つの芽が出る、と彼らは言いました。資本が適応し、生き残る能力は並外れたものなのです。何千人もの人々がそれに対抗して闘って命を落とし、何度も革命が「成功」しましたが、資本のヒドラは、まさしく何度も何度も自己を再生し、その論理を主張することができたのです。中国がその最も分かりやすい例です。五〇年前には反資本主義の純粋さの象徴であった中国が、今では資本の力の象徴となっているのです。今、特にコロナウィルスのロックダウンから抜け出せそうな今、資本の破壊的な性格を制御の下に置くグリーン・ニューディールということが盛んに言われています。しかしながら、こうした事態への資本の適応力とグリーンな資本主義への流れは、何年も前から明らかになっていたことでした。規制の重要性を否定するつもりはありませんが、資本が資本である限り、道徳や環境への配慮がどうであれ、資本は最大の利益が得られるところに流れるものなのです[1]。

ヒドラは流動化した資本であり、流動化した資本は貨幣なのです。抗議のどのレヴェルにおいても、人々をシステムの論理に引き戻すのは貨幣です。貨幣は偉大な社会的絆であり、システムを機能させる偉大な拘束力です。それは、すべての不適合を調整する偉大な適合化装置なのです。希望ということを真剣に考えるなら、ヘラクレスの故事に倣って、ヒドラを退治しなければならないのです。そのヒドラとは、貨幣です。どうしたら貨幣を殺すことができるのでしょうか？　不可能に思えます。ばかばかしいとさえ思えます。しかし、おそらく私たちの闘争はすでに、慢性的で致命的かもしれない病気をその心臓部にまで到達させてしまったのではないかと思われるのです。

ヒドラを殺せ。貨幣を殺せ。それが希望だ。

28 貨幣が支配している 貨幣はわれわれ全員を滅ぼす連続殺人犯だ

こんなに無邪気な顔して、私たちの日常生活の一部だから、それを指さして「あれだ、カネは私たちの世界を壊している人殺しだ。カネをなくすしか生きる道はない！」とあえて叫ぼうとすらしません。そんなお金の強さは、周りの人が「かわいそうに、そっとしておきなさい！」と笑ってしまうほどです。

問題は金銭愛にある（テモテへの手紙一六章）のではなく、貪欲でもない。金銭そのものが私たちを滅ぼそうとする力なのです。社会的関係の一形態としての貨幣、互いに関係し合う方法としての貨幣。貨幣は社会的関係の一形態であり、それ自身の自己拡張を他のすべてに押しつけるものです。言い換えれば、問題は利益です。利益の追求が世界を破壊しているのです。マルクスは、確信をもって、利潤は貨幣から切り離すことはできないと主張しています。貨幣に基づく社会は、必然的に利潤によって自己拡張する社会になります。そして、その自己拡張は、魔法による自己拡張ではなく、より多くの価値の生産に基づく拡張なのです。労働者によって生産され、資本によって充当され、どこまでも増大する剰余価値に基づいた拡張なのです。支配しているように見えて実際には価値と貨幣の自己拡張によって支配されている人々による、より多くの剰余価値の生産に基づく拡張なのです。

貨幣が支配しているのです。貨幣を追い求めることが、制御されない力、制御できない力で私たちを追い立てているのです。地球温暖化と環境破壊、大量破壊兵器と個別破壊兵器の製造、多くの人々の生活を無意味に不幸にする搾取、さまざまな地域社会や言語や生活様式の破壊、数百万人の飢餓、そうしたものの背後に、貨幣という制御されず制御できない原動力が働いているのです。そして、貨幣は、私たちの拒否・抵抗・反抗の中に入り込み、それらを腐敗させ、しばしば、終わりのない補助金申請の世界へと導き入れ、自らの支配、貨幣の支配に適合させる形へと闘争を作り変えてしまうのです。貨幣の支配、私たちの生活を形作る力である貨幣の支配は、「金利の小さな、ちらちら揺らぐ変動に駆り立てられた何千億ドルというマネーの動き」（Tooze 2021, 10）によるものなのです。

貨幣が私たちを殺している。とても簡単なことです。貨幣が私たちを殺しているのです。人類が生き残る唯一の方法は貨幣を殺すことなのです。しかし、どのようにすれば貨幣を殺すことができるのでしょうか？　社会的関係としての貨幣を廃止することで、他者との関係を媒介する力としての貨幣を排除することで、貨幣を悪魔化することで。貨幣のない世界を想像してみてください。

なんて馬鹿げたことなんでしょう！　私たちは空想とおとぎ話の世界に入り込んでしまったようです。ここが希望が私たちを連れて行くところなんでしょうか？　希望の思想が、ドクタ・スペスが連れて行くところなの？　そうです。根本的に異なる世界という希望を実現するために、現在の破壊の世界の恐怖から逃れるために、私たちは貨幣を廃止しなければならないのです。

貨幣の力がますます強くなって、私たちの生活に深く浸透していることを周りのすべての出来事が教えてくれているのに、貨幣を廃止するなんて、馬鹿げた絶望的な希望じゃないのか。歴史は貨幣経済化の歴史であるように思われます。二〇年、三〇年前と比べると、世界中で私たちの生活は、はるかに貨幣に依存するようになっています。医療、教育、身の安全、食料、子供の世話など、みんなそうです。生活必需品や必需サーヴィスを貨幣経済に頼らないで提供すべき領域があるはずだという福祉国家の理念は、骨抜きにされてしまったのです。それは、通常の資本主義的な意味での福祉国家に限った話ではありません。いわゆる「コミュニズム」の世界の崩壊にも見られることです。確かに、自己決定を促進したり、魅力的な居住地を作ったりという意味でのコミュニズムではありませんでしたが、それでも、比較的非貨幣経済化された保障の空間を提供する効果はあったはずです。すべてのものは失われ、あるいは急速に失われつつあり、貨幣は宴を謳歌しています。こんなところに私たちを連れてきて、こんな絶望的なシナリオに連れ込もうとしている希望を私たちは許すことができるでしょうか？

希望とは、花と夢にあふれた美しい道ですが、その道は私たちを不可能というコンクリートの壁へと導くだけのものに過ぎないのでしょうか？　希望は、貨幣をなくさなければならないと言いますが、貨幣をなくすなんて考えは馬鹿げています。あまりに馬鹿げているので、許されている言論の輪の端から外れてしまっています。そういう考え自体がタブーなのです。だから、多くの議論が、貨幣廃止が明白な結論であるという地点まで導かれますが、その後、幕が下りて、その結論に言及することはもはやできないし、おそらく思考として定式化することさえできないことになるのです。だから、こういうことになります。現在のパンデミックは、生物多様性の破壊の結果である、われわれはこの破壊を停止する方法を見つける必要がある、われわれは社会の目標を調整し直す必要がある、したがって……ここで幕が下りるのです。この破壊は金銭と利益追求を中心に組織された社会の結果であるという考えは、生物多様性の破壊と闘うために人生を捧げる専門家の真剣で善意の議論の中でさえも、打ち出すことができないのです。貨幣をなくすことは不可能であるため、そうした考えはタブー視され、馬鹿げた考えとされているので、口にすることさえできなくなっているのです。

気候変動の問題は、このタブーの威力を示す重要な例となっています。つい数ヶ月前（二〇二一年八月九日）、新聞はＩＰＣＣ（国連の気候変動に関する政府間パネル）の第六次報告書で埋め尽くされ、今後数十年にわたって気候変動がもたらすであろう影響について非常に厳しい警告を発していました。英国政府の主席科学顧問であるパトリック・バランス氏による『ガーディアン』紙の記事は、印象的な見出しをつけています。「ＩＰＣＣ報告書は明確である　社会の変革なくして破局を回避することはできない」。筆者は記事の中で次のような意見を展開しています。

つまり、社会のあらゆるレヴェルで変革が必要なのである。個人、雇用者、機関、国際的なパートナーは、トレードオフを理解し、妥協に合意し、機会をつかむために協力する必要がある。また、科学者が多様な専門分野の知見を結集しているように、政策立案者も新しい方法で働き、分野を超えてアイディアを共有し、ここからネットゼロまでの明確な道筋を描く必要がある。これはシステム全体の課題なのである。

この記事の筆者にとって、貨幣経済と環境破壊との関連、利益の最大化を前提とした社会の組織化と地球温暖化との関連は、明らかに言葉にできないものであり、おそらく考えることもできないものなのでしょう。彼は政府の顧問とはいえ、気候変動の恐ろしい影響を心から憂慮しているのだろうし、何が起きているのかを心配している誠実な科学者なのだろうと私は思っています。彼の意見を政府の言いなりだと切り捨てても、ブルジョア・イデオロギーを鼓吹するものとして描き出しても、私たちにはなんの役にも立ちません。もし、いやしくもブルジョア・イデオロギーについて語るならば、それは、ブルジョア的あるいは資本主義的な思想が、資本主義の永続性という前提から出られないでいるという意味において語られなければならないでしょう。その先に出てしまったら、無責任な空想の国、不可能なユートピアの世界へ迷い込んだことになってしまうのです。すでに到来している気候の破局を前にして、本当に社会の変革が必要であり、それは貨幣を廃止し、今とは異なる相互関係を創り出すことを意味するという考えは、おそらくこの科学顧問の頭にはないか、あっても不可能なものとして直ちに退けられるものなのでしょう。マルクスが形態の概念によって示した限界は、私たちが考えることのできる範囲の限界として存在します。そこには、非難に値するような問題はありません。単に、資本主義が永続することの明白さと貨幣を廃止するのが不可能だということの明白さが、私たちの考えうることに制限を課し、私たちが明確に表現できることを、さらに強く制限しているということでしかありません。貨幣の存在がまったく当たり前のこと、第二の天性になってしまっているのです。貨幣を廃止すべきだなどというのは、月をなくしてしまわなければならないと言うのに等しいのです。しかし、今こそ、この第二の天性として不可能と思われていることを打ち破ることが急務になっているのです。これからの時代、人類に未来があるならば、この不可能とされているタブーを打ち破らなければなりません。

貨幣の支配が、これまで何世紀にもわたってそうしてきたように、不幸と破壊を引き起こすだけでなく、今や私たち自身に絶滅の可能性を突きつけているという事実に直面して、私たちは、貨幣の廃止を解決策の模索の中心に据える方法を見つけなければなりません。この問いかけは、一部の極端な左翼の洞察ではなく、当たり前のものにならなければならないのです。パンデミックと気候変動の影響の広がりは、リセットとか新しい社会契約とか、ラディカルな社会変革を求めるあらゆる声を引き起こしましたが、最も分かりやすいラディカルな変革である貨幣と利潤動機の廃絶は、正気の枠を外れているのか、取り上げられていません。この本の特徴は、それをあえて取り上げて主張する非常識さにあるのかもしれません。

希望は、不可能とされているタブーに立ち向かうことを強いるのです。希望は、常に恐怖のもうひとつの顔であって、私たちを取り囲み、入り込んでくる貨幣の狂宴に目を向けさせ、こう問いかけます。貨幣の脆さはどこにあるのだろうか？　貨幣の狂宴は絶望の狂宴ではないのだろうか？

29　今日の資本はますます架空のものとなっている　貨幣は病んでいる

貨幣の核心には恐怖がある

どのような支配体制においても、その根底にあるのは恐怖心です。これは、聖書のヘロデ王と罪のない人々の虐殺の物語から、シェイクスピアの歴史劇の中心となる「空洞の王冠」〔『リチャード二世』で王は「この黄金の王冠は深い井戸のようだ」と言う〕、そしてテレビの「ハウス・オブ・カード」まで、文学ではお馴染みのテーマです。文字通りに、あるいは比喩的に。背中を刺されることへの恐怖。詐欺師として、実体のない権力者として暴かれることへの恐怖。裸の王様として正体を暴かれることへの恐怖。おそらくは、単なる個人的な恐怖ではなく、構造的な恐怖、たとえば、支配体制が革命的な力によって転覆されるかもしれないという恐怖（一九一七年のツァーリやロシア貴族の恐怖、あるいはアパルトヘイト崩壊前の南アフリカの白人の恐怖）もあります。あるいは、単に名状しがたい恐怖、すなわち崩壊と混沌への恐怖もあります。

この崩壊と混沌への恐怖が、貨幣の核心にあるのです。恐慌は金融危機とよく結びつく言葉です。一九二九年といえば、すぐに恐慌のイメージ、そして高層ビルの窓から身を投げる銀行家のイメージが思い浮かびます。しかし、世界的規模の混乱に対する同じように圧倒的な恐怖は、そう遠くまで遡らなくても見つけることができます。二〇〇八年九月のリーマン・ブラザーズ銀行の破綻で銀行システム全体が崩壊する恐れがあったとき、ニューヨーク連邦準備銀行総裁で、その後の危機の渦中に米国財務長官を務めたティモシー・ガイトナーは、次のように語っています。

九月一八日木曜日の朝には、パニックがシステムを覆っていた。……その時、恐怖を懐くことは、目が覚めていて、知性があることの証しだった。恐怖を感じない人は、私たちがどれだけ奈落の底に近づいているのかを知らないのだ。私も怖かった。システムが崩壊しそうだった。……私は、イラクの爆弾処理班を描いたアカデミー賞受賞作『ハート・ロッカー』を観るまでは、当時の恐怖を説明する術を知らなかった。しかし、映画を見はじめて一〇分後、私はようやく、あの危機的状況を表現するものを見つけたと思ったのだ。圧倒的な責任の重さと、大失敗の危険性、自分の手に負えないものに対する苛立ち。何が助けになるのかわからない不確実さ。良い決断でも悪い結果になるかもしれないという自覚。家族をないがしろにしている苦痛と罪悪感。孤独と無力感（Geithner 2014, 198–200）。

世界の金融システムの問題は二〇〇八年中には解決されませんでした。金融システム、ひいては社会システムの崩壊の危険性という「破局的破綻のリスク」が残っていたのです。ジェームズ・リッカーズは、コロナウィルス発生の四年前の二〇一六年に、次の危機では市民が暴動を起こすと予測して、こう書いています。「彼らは、一時的な富を確保するために、銀行を焼き払い、スーパーマーケットを略奪し、重要インフラを破壊するかもしれない」。その後、「ネオファシズム、戒厳令、大量逮捕、政府管理下のメディアが登場する。これが行きつく先だ」(Rickards 2016, 280)。マーティン・ウルフは、二〇〇八年の金融危機を振り返った二〇一四年の著書で、結論として「次は火だ」と警告しています。そこで言及されているのは、古くから歌われていた歌「メアリー・ドント・ユー・ウィープ」の歌詞です。「神はノアに虹のしるしを与えた。水はもういらない、次は火だ」。二〇〇八年の金融危機は洪水だったが、長く待つまでもなく、次の時は大火になるだろう、ということです。[1]

同じ恐怖の初期バージョンは、三〇年以上前にアラン・リピエッツによって表現されています。リピエッツは、あるイメージに取り憑かれていることを語っています。「そのイメージとは、漫画のキャラクターが、崖の端を行き過ぎて空中を歩いている姿である。これは、戦後の成長の基盤であった実際の地盤が……その下に崩れ落ちる一方で、『信用の上』で働きつづけている世界経済の姿を示しているように私には思われた」(Lipietz 1985, 2)。COVID-19 に関連して世界が混沌のさなかにある現在でも、この漫画のキャラクターはまだ歩きつづけており、奈落の底に落ちる危険は計り知れないほど大きいのです。[2]

貨幣の持つ傲慢さの裏には、カオスに対する深い恐怖が隠されています。アドルノは、このカオスへの恐怖こそが、アイデンティティ志向の思想が擡頭する根底にあるものだと指摘しています。

ブルジョア階級の利害に従って、封建的秩序とその知的反映形態であるスコラ哲学の存在論を粉砕したこの**理性**は、自らの手によって産み出された廃墟に直面するやいなや、カオスの恐怖に襲われることになるのだ。**その理性は、自己の領域の下になお続く脅威、自己の権力に比例して強くなっていく脅威を前にして震え上がったのである。**(3)この恐怖は、ブルジョア的存在全体を構成する行動様式の始まりを形作った。その行動様式とは、つまり、現存する秩序を確認することによって、あらゆる解放への歩みを無力化するものであった。ブルジョア的意識は、自らの不完全な解放の影にあって、より進んだ意識によって消滅させられることを恐れなければならないのである。自由全体ではなく、自由の戯画しか生み出せないことを感知しているがゆえに、自らの持つ強制のメカニズムに類似したシステムに自律性を理論的に拡大するのである。……偉大な哲学は、それ以外のものを許さないという偏執的な熱意を伴っていた。……非同一性のわずかな残滓だけでも、全体として構想された同一性を否定するのに十分であった

(Adorno 1965/1990, 21-2)。

貨幣の傲慢だが「偏執的な熱意」、巨大な空虚の上を歩く漫画のキャラクター、常に脅かしてくる「破局的破綻」、カオスへの崩壊。これは私たちの希望の実体なのでしょうか？　貨幣は、アイデンティティ志向の理性のように、自らの領域の下に続く脅威の前で震えているのでしょうか？

私たちはその脅威なのでしょうか？　私たちは、貨幣のアイデンティティに対抗する、非アイデンティティの絶え間ない破壊運動なのでしょうか？　これが希望が私たちを連れて行く場所なのでしょうか？

その答えは明白ではありません。貨幣の崩壊というカオスは、必ずしも魅力的な展望ではありません。一方、貨幣が世界を支配している限り、私たちの何百万という闘争はすべて貨幣のダイナミズムの中に打ち消され、収められてしまいます。いずれにせよ、貨幣の根底にある恐怖は、その脆さを探る良い出発点になるかもしれません。

不安、恐怖、暴力は貨幣の存在に内在するものである

不安、恐怖、暴力は、商品交換の行為に組み込まれています。交換は、互いに疎遠な者たち、交換への参加者を商品の所有者、生産物の擬人化として構成します。彼らは、同じ通りに住み、子供たちが一緒に遊んでいるから互いに結びついているのではなく、単に互いに生産物を交換するという点においてのみ結びつけられているのです。交換は共同体の絆を壊し、交換者を互いに疑心暗鬼にさせます。もし彼が私を騙していたらどうしよう？　それが本当に一キロのジャガイモなのか、それが本当に一リットルのガソリンなのか、どうすればわかるのだろうか？　私にとっては、基準を施行することによって商品交換を保護する外部の組織が必要です。どんな組織か？　単にその人々が商品の擬人化にすぎないために、私が人間として認識できない人々に対して暴力を行使でき

る警察力を持つ国家。それ自体が商品関係の一形態としてありながら、さまざまな商品の所有者から独立していて、商品関係から特殊化された国家。パシュカーニス（Pashukanis 1924/2002）が、資本主義的社会関係にとって必要であると同時に特殊な形態でもあるものとして、国家の存在を導き出したのは、基本的にこうした議論によるものです。

それが交換一般に言えることであるなら、貨幣を媒介とする交換であればなおさらのことです。私たちは自分たちが育てた豆を一ポンドのバターと交換しますが、それが本当に一ポンドであることをどうやって知ることができるのでしょうか？　重さを証明するために公的機関を呼べば問題は解決します。そうすれば、交換の実体を確認することができます。それで、価値と価値を交換したことになります。しかし、豆を売って貨幣に換えた場合、その交換の実体はどのようにして確認されるのでしょうか？　銀や金であれば、その組成や重さを調べることで、実体を確認することができます。この場合も、価値と価値を交換したことになって、安心することができます。しかし、それが貴金属でないコインや、ただの紙切れである紙幣だったらどうでしょう？　その実体はどこにあるのでしょうか？　私たちが手にするのは、単なる価値の象徴に過ぎません。ここには不安、疑念、恐怖が生じます。

それでは、信用についてはどうでしょうか？　商品とは異なる形態としての貨幣の存在そのものが、すでに信用の存在を意味しているのです。貨幣の存在は、販売（W—G）と購入（G—W）の分離を意味しています。つまり、富を商品の集積としてではなく、貨幣として蓄積し、その貨幣をいかに増やすか、つまり、支払った金額よりも高く売ることを目的に売買したり（G—W—G′）、単に貨幣を貸して利息を取ったり（G―G′）するということになります。貸し手である私たちは、貨幣の増加分がどこから来るかには関心がありません。お金がより多くのお金を生み出すという考えが私たちにとって都合が良いというだけのことです。貨幣は、（見えない所で見えない労働者によって）実際に生産された富に対応する場合にのみ価値や実体を持つことは明らかなのですが、それは私たちには関係ないことなのです。

私たちが気にするのは、お金が返済されることです。直接交換の場合よりもさらに、信用には恐怖と暴力が介在することになります。貸し手である私は、債務者が私に返済してくれないかもしれないことを恐れます。他者への融資には、常に脅しが暗黙のうちに含意されています。私はあなたにお金を貸しますが、あなたはこの日までに私に返済してください。さもなければ……「さもなければ」どういうことになるのか。借金取りや国家によって暴力的な強制執行をされるかもしれないという場合もあれば、車や家を失うという場合もあり、時には投獄を伴う場合もあります。しかし、脅威は常に存在し、債務者にとっても、債権者にとっても、恐怖と不安と眠れない夜が続くのです。そして、借金がお金で返済されても、その実体に対する不安が残ります。債権者である私は、貸した価値以上の価値を本当に受け取ったのでしょうか？　私は貸したときより多くの価値の象徴を持っていますが、それらの象徴が前より少ない価値を表しているとしたら（例えばペソやポンドの切り下げ）、あるいはこれらの象徴が基礎のない建造物の一部であるとしたらどうでしょうか？　私たちの富は、崖っぷちを踏み外した漫画のキャラクターの富と同じなのでしょうか？

恐怖と不安と暴力の背後には貨幣の実体の問題が横たわっている

a　貨幣は常にその実体から離れていっており、象徴化が進んでいる

通常の使い方では、貨幣は価値の引換券として成り立っています。硬貨や紙幣、電子カードは、それ自体にはまったく、あるいは実質的にまったく、価値がありません。それらは価値の証しなのです。疑う余地のないものとみなされ、そして実際に疑われていない社会的プロセス、すなわち、豊かさを商品の集積に変えることの証しとして役立っているのです。これは、抽象的労働を意味します。それは、人間の活動を、通常は資本主義企業による搾取を通じて、価値を生み出す労働へと導くことを意味します。

しかし、この社会的プロセスがもはや機能しなくなったらどうなるのでしょう？　もし、これらの価値の象徴が、生産された価値に対応していないということになればどうなるのでしょう？　もし、社会を規律づけ、封じ込め、導くものである貨幣が、実際には、人間を規律づけ、資本の論理の中に人間を封じ込め、人間の活動を絶え間ない価値の生産に導くことがうまくできなくなったとしたら、どうなるのでしょう？　そうなると、貨幣の表象は、実際に生産された価値に対応していないことになります。それは、虚構の表象になってしまい、そうであるがゆえに、偽りの、壊れやすく、危険なものになってしまうでしょう。

貨幣がこのように脆弱なものになってしまいかねない由縁は、貨幣が価値から特殊化するのに伴

う一側面として見ることができます。商品生産社会における富の実体の表現である価値こそが、普遍的な等価物としての貨幣、すなわち、他のすべての商品の価値を計る装置として受け入れられるものを生み出すのです。その貨幣が、金の場合のように、交換される商品と現実に等価な価値をもつ商品であるならば、これは、価値の表象が生産される価値に実際に対応していること、本当の等価性があること、つまり、労働から行なわれる現実の搾取に対応していること、または具体的労働の抽象的労働への変換に実際に対応していることを保証する一種のアンカーとして機能します。マルクスは、金について、「その有形の形態が、抽象的な人間労働の直接的な社会的化身でもある商品」(Marx 1867/1965, 142) であると語っています。私たちが金から離れていけば、私たちは「抽象的な人間労働の直接的な社会的化身」から距離を取っていくことになります。貨幣が特殊化されたものであること、つまり貨幣が単なる商品ではないという事実が、貨幣と価値の分離を可能にしているのです。貨幣は、商品を捨てて、自分だけで歩きだすことができるのです。ちょうどリピエッツが述べた漫画のキャラクターのように、足元の地面（抽象的労働による価値の生産）が消えた後、崖っぷちを越えてずっと歩いていくのです。

マルクスは『資本論』の中で、貨幣商品、実際には金が必要であると言い張っていましたが、今の私たちから見ると、ほとんど古めかしく思えます。私たちのほとんどは、金というものを貨幣として経験してきてはいません。しかし、金を貨幣の表象と価値の生産を結びつけるアンカーとして見るならば、そこには骨董品のような趣き以上のものがあることは明らかです。一九〇〇年に『貨幣の哲学』を刊行したゲオルク・ジンメルは、貨幣の実体に関する長い議論を、まず次のように述べることから始めています。

　貨幣に関するすべての議論を通じて、貨幣は、価値の測定、交換、表象という役割を果たすために、価値そのものでなければならないのか、それとも、貨幣は、それ自体に固有の価値を持たない単なる形象、記号、すなわち、価値になるのではなくて価値を代弁する会計上の金額のようなもので十分なのかという問題がある（Simmel 1900/1990, 131）。

マルクスは、貨幣の実体の重要性という問題を、貨幣が果たすさまざまな機能を区別することを通じて扱っています。私のリネンとあなたのコートを交換するために、貨幣が交換手段として働くとき、貨幣の実体は実際には重要ではありません。しかし、貨幣が富の蓄積としての役割を果たす場合、貨幣の実体は非常に重要です。もし私が一〇〇万ペソを銀行に預けていたとして、突然ペソが切り下げられたら、私は多くの富を失うことになります。

　貨幣の歴史は、貨幣商品が記号に徐々に置き換えられていく歴史なのです。ジンメルが言っているように、「貨幣において金属が果たす重要な意味は、共同体制度を通じて貨幣の機能的価値を保護することに比べて、ますます後景に退いていく」（Simmel 1900/1990, 184）のです。ジンメルの時代以降、金属の役割が後景に退いていく速さは非常に加速され、一九二〇年代から一九三〇年代にかけての金本位制の廃止、一九七一年のブレトン・ウッズ体制の崩壊などで、大きな飛躍を遂げることになっていきます。

貨幣が実体から象徴となっていく変化は、ジンメルが指摘しているように、「共同体制度を通じて貨幣の機能的価値を保護する」措置が発展していくのに伴って必然的に進行したものです。ここで言われている「共同体制度」とは、通常、国家を指します。「貨幣の機能的価値を保護する」任務を担っているのは、国家です。国家は、特に中央銀行を通じて、ドルやポンドやペソが金と同等の価値を持つことを保証するのです。支配者の恐怖は、国家が貨幣価値を保証できなくなるのではないかという恐怖に集約されていきます。具体的には、富の所有者（資本家）は、国家の支配者（政治家、官僚）が民衆の圧力に屈して、混乱を防止するために、あるいは単に次の選挙で勝つために、貨幣と価値との関係を弱めることを恐れるのです。そのため、近年、中央銀行の国家からの形式上の独立が重要な課題となっているわけです。

b 貨幣の象徴化は物象化であり、それが資本主義文明なのだ

ジンメルにとって、貨幣の象徴化は、文明の発展のまさに中心に位置しています。彼は、まったく批判的ではない説明のなかで、のちに批判理論の議論の中心となるテーマをまとめあげているのです。貨幣は社会的諸関係の物象化である（Simmel 1900/1990, 176）――物象化ではなく「物神化」という言葉を使ったマルクスも、まさしくそう考えたし、マルクス主義の言説に「物象化」という言葉を導入したジンメルの弟子ジェルジ・ルカーチも、まさしくそう考えたのです。しかし、マルクスやルカーチとはまったく対照的に、ジンメルにとって物象化は「精神の偉大な達成の一つであり、精神が対象に具現されるとき、それらの対象は精神のための乗り物となり、精神により生き生

きとした、より広範囲にわたる活動を与える。このような象徴的な対象を構築する能力は、貨幣において最大の勝利を収める」(Simmel 1900/1990, 129)ということになるのです。貨幣は、「知性の理念が、現実のすべての質的範疇を純粋に量的範疇に分解することであると見なされる」プロセスの中心にある(Simmel 1900/1990, 130)と考えられているのです。別のところでは(Simmel 1900/1990, 130)、このプロセスを「マルクスが、商品生産に基づく社会において、交換価値を優先させるために使用価値を排除させるプロセスとして定式化した事実」として語っています。

貨幣の歴史は、実体から完全な形象化あるいは象徴化へと向かう物象化の運動を示しています。国家が象徴化された貨幣を悪用する可能性があるため、完全な象徴化はまだできないのですが、ジンメルによれば、完全な象徴化が最終的な結果になることは疑いないとされています。貨幣の漸進的な象徴化は、「社会全体の物象化」(Simmel 1900/1990, 187)と中央集権的な国家体制への社会的な力の集中の高まりに依存し、またそれに寄与しているのです。「同胞が小規模な自治共同体に細分化された社会におけるエネルギーの浪費に比べれば、一方で自由となり分化した人格を他方で近代国家が結合させている社会は、比類のない力の集中を表している」(Simmel 1900/1990, 197)。

ジンメルの物象化礼賛は、マルクス主義や批判理論の伝統とはまったく対照的なものです。物象化は、マルクスの資本主義批判の中心に位置しています。物象化は、人と人との関係を物と物との関係に変換することを通じて、人々の人間性を失わせるものです。それはまた、物と物との関係のダイナミズムとして存在している社会を理解することを妨げる結果をもたらしています。マルクス主義的な批判は、ジンメルのそれとはまさに反対の方向へ動くのです。マルクスにとって科学とは、脱物神化または脱物象化の運動なのです。私たちは、物象化された外観を突破して、人間の活動の組織化という観点から、ad hominem――すなわち人格を問題にする論議――による理解に到達することによって、世界を理解しようとしているのです。非常に興味深いのは、マルクスもジンメルも、まったく異なる視点から、貨幣の象徴化が世界の物象化と不可分であると見なしていることです。

ジンメルのアプローチは、物象化の力を「道具的理性」が推し進める力として見るのに役立ちます。「道具的理性」というのは、啓蒙主義が自己矛盾に陥りながらたどりついた理性としてアドルノとホルクハイマーが批判したものであって、それは物象化された理性、貨幣の理性、道具の理性なのです。このような理性においては、物事はもっぱらその機能という観点から理解されます。商品交換、したがって貨幣は、こうしたタイプの推論を発展させる中心的な存在です。アルフレート・ゾーン＝レーテル（Sohn-Rethel 1978）は、商品交換が算術的、したがって数学的推論の基礎であると主張し、この点（ジンメルとの関連はありません）をめぐって議論を展開しています。ここ七〇年ほどの間に、質を量に還元することによって発揮される巨大な力が、コンピューティングの発展によって明らかにされたのです。実際、物象化、道具的理性による推論、貨幣的理性による推論は、近年の（マルクス主義の伝統的な意味での）「生産力」の巨大な発展の中心であり、それらの生産力を資本主義の文脈から外れて考えることは意味をなさないと思われるようになってきました。

物象化の一側面である、質の量への変換は、確かに膨大な生産力を解放します。しかし、それは質を抑圧し、均質化する量化なのです。ジンメルは、「同胞が小規模な自治共同体に細分化された社会におけるエネルギーの浪費」に比べれば、近代国家には「比類のない力の集中」があると述べていますが、この点についてはジンメルは疑いもなく正しいのです。しかし、ここで言い忘れられているのは、この比類なく集中された力が、非効率な「小規模な自治共同体」を破壊しているということです。このプロセスは実際に私たちの周りで進行していて、計り知れない紛争や苦しみを引き起こしているのです。それは、農村生活の破壊だけでなく、世界の主要都市に広がるスラムの増殖にも表れています(4)。

貨幣の象徴化とそれを中心とした世界の物象化には、コントロールの喪失も伴っています。これは、現在の世界における貨幣の象徴化を考えるとき、例えばデリバティブの発展で明らかになったように、非常に重要な要素として表れてきています。質から量への転換が進み、コンピューティングによって道具的理性の巨大な力が解放されたのは事実ですが、その力は物神化のプロセスの中心である貨幣をコントロールできていないように思えるのです。物神化は、乖離させていくプロセスです。特殊化された形態は、あらゆる人間の支配から遠心的に乖離されていきます。物神化は支配の脱人格化ですが、それは脱人格化された支配が完全に機能する機械であることを意味しません。それはむしろ魔法使いの弟子の箒であって、弟子のコントロールから逃れ、弟子の意に逆らって働く箒なのです。

c　物象化は私たちを被害者に変えるが、私たちはそれを上回る存在なのだ

物神化や物象化の一つの側面は、希望の問題に関連して考えるなら、それが犠牲を生み出すプロ

セスであり、能動的な主体を受動的な被害者に転換させるプロセスだということにあります。物象化は貨幣を実体から機能へ変換させますが、それは労働との関わりから離れていく動きなのです。金の場合にはまだ存在していた（あるいは少なくとも認識可能であった）労働、そしてあらゆる活動との関わりが排除されていくのです。金鉱を見れば、労働者が活動的な力であることがわかります。貨幣や金融の議論に目を向けると、労働者は活動的な力としてはまったく見えてきません。せいぜい平価切り下げや金融危機の被害者、あるいは金融市場の浮き沈みの中で勝ち組に見えることがあるだけなのです。いずれにせよ、貨幣は社会的に決定される側から解放され、社会発展の主体となっている、あるいはそのように見えるのです。

もし、貨幣の歴史が象徴化や物象化が進んできた歴史であるとするなら、私たちはどうすれば被害者として貨幣を観る観点から脱することができるのでしょうか？　貨幣は、現実のコントロールを失わせる結果をもたらし、能動的な主体を受動的な客体に変えてしまいます。貨幣は、そのようにして、社会的活動を資本の論理に統合していく上で中心的役割を果たすものです。しかし、能動的な主体が受動的な客体に完全に変換されてしまったのであれば、貨幣の支配を打破することは望めません。というか、そうであるなら、唯一の希望は救世主の登場、あるいは外から機械仕掛けの神が働くことにしかないということになるでしょう。それは、いわば、希望がないより悪いということです。

この点についての議論は、希望は、犠牲者が支配に適合してはいないということ、支配から溢れ出ようとしているということにあり、そして支配されている者が支配の中に完全に収まることはないという事実にあるというものでした。

豊かさは、商品形態には適合せず、そこから溢れ出ようとしているのです。これは、商品形態はその形態から溢れ出ようとするものと常に闘っており、不適合なものを適合させようと強いているのだということです。この封じ込めは、すでに見てきたように、貨幣の機能なのです。貨幣は封じ込めに逆らうものを封じ込めるものなのです。封じ込められないものを封じ込めるために、貨幣は後退を強いられ、拡張を強いられるのです。

支配は、これは時には見えにくいのですけれど、常に及び腰で、守勢に回っているのです。逆説的に聞こえるでしょうが、資本主義においては、資本の守勢の姿は自由という観念に刻み込まれています。資本は、金持ちであるマネーバッグ氏が市場で自由な人間と出会うところから始まります。自由な人間とは、生産手段・生存手段を持っていないということと、労働力を自由に売ることができるということとの二重の意味で自由である人のことです。マルクスは、「資本は、生産と生存の手段の所有者が、市場で、自分の労働力を売る自由な労働者と出会うときにのみ、生命を吹き込まれることができる。そして、この一つの歴史的条件が世界史を構成している」(Marx 1867/1965, 170; 1867/1990, 274) と述べています。そして、その一ページ前には、こう述べられています。

自然は、一方で貨幣や商品の所有者を生み、他方で自分の労働力以外には何も持たない人間を生むということはない。この関係は、自然的基礎を持たず、その社会的基礎も、すべての歴史的時代に共通のものでない。それは明らかに過去の歴史的発展の結果であり、多くの経済革命が生んだものであり、一連の古い社会的生産形態の消滅によって生まれたものである（Marx 1867/1965, 169; 1867/1990, 273）。

この世界史とはどういうものなのか？　マルクスは、これを原始的ないし本源的蓄積の暴力という観点から分析しています。ここにそれを見ることができます。「もしも貨幣が、オジエの言うように、『頬に血の痣をつけてこの世に生まれてくる』ものだとすれば、資本は頭から爪先まで毛穴という毛穴から血と汚物を滴らせながら生まれてくるのである」（Marx 1867/1965, 760; 1867/1990, 926）。

マルクスの原始的蓄積の分析については、近年、多くの議論がなされています。批判の中心は、マルクスが原始的蓄積を、比較的安定したシステムを確立するために必要な初期段階の大きな暴力として扱っていることに向けられています。実際には、資本の暴力は衰えることなく続いていることが指摘されているのです。私たちはまた、「労働者の資本家への服従を完成させる」ために「経済的諸関係の無言の強制」（Marx 1867/1965, 737; 1867/1990, 899）を確定する資本主義への移行期があるという考え方に疑問を呈しました。しかし、ここでの議論にとってより重要なのは、原始的蓄積が資本主義の起源における犠牲史として伝えられているという点です。マネーバッグ氏が市場で出会う「自由な労働者」は、何世紀にもわたる残忍な土地収用の産物であり、放浪者に対する国家の血生臭い弾圧に支えられて生まれたものである、というわけです。封建制から資本制への移行は、労働者隷属の形態変化にすぎないと言うのです。「賃金労働者と資本家を生んだ発展の出発点は、労働者の隷属であった。そこからの前進は、この隷属の形態を変えること、封建的搾取を資本主義的搾取に変えることにあった」(Marx 1867/1965, 715; 1867/1990, 875) とマルクスは述べています。マルクスは、何よりも、封建制から資本制への移行を自由の勝利とする自由主義的あるいはブルジョア的解釈に挑戦することに関心を寄せているのです。

直接生産者である労働者は、土地に縛りつけられることがなくなり、他人の奴隷、農奴、あるいは隷農ではなくなった後でなければ、自分の身柄を処分することはできなかった。……それゆえ、生産者を賃金労働者に転化する歴史的運動は、一面では、農奴制とギルドの束縛からの解放として現れ、我がブルジョア歴史家にとっては、この側面だけが存在するのである。しかし、他面では、これらの新しい自由民は、彼ら自身の生産手段をすべて奪われ、古い封建的諸制度によって与えられていた生存の保証手段をすべて奪われた後に、はじめて自分自身の売り手となったのである。そして、こうした彼らの収奪の歴史は、人類の年代史に、血に染まり火と燃える文字で書き込まれているのである (Marx 1867/1965, 715; 1867/1990, 875)(5)。

リベラルな歴史解釈に対する批判は極めて重要です。しかし、それだけでは、このプロセスの中から何かが失われてしまう危険性があります。封建的搾取から資本主義的搾取への移行をめぐっては、世界的な闘争の歴史があるのです。そこには古い支配様式と搾取様式の崩壊や弱体化があり、農奴の領主からの逃亡、町に自由を求めて出ていく旅立ちがあり、農民の叛乱があったのです。封建的搾取から資本主義的搾取への移行は確かにありました。しかし、それは支配者がその支配を作り直すために、支配＝搾取の新しい様式を創り出さなければならなかったということなのです。農奴が町へ逃れる際に求めた自由は獲得されました。しかし、その代償として、その自由を認める新しい支配様式に組み込まなければならなかったのです。自由な労働者は、農奴や奴隷ではないけれど、生きていくためには労働力を売らなければならないのです。これを「賃金奴隷制」と言うのは、確かに正しい。賃金のために労働力を売る（あるいは売ろうとする）ことを余儀なくされていて、この事実によって、資本の利益のために労働する生活に閉じ込められているわけで、その状態を「賃金奴隷制」と表現しているのですから。しかしながら、奴隷であることを選択している「賃金奴隷」はほとんどいません。搾取が労働力の売買を媒介として行なわれるようになったという事実には、自由の要素が認められるのです。自由は、貨幣を通した搾取の媒介として働いています。貨幣は自由の表現であると同時に、自由の封じ込めでもあるのです。もっと言えば、「自由」を支配に対して押しつけられているものと見なすなら、貨幣はその押しつける力の表現であり、同時にそれを内包するものでもあるのです。

封建制から資本制への移行は、マルクスが指摘するように、隷属形態の変化ですが、この形態の変化は、隷属に新たな、そして構造的な不安定さを導入する点で重要です。支配が貨幣を媒介にしているということは、支配の及び腰の姿勢の中心に貨幣があるということになります。

豊かさは、病いとして、リンゴの中の虫として、危機として、商品形態に入り込んでいきます。労働者の創造力は、叛逆の手として、不満として、封じ込みきれない行為として、抽象的労働の中に入り込んでいきます。貨幣は「偉大なる容器」であり、その歴史は、そこに収まりきれないものが押し進むことで形作られます。この収まりきれないものが、貨幣を実体から機能へ、そして機能から虚構へと押しやっているのです。私たち「収まりきれないもの」が、「偉大なる容器」である貨幣を虚構の世界へ押しやっているのです。これが、私たちの希望の力なのでしょうか?

実体から機能への貨幣の動きは今や虚構への巨大な動きとなっている

貨幣の象徴化には虚構化の危険が内在しています。それは、貨幣という象徴が、生み出される価値との関係をますます希薄なものにしてしまう危険性です。これは、特にこの四〇年間に、まさに起こったことなのです。資本蓄積が虚構であるという性格を高めていることは、おそらく現代資本主義の最も重要な特徴だろうと思われます。

セドリック・デュランは、このテーマに関する著書で、「擬制資本」という言葉を次のように定義しています。「自由主義の著作家たちにとって、擬制資本の生産とは、現実のリソースの領域において対応するものがないままに、信用システムによって資本を貨幣の形で創り出すことを意味する」(Durand 2014/2017, 43)。「擬制資本」という言葉は、リバプール伯爵チャールズ・ジェンキンソンが、国王ジョージ三世に宛てた貨幣問題についての論考で初めて使用したもので、この論考は一八〇五年に刊行されています。ジェンキンソンは、革命を起こしたフランスとの戦争の中で、紙幣の使用が増えていることを懸念していました。彼は、貨幣が実体から分離することの危険性を警告したのです。

近年、この国では、新しい種類の錬金術によって、金貨や銀貨、その他ほとんどすべての財産が紙に変換される方法が発見されたようである。そして、貴金属は、まだそのような錬金術の発見がなされていない外国に、資本として輸出するのがよいだろうとされている。しかし、このようにして英国内に導入された新しい種類の**擬制資本**は、いわゆる過剰取引、つまり軽率で無分別な投機、そしてほとんど必然的な結果として、すでに破綻している投機師の信用を支えるための無価値な策略に、他のどんな状況よりも寄与しているのだ。その他の悪も同様で、取引する側のモラルを堕落させ、紙の通貨だけでなく、英国の国内商業の基盤である信用を揺るがす方向に導いている (Durand 2014/2017, 44)。

この概念は、一九世紀にデヴィッド・リカードをはじめとする他の経済学者たちによって発展させられました。エンゲルスは初期の著作『国民経済学批判大綱』(Engels 1844/1975) でこの概念をさらに発展させ、その後、マルクスが『資本論』第三巻で取り上げることになります。マルクスにとって中心的なポイントは、擬制資本はまだ生産されていない価値の前借りであるということに置かれています。「資本は、生産がまだ実現されていない状態で流通する限り、擬制である」(Durand 2014/2017, 55)。このような将来の価値生産の前借りは、相反する二つの意義を孕んでいます。それは一方では資本主義的生産を刺激する可能性があります。マルクスは「新しい生産様式に向けた移行の形態を構成する」とさえ示唆しています（Durand 2014/2017, 49）。他方で、それは成功しないかもしれません。「マルクス主義的な分析では、その擬制としての性格は、その脆弱性を示してはいても、将来の価値化プロセスの成否と同義ではない」（Durand 2014/2017, 50）。

「擬制資本」という言葉は、マルクス主義以外の経済学者の間ではもはや広く使われてはいませんが（この語は一九九〇年代に経済学のレファレンス辞典であるパルグレイブ経済辞典から削除されました）（Durand 2014/2017, 42）、同じ現象を説明するために他の用語が使われています。その現象とは、近年の貨幣創出の巨大な拡張のことで、それはまだ生み出されていない価値の前借りとして機能しています。こうしたことを踏まえて、コガン（Coggan 2012）は、彼が「紙の約束」（Paper Promises）と呼ぶ擬制資本について次のように語っています。「この四〇年間、世界は富を生み出すことよりも、富に対する請求権を生み出すことに成功してきた。経済は成長したが、資産価格はより速く上昇し、負債額もさらに速く上昇した」。また、「音楽が止まったら、すぐにでも崩壊しそうな『トランプの家』［house of cards］だ」[6]と言っている人もいます。私たちは「擬制資本」という言葉を使いつづけていますが、それはこの言葉によって、価値の貨幣的表現と実際に生産された価値との間に距離ができていることを指摘するためです。資本の蓄積は、架空の基盤、つまり、まだ生産されていないため、実際には存在しない基盤の上に成り立っているのです。擬制資本という語は、金融の脆弱性の基盤を指し示すものです。つまり、価値生産の欠如、資本が人間の活動を抽象的な価値生産労働に転換することができていないことを私たちに教えているのです。

擬制資本はさまざまな形を取って現れています。最もはっきりしているのは、民間債務および公的債務の増加と、株式市場における上場企業の評価額の上昇です。デュランは、過去三〇年間の富裕国家一一ヵ国における負債の増加について研究し、コガンと同じ結論に達しています。「この三〇年間、将来に価値化されるプロセスを見越して有効とされた価値の量は、実際に生産された富の量に対して常に増加してきた」(Durand 2014/2017, 65)。デュランは、擬制資本のより明白な形態として、彼が「第二世代金融」の「洗練された形態」と呼ぶ、シャドウバンキングやデリバティブなど、一九七〇年代初頭のブレトン・ウッズ体制崩壊後に開発された金融商品を加える必要があると主張しています。そして、「擬制資本の爆発的増加は、商品生産と結びついた蓄積プロセスを先取りした価値の量の目まぐるしい増大を明らかにしている」と結論づけています(Durand 2014/2017, 73)。

この分析は、資本主義の現代的発展に関する他の多くの論者によって支持されています。その中の一つとして、コロナウィルス危機が勃発した直後(二〇二〇年三月三日)の『フィナンシャル・タイムズ』紙の記事で、ジョン・プレンダーは次のように指摘しています。「コロナウィルスが世界中の市場に与えた衝撃は、世界的な債務の急増という金融の危険な状況と重なる。業界団体の国際金融協会によると、世界の債務の国内総生産に対する比率は二〇一九年第三四半期に三二二%超と史上最高を記録し、債務の総額は二五三兆ドルに迫った」。彼はこう続けます。「一九八〇年代後半から、中央銀行、特にFRBは、『非対称金融政策』を取ることが知られるようになった。つまり、市場が急落したときには支えたけれども、市場がバブルになりやすいときにはそれを減衰させることができなかったのだ」。債務の膨大な拡張は、二〇〇八年から〇九年の金融危機につながりました。しかし、この金融危機は、債務の膨張を止めるには何の役にも立ちませんでした。それどころか、金融崩壊の影響を抑えるために取られた措置が負債の倍増を招いたのです。例えば、「ＦＲＢは……企業債務は金融危機前の三兆三千億ドルから昨年は六兆五千億ドルに増加したと見積もっている」のです。

二〇〇八年の金融危機が債務の膨張につながったとすれば、パンデミックに際して健康面、とりわけ経済面での影響を抑えるために各国政府がとった金融・財政措置の結果は、それを上回るものになるのではないでしょうか。

資本主義の発展の虚構性、すなわち資本蓄積が将来の価値創造の前借りに基づいている度合いが、パンデミックの間に非常に高まったのです。二〇二〇年一一月の『フィナンシャル・タイムズ』の記事は、「債務津波」について語っています。

新しい調査によると、コロナウィルス危機に直面した政府や企業が「債務津波」に乗り出したため、今年最初の九ヵ月間に世界の債務は前例のないペースで増加した。国際金融協会は水曜日、債務蓄積のペースがこのままで行くと、将来、「経済活動への著しい悪影響」なしに借入金削減を成し遂げるという課題が世界経済を苦しませることになるだろうと警告した。金融機関を代表する国際金融協会によると、世界の負債総額は今年一五兆ドル増加し、二〇二〇年には二七七兆ドルを超える勢いだという。負債総額は二〇一九年末の世界の国内総生産の三二〇%から急増し、年末には三六五%に達すると予想している(Jonathan Wheatley, *Financial Times*, 18 November 2020)。

一九七〇年代初頭にブレトン・ウッズ体制が崩壊して、貨幣と金の公式な結びつきが放棄されて以来、擬制資本が巨大化して、価値の実際の蓄積とその貨幣的表象との間に大きな動揺が起こっています。価格が本来の価値から大きく離れることを「バブル」と呼びますが、これは景気循環の一般的な特徴と見ることができます。マイケル・ロバーツが指摘するように、「金融市場の歴史は、一六〇〇年代初頭のチューリップから一九九〇年代後半のインターネット株や二〇〇八年以前の米国の住宅価格に至るまで、資産価格のバブルに彩られている」[7]のです。しかし、最近四〇年間の擬制資本や「紙の約束」の長期にわたる増加は、これらとは質的に異なるものです。それは、単に資本主義のサイクルの一部ではなく、価値とその貨幣的表象との分離を促す巨大な遠心力が働いていることを示しています。

このことは、資本主義全体に大きな影響を及ぼすものであり、それについては後でまた述べることにしますが、ここにおいても、私たちの中心的な問いは、それが希望にとって何を意味するのか、ということに尽きるのです。デュランは、擬制資本に関する著書の中で、金融化は「秋の気配」であるという趣旨のフェルナン・ブローデルの言葉を引用して(Durán 2014/2017, 1)、その数ページ後に「現代の擬制資本の蓄積はすでに冬の霜で覆われている」(Durán 2014/2017, 5)と付け加えています。しかし、それが資本主義の冬の時代を意味するのであるとすれば、果たして、それは望ましいことなのでしょうか？　もし私たちがこのプロセスの犠牲者であるなら、より良い世界を創るために私たちにできることはほとんどないでしょう。私たちの未来は、私たちが資本主義の冬の犠牲者ではなく、その創造者であると見ることができるかどうかにかかっているのです。しかし、それでは、資本の虚構化の進行を、私たちの抵抗と闘争の結果と見て取るには、どうすればよいのでしょうか？

30　私たちは貨幣の危機の主体なのだ

この問題は、一九六八年に発表されたトニ・ネグリの論文「ケインズと一九二九年以降の資本主義的国家論」において、劇的な形で提起されたものです。ネグリは、すでに見てきたように、オペライスタの見地からマルクス主義を考え直すという文脈の中で、資本の分析からではなく労働者階級の闘いから出発することを主張したのです。ネグリによれば、一九一七年の十月革命とそれに続くヨーロッパ全土にわたる革命闘争の波は、ブルジョアジーが自らが直面している支配の新しい現実を認識せざるを得ない状況をもたらしたと言うのです。

新しいこと、そしてこの瞬間を決定的なものにしている点は、労働者階級の出現と、それが体制内に示す消し去ることのできない対立を、**国家権力が自らの体制にとって必要な特徴として受け入れなければならない**と認識したことであった。……資本主義国家の新しい歴史的形態を特徴づける最も中心的特徴、それは労働者階級が本来持つ敵対性の発見に基づく国家の再建であった（Negri 1968/1988, 13）。

そしてまた、「労働者階級の力の新しい関係を認識し受け入れながら、労働者階級とその権力への継続的闘争をシステム内でダイナミックに働く要素に『昇華』させて、そうした全体的メカニズムの中で機能させることによってのみ、労働者階級による政治革命は回避できる」（Negri 1968/1988, 13）ということだったのです。ケインズの仕事は、このような新しい階級関係を認識することでした。彼が強調する需要というのは、要するに労働者階級から来る圧力の認識だったのです。「『需要』を問題にするということは、労働者階級を問題にし、政治的アイデンティティを見出した大衆運動を問題にし、叛乱と体制転覆の可能性を問題にすることなのである」（Negri 1968/1988, 24）。需要管理とは、まさに労働者階級の管理のことなのです。

労働者階級の管理とは、現在を未来から守るために、国家の役割を転換させることなのです。「そして、その唯一の方法が、現在の内側から未来を投影し、現在の予想に従って未来を計画することであるならば、国家はその介入を拡大し、プランナーの役割を担わなければならないのである」（Negri 1968/ 1988, 35）。未来に対する防衛。破局に対する防衛。破局に対する恐怖。

ケインズが責任を問おうと躍起になっているこの「未来」とは何なのだろうか。……それは破局である。彼と彼の同類を悩ませている破局であり、彼の眼前に労働者階級の生きた姿として展開されている「破局の党」なのである。このことは、表面的な皮肉としてしばしば繰り返されるケインズの有名な発言に新しい光を当てている。「長い目で見れば、我々は皆、死んでいる」。この言葉は、ケインズ自身の階級の運命に対する予兆のように感じられるのである（Negri 1968/1988, 25）。

『長い目で見れば、我々は皆、死んでいる　ケインズ主義・政治経済学・革命』、これはケインズと彼の思想の意味について書かれたジョフ・マンの本のタイトルで、彼が何を意図しているかを示しています。彼は、ケインズ主義がロシア革命に対する反応であるとするネグリの議論に反対しています。「少なくともこの点については、アントニオ・ネグリのケインズに関する注目に値する分析は間違っている。ケインズ主義は、『労働者階級、政治的アイデンティティを見出した大衆運動、叛乱と体制転覆の可能性』に対する反応ではない」（Mann 2017, 15–16）。続けて、こう言っています。「もしネグリが言うように『ケインズのイデオロギーが必要になったのは、絶望の緊張に発している』のだとするならば、その緊張はコミュニズムによって引き起こされたのではなくて、ケインズ主義の視野においてとらえられた〈万人の万人に対する闘争〉（bellum omnium contra omnes）の始まりによるものなのだ」（Mann 2017, 16）。そして、また、次のように述べられています。

ヘーゲル、ケインズ、ピケティに通ずるケインズ主義は、コミュニズムから資本主義を救うプロジェクトというよりも、現代のブルジョア文明を、無秩序と混沌、そしてその無秩序と混沌から必然的に導き出されると予想された破滅的な全体主義的原理主義――スターリン主義、国家社会主義など――から救おうとするものだったのである。それが何らかの資本主義的な政治的経済的構造の根幹を救うことを意味するならば、まあ、もちろん、それはなされなければならない（Mann 2017, 381）。

マンにとってケインズ主義は「不安と希望の政治経済」（Mann 2017, 16）ですが、ケインズの分析の中心にあるのは、まさに不安なのです。ケインズは、マンによればヘーゲル（さらにはロベスピエール）にまで遡る長い伝統に従って、文明崩壊の恐怖に苛まれているのです。彼は、資本主義の自己破壊的性格に気づこうとしないリベラリストたちと対立しています。そうしたリベラリストに比べると、ケインズにとっては（彼以前のヘーゲルにとってもそうであったとして、マンは常に『法の哲学』の後期ヘーゲルに言及しています）、政治経済の中心的問題は、資本主義がシステム全体の基盤を脅かす耐え難い結果を生み出すことにあったのです。このため、賢明な国家にとっては、こうした結果をより耐えられるようなものにするために介入して、システムを保護し、「文明」を守ることが不可欠な課題となるのです。

ケインズにとって資本主義の耐え難い結果の中心は失業でした。それは、彼が一九三〇年代に書いていたことを思えば、驚くには当たりません。彼は『一般理論〔雇用・利子および貨幣の一般理論〕』の最後に、「世界は、束の間の高揚期を除けば、資本主義的個人主義につきものの――そして私の考えでは必然的につきものの――失業に、もはやあまり耐えられないことは確かである」（Keynes 1936/1961, 381）と言っています。これは、失業は道徳的に嫌悪すべきものだというだけでなく、危険なものだということです。危険だからこそ、世界がこれ以上我慢できないことは確かだということになるのです。だからこそ国家が介入しなければならないのです。ケインズの理論の中心には、恐怖があるのです。それは、失業に長く耐えることができない人々への恐怖なのです。

マンは、これと同じ恐れが、資本の破壊的傾向に対抗するために国家介入の必要性を主張するすべての伝統的思想の中心をなしていると考えています。ロベスピエールやヘーゲルにとって、それは貧困に対する恐れでした。最近のピケティの場合、それは不平等に対する恐れです。これらすべての人たちにとって、失業、貧困、不平等は、資本のダイナミズムに内在しているもので、それがシステムの再生産を危うくしようとしていると思われているのです。それが、彼らの目には、文明に対する脅威と映るのです。貧困、失業、不平等はこれ以上許されないだろう。その危険は、ロシア革命を主導した組織化された労働者階級ではなく、**暴徒**に集中しているのだ、というわけです。

その暴徒は資本主義そのものによって生成されるものなのです。マンはヘーゲルの『法の哲学』の二四四項を参照しています。

> 大衆の生活水準が、ある一定の水準——社会の一員として必要な水準はおのずから定まっているが——を下回るとき、そしてその結果として、善悪の感覚、誠実さの感覚、人間が自己の仕事と努力によって自己を維持しようとする自尊心が失われたとき、結果として貧しい賤民の群れが生まれるのである。同時に、このことは、社会的な尺度のもう一方の端に、少数の手に不釣り合いな富が集中することを大いに促進する条件をもたらすのである(Hegel 1821/1967,

150)。

ヘーゲルは、この段落に追加して、「貧しさそれ自体が人を賤民にするのではない。暴徒は、貧しさに心の性向、すなわち金持ちに対する、社会に対する、政府に対する内なる憤りなどが加わったときにのみ生まれる」(Hegel 1821/ 1967, 277) と付け加えています。[1] また、訳者のT・M・ノックスが、ヘーゲルが用いているPöbel〔英訳でrabble。『法の哲学』の日本語訳では「賤民」〕という言葉の使い方について、有益な注釈を加えています。「Pöbelは、すなわち平民、プロレタリアート、あるいはろくでなしといった意味を含むが、しかし、自分たちの掟しか認めない、反抗的な貧民の集団のことで、こうした集団を表す単一の言葉はない。そして、ヘーゲルが意味しているのはこの無限定な集団のことである」(Hegel 1821/ 1967, 361)。

マンによれば、ケインズや、少なくとも危機のときに資本主義の病いを治すためには国家に頼るしかないと考えるすべてのケインズ主義者たちを駆り立てた恐怖は、「自分たちの掟しか認めない、反抗的な貧民の集団」である暴徒に対する恐怖なのです。ヘーゲルはNotrecht〔『法の哲学』の日本語訳では「危急権」〕と呼ぶもの、すなわち飢餓に直面しているとき生き残るために必要なものを取る権利を暴徒に認めています〔『法の哲学』一二七項〕が、彼ら(ケインズ主義者たち)は、そうした必要が生じるのを避けるために国家に目を向けているのです。

ネグリとマンは、貨幣の歴史を通じて、被害者として貨幣を観る観点から脱するために、それぞれ異なった見解を示しています。両者は、それぞれ異なった力を強調していますが、それはたがいに完全に相容れないものではありません。ネグリがロシア革命の影響を指摘するのは、確かに正しいのです。特に一九二六年の英国ゼネラルストライキの敗北の後には、革命への直接的な懸念は、文明の全般的な崩壊への懸念ほどには、知的ブルジョアジーの議題には上がらなかったのかもしれません。しかし、労働者階級の強さは、価格の非柔軟性を問題にするという形で、ケインズ理論に確かに入り込んでいるのです。労働力の価格である賃金を含む価格の完全な柔軟性を前提にしていたことは、ケインズが批判していた新古典派経済学の主要な要素だったのです。労働組合が強力な時代には、賃金の価格下方への柔軟性は明らかに通用しなかったのです。ケインズによれば、経済理論はこの事実を認識し、対処する必要があったのです。労働者階級の強さという要素は確かにケインズ主義の反応に組み入れられていましたが、おそらくそれは、より予測不可能で、したがってより恐るべきものである暴徒の恐怖のほんの一端に過ぎなかったのです。

希望の展望を求めるという点では、ネグリの解釈はより即効的な魅力を持っています。彼は、資本の支配に対抗し、資本の再構成を強いる、はっきりと目に見える主体を私たちに提示しているのです。革命的な主体が支配者を守勢に立たせます。歴史は下から変わるのです。マンのヴィジョンはトップダウンの歴史観であって、支配階級のエリートによって決定されるとするものです。しかし、下からの主体は、非常に大きな存在感をもって支配者の恐怖に映し出されているのです。この恐怖は、必ずしも目に見える形での具体性を持っているわけではありません。マンによれば、フランス革命の混乱とその後のテロルに対する恐怖が背景にある（ヘーゲルの場合は前景にある）とされていますが、それははっきりとした蜂起に対する恐怖ではないのです。それはむしろ、未知で予測できない存在に対する恐怖、暗闇の中の影に対する恐怖、私たちが潜在的恐怖と呼ぶものなのです。

ネグリの希望のイメージは、もっとはっきりとしたものです。それは、「そうだ！　俺たちも革命的労働者階級の一員なのだ！」と躍り上がろうぜ、という誘いなのです。マンの分析は、より両義的で、より解決能力が試されるもので、より多くの関連性を含んだものです。恐ろしいほどに多くの関連性が含まれています。マンは、自分はケインズ主義者であるとはっきり言っていますし、ケインズの暴徒に対する恐怖を共有しています。そして、マンは、左派を自称する人々の大多数は、確かに世界の北半部では、これと同じ立場をとり、危機の瞬間には文明を守るために国家に期待するという意味では究極的にはケインズ主義者である、と論じています。(2) ネグリがこの論文を書いたのは五〇年以上前、組織化された革命的な労働者階級がまだ侮れない存在だったころのことです。今、私たちがいる場所から、コロナウィルス流行の深みと破壊が明るみに出した姿から見れば、革命的労働者階級よりは「金持ちに対する、社会に対する、政府に対する内なる憤り」に満ちた「自分たちの掟しか認めない、反抗的な貧民の集団」である暴徒を問題にする方が、より適切であるように思われます。

今、私たちの関心を集めているのは、暴徒に対する恐怖です。ケインズ主義や危機の際の国家の介入の必要性について語るなら、私たちは、貨幣と価値の分離が進んでいること、過去四〇年間にわたる資本の虚構化の根底にある貨幣のフレキシブル化について語らなければなりません。暴徒に対する恐怖が、貨幣と価値とを引き離す遠心力になっているのでしょうか？　そして、私たち（親愛なる読者の皆さん、そして親愛なる著者の私）は、この暴徒についてどう感じているのでしょうか？

マンや、マンが自分と同じだと言っているほとんどの左翼と一緒になって、自分たちが暴徒を恐れていることを認めるのですか？　それとも自分たちこそ暴徒であると名乗り出るのですか？

暴徒。それは、おそらく、十分な報酬を得て教授職を享受している私たちが恐れるべき存在であります。インドでイスラム教徒を襲撃し虐殺した暴徒のことを考えれば、確かに恐れるべき存在であり、二〇二一年一月にトランプ支持者が米国議会を襲撃したことを考えれば、恐れるべき存在であります。しかし、二〇〇一～二年のアルゼンチン、二〇〇六年のオアハカ、二〇〇八年のギリシア、二〇一九年のチリ、二〇二一年五月のコロンビアの暴動とデモの一ヵ月間、あるいはパレスチナで爆発し続ける怒りを思い浮かべて考えてみます。火山のように、ほとんど予測不可能な怒りの爆発が、文明を守ろうとする人々から恐れられるのは当然のことです。

「暴徒は、貧しさに心の性向、すなわち金持ちに対する、社会に対する、政府に対する内なる憤りなどが加わったときにのみ生まれる」というヘーゲルの言葉は、希望の実体である digna rabia、すなわち「憤怒の尊厳」ということを考えずに、読むことはできません。私たちは、「金持ちに対する、社会に対する、政府に対する、内なる憤り」を共有しており、その憤りが、異なる種類の社会を創ることができるという希望に向かって、私たちを前進させているのです。私たちが直面しているディレンマは、すべての rabia すなわち憤怒が digna すなわち尊厳あるものとして、より良い世界の創造に向けて活動しているわけではない、ということです。その逆で、ファシズムの恐怖に向かう怒りもあるのです。

「全てが解体し、中心は自らを保つことができない」。第一次世界大戦直後に書かれたイェイツの詩「再臨」のこの有名な一節を引用して、現在の状況の脆さを表現することが、近年よく見られるようになりました。ケインズが価値と貨幣の結びつきを緩めることによって文明を守ろうとしたのは、本質的に、文明を崩壊させようとする遠心力に直面したときに、なんとかして中心を保とうとする試みだったのです。おそらく、マンのように、ケインズの味方をしなければならないと思うかもしれません。しかし、ここで忘れてはならないのは、ケインズが暴徒から守ろうとした文明は死の文明であるということです。

バーバラ・ブレジカは「暴徒と民衆と群集─語彙の研究─」という論文（Brzezicka 2020, 28）の中で、「暴徒」の概念と反アイデンティティ志向の政治との間の興味深い関係を示唆し、それを現在流行している「多様性」の強調と対比しています。

多様性のポリシーは常に、決定されたアイデンティティの閉じたカタログに依存しているのに対して、さまざまな rabble［ラブル］すなわち暴徒は社会秩序の外部にあるものとして主に否定的に描かれ、通常、肯定的な特徴を欠いている。rabble の未確定な複数性は多様性という規定を逃れ、だからこそ、ネグリとハートの解釈によれば、「アイデンティティ自体の廃絶を目指す」ラディカル・フェミニズムの革命的プロジェクトとみなすことができるのである。非自己同一性のアイデンティティである「クィア」（queer）という言葉に象徴されるように、「非自己同一化」の政治は革命的な可能性を秘めているのである。この意味で、暴徒はクィアである。なぜなら、暴徒はそのメンバーを異化し、いかなる安定した集団の同一化からも逃れているからである。また、ラブルは、同じ著者たちによって革命の担い手とされた「貧民のマルチチュード」からもそう遠く離れてはいない……。ネグリはもっと古いテキストで、マルチチュードは、何らかの超越的なアイデンティティを形成する統一概念（たとえば人民）のもとで考えられるのではなく、内在性の平面で、「表現できない特異性」として考えられる必要があるとはっきりと述べている。ここでいうアイデンティティとは、前述の社会集団の文脈を超えた、より広い意味でのアイデンティティとして理解することができる。「クィア」という言葉は、「私は誰なのか？」という基本的な問いに答えることを一切拒否するものとして理解することができる。なぜなら、その問いに対して与えられうるいかなる答えも常に既存の社会秩序によって決定されているからである。群衆に参加し「自分を見失う」ことは、さらに進んで、群衆やその参加者を名づけようとすること自体が経験に先んずるものであるがために、そうした問いを投げかけることさえも拒否しているものだと理解することができる。

「クィア」「あらゆる性的マイノリティにもLGBTにも当てはまらない性的アウトサイダー」という概念そのものが持つ「アイデンティティの漂流」（Roudinesco 2021）の力という問題はさておき、暴徒が持つ反アイデンティティの本性を強調することは重要です。そうした捉え方は、伝統的なアイデンティティ志向の労働者階級理解とは対照的であって、ナシオカ（Nasioka 2017）が二〇〇六年のオアハカや二〇〇八年のギリシアの叛乱の原動力として見た労働者階級に対抗するプロレタリアートという概念に再び近づけるものです。おそらく、すでに示唆したように、私たちは、暴徒というものを、自らの堤防を決壊させて内にあったものを氾濫させた労働者階級として考えるべきなのでしょう。ですから、労働者階級の〈内に〉あって、労働者階級に〈対抗〉し、労働者階級を〈乗り越え〉て、労働者階級から溢れ出るものとして、暴徒が存在しているのです。暴徒と労働者階級を対抗させて考えるとき、私たちは、個人個人の区別ではなく、資本の論理の打破を考えているのであって、すなわち、「私たちは労働したくないし、階級化されたくない」と言う労働者階級のことを考えているのです。ヘーゲル＝ケインズ主義的な暴徒への恐怖は、組織化された労働者階級への恐怖というよりも、既存の支配の論理が崩壊することへの恐怖なのです。それは、名づけることのできない、資本のアイデンティティ論理に当てはまらない識別不可能な世界に対する恐怖なのです。

労働者階級が自らの堤防を決壊させたとするこの暴徒という捉え方には、歴史的な要素があります。一九八〇年代に、組織化された労働者階級が世界の多くの地域で敗北したことは、階級闘争に終わりをもたらしはしませんでした。それどころか、労働者の側からではなく資本の側からの階級闘争の激化がもたらされたのです。人々を類別化する闘争、人間の生活を資本主義の論理のパラメーターの中に封じ込める闘争が起こっているのです。この闘い（「新自由主義」と呼ばれることもあります）は一定の成功を収めました。しかし、その成功によって、労働者を資本主義文明へ統合していく基礎となっていた労働者の制度的組織を破壊したり弱めたりすることにもなったのです。労働運動は、労働力商品の所有者としての労働者の防衛、すなわち支配的な権力構造の内部で行なわれる防衛の上に成り立っていました。この運動の敗北は、高失業率、賃金の低迷、不安定な生活の増大、国家の社会保障の削減など、確実に恐るべき結果を招いていきました。しかし、それは階級闘争を終結させるものではありませんでした。資本家の攻撃はこれまで以上に激しく続いていますが、その攻撃に対する反撃は、以前に比べて予測しにくく、火山の噴火のような様相を帯びています。組織化された労働者階級は、確かに重要な力として存続してはいますが、以前のようには行きません。労働者階級は、ある程度まで「暴徒化」し、予測できない危険な力、つまり、恐れるべき力に変質してしまったのです。

そう名づけられていようがいまいが、資本を動かしているのは恐怖なのです。一九二〇年代と一九三〇年代にケインズを動かしたのはこの恐怖でした。二〇〇八年の経験の後にガイトナーが鮮やかに表現したのもこの恐怖でした。現在のパンデミック・クライシスにおいて政策立案者を以前にはなかったような計り知れない水準の負債に追い込んでいるのも、間違いなくこの恐怖なのです。労働者階級に対する恐怖、「金持ちに対する内なる憤り」を持つ暴徒に対する恐怖、私たちが持つ「憤怒の尊厳」に対する恐怖、私たちが「もういい！」と言い出すかもしれないという恐怖。「もう資本はいらない、もう資本家はいらない。別のものを基に社会を創ろう！」と言い出すかもしれないという恐怖。そう、恐怖ですよ。私たちはすでにこれを百万回も違った言い方で言ってきたではないですか。

31 災厄の先送りは、政治経済学の中心的な原則である金本位制の放棄は、暴徒支配への道を開く

Après moi le déluge［我が亡き後に洪水よ来たれ］は、ルイ一四世の有名な言葉ですが［元はルイ一五世の愛人ポンパドゥール侯爵夫人の言葉とされる。一五世の誤りか？］、これが現代資本主義の核心なのです。我が亡き後に洪水よ来たれ。最終的には民衆が勝つだろう。だが、今はだめだ、今は！あるいは、ケインズが言うように、「短期的に平安であれば、それは大したものだ。私たちにできることは、災いを先送りすることだ。必ずしも遠くない未来に、何かいいことが起こるという希望を持って」（Mann 2017, 387–8; Keynes CW, xxviii, 61）ということになります。マンは別のところでこうコメントしています。「ケインズが言ったように、政治経済学の主要な機能は常に、結果的に『災厄を先送りする』こと、『時間を稼ぐ』ことである」（Mann 2017, 210）、「いずれにしても、古典的政治経済のポイントは、革命を防ぐこと、『災厄を先送りする』ことであった。それはまさに西洋文明の科学であった」（Mann 2017, 212）。

二〇世紀半ばに主流となった政治経済学は、災厄の先送り、時間稼ぎ、猶予の政治経済学です。

文明の「薄くて不安定な地殻」(1)は、「金持ちに対する内なる憤り」を持つ失業者によって脅かされていました。そこで、国家支出を拡大し、財政正統派の支持者が嫌悪する信用緩和を行なうことによって、失業者をなだめ、対立を先送りする必要があったのです。英国財務省の正統派支持者の一人であるニーマイヤーは、少し違った文脈で、「本当のアンチテーゼは……長期の視点と短期の視点の中間にある」(Clarke 1988, 38) と言っています。ケインズは、「この長期的な視点は、現在の問題に対する誤解を招くようなガイドである。長い目で見れば、我々は皆、死んでいる」として、長期的な視点を見事に否定しています。(Clarke 1988, 23; Keynes CW IV, 61, 65)。

ケインズの影響のもとで、そしてその背後にはロシア革命、労働組合の力、暴徒の恐怖の影響もあり、先送りは経済政策の中心原理となり、特に危機の時代にはそれが明確になりました。危機から再建への移行は、これまで見てきたように、社会的な対立を伴うものです。当時の社会情勢を考えると、このような再建を市場の運営に委ねるわけにはいかなかったのです。国家が介入しなければ、文明の「薄くて不安定な地殻」が崩れる可能性が現実に非常に高かったのです。しかし、国家による介入は、本質的に貨幣の緩み、公的・私的信用の拡大を意味していましたから、正統派の擁護者たちは、それがシステムの長期的な不安定化を招くことを恐れて認めませんでした(そしてもちろん、それは正しかったのです)。彼ら正統派にとって、健全な金融システムの大きな利点は、それが「フェイルセーフ」なことなのです。つまり、信用を一方的に拡大しようとする社会的圧力に対して貨幣の安定性の維持を信頼して任せることのできない政治家に対して、このシステムは対抗することができるのです。フィリップ・コガンは、金本位制支持派の主張をオデュッセウスとセイレーンになぞらえています。

セイレーンとは、ギリシア神話に登場する歌姫で、その甘い歌声で船乗りを誘い込んで岩に座礁させることで有名である。オデュッセウスは乗組員の耳を蝋で塞ぎ、自分も身体をマストに縛りつけて、セイレーンの歌が聞こえても、船を災難に遭わせないようにした。多くの銀行家の頭の中では、金本位制は同じ役割を担っていた。……貨幣を発行する力は、政治家にとってあまりにも魅力的で、すぐに濫用されてしまうものだったのだ。貨幣の価値を金に結びつけることは、オデュッセウスをマストに結びつけるようなものだったのである（Coggan 2012, 70）。

国家を金本位制に結びつけることとは、貨幣を価値生産の現実に結びつけることでした。「旧世界の党」（ケインズは金本位制支持派をそう呼びました）が守る「健全な貨幣」（sound money）とは、実際に生産されている価値の表現からあまり大きく外れないような貨幣のことだったのです。しかし、暴徒の脅威を封じ込めるために国家によって行なわれる貨幣の拡張は、オデュッセウスの縛めを緩め、それによって貨幣と価値生産との絆を緩めることを意味していたのです。

このプロセスには、ネグリの議論に欠落しているもう一つの側面があります。ネグリは、国家の再考と再編という観点からケインズの重要性を提示しています。すなわち、計画立案者国家としての国家への再編、すなわち未来を守るために積極的に介入する国家への再編です。労働者階級の力の増大は、資本家階級をより強い組織へと進ませます。それが、より全体化された、全体主義的な組織としての社会国家なのです。それはそうなのです。しかし、介入型国家の強化は、貨幣の脆弱性の増大を伴うという重要な点が欠落しているのです。これらは同一のプロセスの二つの面なのです。国家の強化は、国家を価値から特殊化することをその限界まで推し進めるのです。それは、資本を虚構の世界へと深く深く押し込んでいくのです。このことは、二〇〇八年の金融危機や今日のコロナウィルス危機に対する反応が何よりもはっきりと明らかにしました。

金本位制の復活とその後の放棄をめぐる衝突は、貨幣の象徴化を進めることと貨幣を金という実体に固定化することとの対立でした。国家が社会でより積極的な役割を果たすためには、貨幣によって課せられていた規律をもっと柔軟にする必要がありました。そのためには、貨幣とその実体である金との結びつきを緩めなければなりませんでした。貨幣の象徴化をもっと進めなければならなかったのです。

国家の強化と貨幣の象徴化との関連は、これまで見てきたように、ジンメルがすでに認識していました。彼は、貨幣の象徴化は、強力な国家体制の発展に依存していると主張しました。金によって提供される保証は、国家からの約束という保証に置き換えられることになります。そして、この保証は、国家が貨幣に見合う価値を提供するという約束が果たされると信頼されている場合にのみ機能することになるのです。システムが機能するためには、国家通貨が「金と同じくらい良好なもの」でなければならず、そのためには強力で信頼性の高い国家機関が必要です。しかし、逆もまた真なりで、貨幣の象徴化が強い国家を必要とするだけでなく、国家の強化が貨幣の象徴化を必要とするのです。

ジンメルが執筆していた当時、そしてもちろんマルクスの時代にも、貨幣は金によって裏打ちされていました。銀行券の所有者は、銀行に対して金と等価なものを要求することができたのです。このため、紙幣と信用の拡大には限界がありましたし、また、国家支出にも制約がありました。一九二〇年代と一九三〇年代のヨーロッパとアメリカにおける政策論争の中心は、金本位制の復活と放棄の問題でした。金本位制は、第一次世界大戦中、戦争遂行に必要な国家支出の大幅な増加を可能にするため、交戦国によって放棄されました。終戦後、金本位制の復活は「旧世界の党」つまり戦前と同じ政治パターンを取り戻そうとする人々の中心的な要求のひとつでした。ケインズたちは金本位制への復帰に強く反対しましたが、「旧世界の党」が勝利し、一九二〇年代半ばに金本位制が復活しました。しかし、保守派の勝利は長くは続かなかったのです。一九二九年の大恐慌と一九三〇年代初頭の恐慌の深刻化により、すべての政府に対して、社会的苦難を緩和し、収益の回復を促進するために、より積極的な介入を求める圧力が高まっていったのです。そのためには、通貨制度に柔軟性を持たせ、公的・私的な信用を拡大することが求められました。そのためには、金本位制を放棄することが必要でした。それによって、各国の通貨は、世界市場の競争圧力から相対的に解放され、自由に通貨を発行することができるようになったのです。この貨幣の柔軟化が、ニューディールの政治と、後に一九四五年以降の世界でケインズ主義として確立されるものの基礎となったのです。

金本位制の廃止は、「旧世界の党」の激しい反対を押し切って実現されました。米国民主党の有力者バーナード・バルーク[2]は、そのときの危惧を見事に表現しています。

これを是認するなら、暴徒が支配するようになるしかない。この国はまだ気づいていないかもしれないが、やがてフランス革命よりも激烈な革命に遭遇したことに気づくことになるのではないか。群集は政府の座を奪い、富を奪おうとしている。法と秩序への敬意は失われた(Schlesinger 1959, 202からの引用)。

バルークの言葉には、荒唐無稽とはとても言い難いものがあります。彼は、ネグリの分析に欠けているものを非常に明確に述べているのです。ネグリの主張は、労働者階級からの圧力がケインズ主義的な再編と国家の強化につながったというものでした。バルークは似たようなことを言っていますが、反対側を表現しているのです。群集(あるいは「暴徒」)の圧力の下で国家を強化することは、貨幣の支配を弱め、敵(群集、暴徒)を資本の中枢に引き入れることを意味すると言っているのです。これは、貨幣の象徴化の根幹に関わる議論なのです。貨幣の実体(金)を国家の裏付けがついた紙に置き換えれば、国家が、それがどういうものであろうが、何らかの社会的圧力に応えて簡単に貨幣を印刷するようになることを止めるものは何もないということなのです(3)。そうすると、金融と商業のシステム全体を支えている確実性と信頼の枠組みを壊してしまうことになるのです。これは、商品交換に必要な保証を提供するという、国家の最も基本的な機能を損なうものです。国家を強化することでシステムを強くするのと同じプロセスが、貨幣の規律を弱めることでシステムを脆くしてしまうことにもなるのです。現在の視点から見ると、バルークは、「暴徒はわれわれを虚構の世界に追いやる」、あるいは、「暴徒は慢性的で致命的な病いとしてわれわれの中に入り込んでくる」

と、資本家の仲間に警告を発しているかのように見えます。

「健全な貨幣」の原則を捨てるということは、信用を拡大し、まだ創造されていない価値の一部を約束することが必要だと認めることだったのです。それは、バルークたちが警告したように、今日の資本主義の中心的な特徴である擬制資本の巨大な膨張の基礎を築くことだったのです。

この問題を危機の観点から見ることができます。私たちは、危機の分析において、危機から資本の再編成への移行は当然視されるものではないこと、その移行のプロセスには常に、資本主義的社会関係の再生産そのものが問題とされる闘争の激化が伴うことを見てきました。マルクス主義の伝統の中では、危機と再編成の区別をほとんど無視して、危機-再編とハイフンでつなげるもののようにに見ている者が多いのに対して、この移行の難しさを自覚していたのがケインズだったのです。要するに、彼はこう言っているのです。「危機から再建への移行は、困難で危険なプロセスであり、文明の薄くて不安定な地殻が危険にさらされているのである。危機が生み出した失業率の上昇が長い間受け入れられていることはありえないからだ。われわれは、未来から資源を投入することで、そのプロセスを円滑にしなければならない。なぜなら、当然のことながら、危機的状況にある現在は十分な価値を生み出さないからである。未来から借りても、問題はない。長い目で見れば、皆死んでいるのだから」。ところが、いまは危機の時間的性質が変化し、危機は長期化し、管理された先送りの過程となりました。(4) マンが指摘しているように、危機が激化するたびに、理論や思想をよく検討することもなしに、このケインズが復活しているのです。それは二〇〇八年のパニックにも、現在のコロナウィルス危機にも、そして前例のない規模の国家介入と信用拡大を行なった米国のバイデン政権の反応にも見て取ることができます。このような状況では、結果が明示されることはほとんどないにもかかわらず、介入しなかった場合の結果に対する恐怖の津波のようなものが起きているのです。

危機の長期化は、過剰蓄積の長期化なのです。利潤率の低下は、資本の過剰蓄積と見ることができます。生産される剰余価値に対して資本が過剰なのです。そのため、多くの資本が利潤を得ることが困難になっています。古典的な危機は、この過剰蓄積を解消し、非効率な資本と非効率な労働者を排除するわけですが、同時に、このことによって暴徒の危険が現実のものとなりうる状況を作り出すのです。危機を回避するための国家介入は、一般に、過剰蓄積を長引かせ、非効率な資本（あるいは「ゾンビ資本」）と非効率な労働者を延命させる効果を生みます。危機の長期化は、市場の規律（価値法則）を弱めるので、結局、抽象的労働、言い換えれば疎外された労働の危機、つまり、人間の活動に対する資本の支配の危機を長引かせます。

危機の解決に変化が起きています。「一九世紀には、農産物価格の下落や鉄道などの産業の過度な拡大により、短くて急激な不況が何度も起こった。しかし、経済は崩壊するのと同じくらい早く回復していた」（Coggan 2012, 89）。「創造的破壊」の周期的なプロセスは予測可能な形で機能して、危機と再編が時間差なく連続することは正しいのだとある程度まで証明することができたのです。ところが、一九二〇年代と一九三〇年代には、こうした危機のメカニズムが円滑に機能することを妨げるような事態が起きたのです。フーバー大統領の下で財務長官を務めたアンドリュー・メロンは、こうした危機に対してシンプルな解決策を提案しました。「労働を清算し、株を清算し、農民を清算し、不動産を清算する。システムから腐ったものを一掃するのだ。高額な生活費と高級な生活はなくなり、より道徳的な生活を送るようになる」（フーバーの回想録で語られている：Coggan 2012, 96）。しかし、それまでのような解決策は、もはや不可能でした。無視できない膠着状態、袋小路が生まれていたのです。この行き詰まりは、ロシア革命、労働組合の力、危機が生み出した予測不可能な暴徒たちによって生み出されたものでした。この閉塞状態や行き詰まりは、第一次世界大戦後、多くの国々で拡大した民主主義にも起因していました。民主主義は、資本から見るとあまり信頼できず、大衆の圧力に左右されるような政治家を生み出したのです。このことは、一九七〇年代のインフレーションの時代にはっきりとしました。このとき、サミュエル・ブリタンは『民主主義の経済的帰結』という大きな影響を与えた本を書いています。一九三〇年代以降、そして一九七〇年代以降、時代はそれぞれ以前の時代とは政治的に変化しています。労働者階級の力、あるいは暴徒の存在感ははるかに薄れています。しかし、資本主義システムの再生産の条件として負債が絶えず拡大していることは、金本位制が放棄されたときに貨幣そのものに入り込んできた群集という要素が、依然として非常に大きな存在としてあることを示しています。

私たちは、ケインズが「長い目で見れば」と言った時代に生きているのです。「旧世界の党」が予言したように、債務を作り出すことによって危機を先送りしていく積み重ねが、脆弱で不安定で暴力的な資本主義を生み出した世界に生きているのは、私たちなのです。このプロセスにおいて、私たちは単なる犠牲者ではありません。私たちは押し進んできた労働者階級であり、恐るべき暴徒であり、貨幣に参入してきた群集なのです。私たちは、文明の薄い地殻を下から突き破ろうとする破壊的なうねりであり、その文明は、その合理性の外見とは裏腹に、私たちを絶滅に向かわせようとしているのです。

32 戦争は資本の黄金時代を作り出したその危機は金と貨幣の結びつきを断ち切った

私たちは、危機にどう対処するかという議論の中で、ケインズ主義を問題にしてきました。その一方で、メロンの「すべてを清算せよ」という助言に表れている「健全な貨幣」を守ろうとする反応があります。これに従えば、規律を回復し、非効率な資本、非効率な労働を排除し、資本の過剰蓄積を解消するということになるのでしょう。これが、シュンペーターが危機の本質と見なした「創造的破壊」なのです。これに対して、ケインズ主義者の主張は、社会的勢力が変化した、時間を稼がなければならない、国家が介入して信用を拡大し、非効率な資本や労働者の淘汰を避けるか、少なくとも遅らせなければならない、というものでした。危機の解決を先送りし、資本の過剰蓄積と共存することを学ばなければならないというわけです。これはしばしば技術的な問題であるかのように提示されてきましたが、もちろん、そうではありません。資本の立場からすれば、資本の再生産に対して降りかかってくる社会的脅威をどう受け止めるかという問題なのです。私たちの立場からすれば、貨幣の核心部分に私たちの力がどのように働いているのかという問題なのです。

一九三〇年代、特にルーズベルトのニューディール政策のもと、アメリカで徐々に受け入れられていったのは、ケインズと結びついたより柔軟なアプローチでした。トロンティの印象的な言葉を借りれば、「ケインズ卿は実はアメリカの経済学者である」（Tronti 1976, 15）ということなのです。しかし、ケインズ主義が危機への解答を与えたと考えるのは間違いでしょう。ニューディール時代の景気回復は短期間で終わったのです。一九三九年のアメリカでは、まだ一〇〇〇万人の失業者がおり、民間投資は一九二九年の水準の三分の一にまで落ち込んでいました（Mattick 1978, 138-9）[1]。危機はケインズ主義の政策によってではなく、彼が最も恐れていた「文明の薄くて不安定な地殻」の破断によって解決されたのです。過剰蓄積は、「すべてのケインズ主義者の中で最も偉大なものである死」によって解決されたのです（Mattick 1978, 142）。

戦後二〇年余りは、「資本主義の黄金時代」「ケインズの時代」と呼ばれる時期が続きました。一九三〇年代の論争にケインズが勝利したのは明らかでした。ケインズ主義的な政策が規範として広く受け入れられていました。この時代は、急速な経済成長と低失業率を両立させ、多くの国で国民全体に最低水準の福祉を提供する社会政策が実施された時代でした。不可能なことが実現し、みんなが許容する正しい資本主義が達成されたかのように思われたのです。労働組合は国家に深く組み込まれ、政策決定において重要な発言力を持つようになりました。「暴徒」は依然として周縁には存在していましたが、福祉国家ができることによってその数は減り、脅威も少なくなっていきました。依然として景気の変動はありましたが、深刻な経済危機は起こりませんでした。富の不平等は続いていましたが、一定の再分配は行なわれていました。奇跡が起きたようだったし、実際、ケインズ主義の福祉国家は、いろいろな意味で驚くべき成果を示したのです。こうして多くの人々にとって希望は地上に到来し、資本主義からの脱却は後景に退きました（もちろん、ソ連の現実は、これから革命を起こそうとする人々への警告となったわけです）。

しかし実は、ケインズ革命は、戦後の好景気にはそれほど関係がなかったのです。資本の再編成は、戦争を通じた五〇〇〇万人をはるかに超える人々の虐殺、ファシズムと軍国主義による新しいレヴェルの社会規律の押しつけ、そして膨大な物質的破壊によって達成されたのです。これに加えて、フォーディズムに結びついた工業生産と労働プロセスの普及がありました（Clarke 1988, 267ff.）。サイモン・クラークが指摘するように、「ケインズ派の政策は好景気を促進する上で積極的な役割をほとんど果たさなかった」（Clarke 1988, 280）のです。完全雇用政策を伴ういわゆる「ケインズ型福祉国家」は、戦争によって可能となったのです。このような状況下で、政策論は背景に退いていきました。

> ケインズ主義が国家の正当なイデオロギーとして採用されたのは、政府が好況を自分の手柄にするためであった。そのため、ケインズ主義を古典派経済学者から分かつ実質的な論点は、蓄積が壁にぶつかることによって政府が完全雇用と物価安定との間のディレンマに直面するまでは、問題にならなかったのである（Clarke 1988, 281）。

第二次世界大戦後、金本位制に戻るという話は出なかったのですが、それにもかかわらず貨幣に金という重しをつけることは、戦後の好景気にとって不可欠な要素だったのです。大戦間期には、一九三〇年代前半に各国の金本位制が崩壊した後、別々の通貨圏の設定や一九三六年のフランス、イギリス、アメリカによる三国間協定によって、ある程度の秩序が確立していました。しかし、戦後になって、新しい国際通貨秩序が確立されたのは、一九四四年にブレトン・ウッズ協定が成立し、一九四七年から実質的に運用が開始されることになってからのことでした。

ブレトン・ウッズ体制は、国際貨幣の支配と労働側の力の承認（あるいは暴徒に対する恐怖）を調和させることを目指したものでした。それは、ドルを国際通貨の鍵とするという合意に基づいてシステムを構築することによって成立しました。国際通貨としてドルと金を交換可能にして使用し、ドルは一定の平価で金に交換できるようにしたのです。各国の通貨は、基本的な不均衡が生じた場合にのみ変更可能な固定為替レートによってドルに結びつけられました。新しい国際通貨基金（IMF）は、短期的な不均衡を克服するために資金を提供することになっていました。

この制度の効果のひとつは、国際的な貨幣の流れに、ドルのインフレーションに対する柔軟な対応を導入したことでした。エルネスト・マンデルが言うように、「第二次世界大戦の戦勝国である帝国主義勢力は、ブレトン・ウッズにおいて国際通貨制度を確立し、それは、その時点でそれぞれの国家規模で受け入れられていたインフレーション的信用拡大の国際版の基礎を提供するように設計されていた」（Mandel 1975, 462）のです。大衆の力は、今や国際的な資本の流れの中に組み込まれていったのです。これは、オデュッセウスをマストに縛りつけるシステムなのですが、それがより緩やかな縛りで行なわれたわけです。各国の通貨が金と直接結びついているのではなく、一定の変動幅を許容する固定為替レートによってドルと結びついているということは、各国政府が、資本の逃避によって直ちに制裁を受けることなく、社会の圧力に対応する余地があることを意味しています。国際収支の危機と、それに伴う通貨切り下げの危険性あるいは現実性を通じて、依然として規律は強いられていましたが、国レヴェルでの信用拡大にはより柔軟性があったのです。また、このシステムは、ドルが国内通貨と国際通貨の二重の役割を果たすことで、米国の信用インフレが国際システムに不安定要素として入り込むことを確実にするシステムでもあったのです。

新しい金融秩序とケインズ政策全般は、好況が続く限り、大きな矛盾もなくうまく機能しました。しかし、一九六〇年代に入ると、戦争を通じて達成された経済的・社会的な規律の効果が弱くなり、困難が生じるようになりました。世界各地での社会不安の高まりとヴェトナム人民の闘争が相まって、ドルと金との関係は大きな緊張を強いられることになりました。ヨーロッパの復興資金とアメリカの商品購入のためのドルの供給が拡大した結果、ヨーロッパにドル準備高、いわゆるユーロドルが蓄積され、それが国家のコントロールの外に存在していたことで、ドルの脆弱性はさらに高まっていきました。利益の減少に対応するために信用を拡大しつづけたこと、世界的な社会不安抑制のための費用（その中には特にヴェトナム戦争の費用が含まれていました）が増大したことによって、ドル保有者がドルを金に換えて安全を求めるようになり、不安定さがますます増していきました。一九七一年八月、ニクソン政権は、ドル保有量と金準備高との間に莫大な格差があることから、ドルの金への兌換を無期限に停止することを発表しました。一九七一年一二月のスミソニアン協定で公定歩合制が確立されましたが、これも投機圧力が強く、一九七三年三月に固定相場の原則は放棄されました。

金は、不安定な時代において、投資家にとって安全な避難場所として依然として重要ではありますが、国の政策に直ちに影響を与えることはないため、今では影が薄くなってしまっています。貨幣の価値への固定は、主要な中央銀行、特に米国の中央銀行として知られるFRB（連邦準備制度理事会）に事実上委ねられることになりました。貨幣の管理を政治的圧力から隔離するために、中央銀行の政府からの独立性を確保する措置が各国で次々と取られましたが、この独立性は金の代わりを十分に果たせるものではありませんでした。

「健全な貨幣」を守ろうとしていた人たちが恐れていたことが現実となったのです。オデュッセウスをマストに縛っていた縄はほどかれました。束縛が解かれたのは、社会的な圧力によるものでした。一九六〇年代の社会不安は、貨幣管理を劣勢に立たせ、より弱く、より脆い立場へ追いやったのです。

33 ボルカー・ショック
健全な貨幣を強いる最後の試み

一九二〇年代から三〇年代にかけてケインズに対する反対派が「長期的展望」から見て警告していた事態は、一九七一年のブレトン・ウッズ体制崩壊後に本当に始まることになったのです。

金とのリンクが切れると、たちまち保守派が恐れていたとおりの展開になっていきました。一九七〇年代は、世界的に高インフレの時代でした。[1] 米国では、一九七〇年代末に年間インフレ率が一三%に達していました。英国では一九七五年に二六%に達しました。これらは、先進資本主義国としては歴史的に高い数字でした。金との結びつきがなくなったことで、社会的な圧力が続く中、少なくともこの一〇年の前半は、柔軟な金融政策によってその圧力に対応することができました。失業のほうがインフレよりも悪いという考え方は、依然として金融政策に影響を及ぼしていました(Irwin 2013, 65)。比較的高いレヴェルに雇用を維持するための財政・金融政策(ひいては労働組合の交渉力)は、消費財の需要に影響を及ぼし、物価上昇につながったのです。

一九七〇年代末になると、この状況は一変しました。インフレは「公共の敵ナンバーワン」と見なされるようになったのです。[2] なぜインフレがそんなに問題視されるようになったのでしょうか？コガン（Coggan 2012, 145）は、その問いに答える手がかりを与えてくれています。「ブレトン・ウッズ体制の崩壊によって、貨幣は金との結びつきから解放された。……貨幣の定義をめぐる争いの結果として考えれば、これは貨幣の主要な機能は交換手段であって、価値の貯蔵ではないと考える人々の勝利でもあった」。貨幣の機能を交換媒体と考えるならば、紙は金と同じかそれ以上のものです。貨幣が金と切り離されることによって脅かされるのは、価値の保存としての役割なのです。しかし、資本とは価値の絶え間ない蓄積なのです。貨幣が価値の蓄積として機能しなくなれば、資本そのものが損なわれてしまうことになります。一九七〇年代のインフレは、その脅威（一九二〇年代と一九三〇年代の「健全な貨幣」支持派が懐いていた大きな恐怖）をはっきりとさせました。また、インフレによって債務が切り下げられたため、債務者が債権者に対して有利になり、（債務を多く持つ傾向のある）若者が（債務をあまり持たない傾向のある）高齢者に対して有利になったのです。そして、一般的に言って、労働者などが物価の上昇に見合うだけの収入を得ようとするため、不安と対立の雰囲気が助長されたのです。一九六八年に引き起こされた動揺は、一九七〇年代に入っても続くことになりました。

このインフレは、一九七〇年代末に起こった急激な変化を許し、また強いる条件を作ることに貢献したのです。この時期には、経済理論としての「マネタリズム」の影響力が高まり、ケインズ主義への信頼が失墜しました。また、レーガンやサッチャーの選挙勝利に代表される右派の政治的擡頭や、中国の鄧小平の影響力の増大も非常に重要な出来事としてありました。しかし、その方向転換の中心にあったのは、いわゆる「ボルカー・ショック」だったのです。

一九七九年一〇月、新たにFRB議長に任命されたポール・ボルカーは、アプローチの変更を発表しました。アメリカ銀行協会での演説で、銀行家たちの聴衆に、ボルカーはこう語ったのです。「何年にもわたるインフレの後、長期展望はついに我々に追いついたのだ」(Greider 1987, 104)[3]と。第一次世界大戦後、「旧世界の党」が警告していたことが現実となったのです。インフレによって貨幣が弱体化されていたのです。「健全な貨幣」という考え方を強めることがどうしても必要になったのです。金との結びつきがない状況のもとでは、「健全な貨幣」はFRBによってのみ実現されるものでした。

「健全な貨幣」は、ミルトン・フリードマンが関わるマネタリスト学派の経済学の理論を採用することによって課されることになりました。FRBは金利に注目する代わりに、マネーサプライに注目することになったのです。FRBは、必要な貨幣の量を発表し、そこに到達するために必要に応じて金利を調整するのです(Irwin 2013, 69)。通貨供給量を制限することで、FRBはインフレを食い止め、「健全な貨幣」を回復させることができるだろうというわけです。FRBは直ちに金利を一%引き上げ、その後数ヵ月、数年の間にさらに引き上げを続けました。ケインズが主張したような反循環的な政策を追求する代わりに、中央銀行(他の銀行もこれに続きました)は循環的な政策を追求し、危機を拡大させたのです。

その効果は劇的でした。方向転換は事実上一九三〇年のアンドリュー・メロンの勧告にさかのぼるものでした。「労働を清算し、株を清算し、農民を清算し、不動産を清算する」というものだったのです。あるいは、グライダーは、ソースタイン・ヴェブレンの言葉を引用して、それは「無辜の民の虐殺」であったと言っています（Greider 1987, 454）。「信用収縮」と呼ばれるこの現象は、建設活動を停止させ、多くの農家を廃業に追い込み、失業率を上昇させました。「アメリカンドリームを破壊している」とアイダホ州のジョージ・ハンセン共和党下院議員は言いました。建築業界誌はボルカーを「何百万もの中小企業の計画的かつ冷血な殺害」を行なっていると非難しました（Irwin 2013, 71）。一九八二年には約六万六〇〇〇社が倒産を申請し、一九二九年から三二年の大収縮期以来の高水準となりました（Greider 1987, 455）。

ＦＲＢが一九八〇年、一九八一年、一九八二年と政策を長引かせるにつれて、政治的な反転圧力が高まっていきました。理論的にはマネタリストの政策にコミットしていたレーガン政権でさえ、変更を求める圧力をかけはじめ、ＦＲＢの独立性を廃止する法案を提出すると脅したのです（Greider 1987, 490）。アーウィンは、「一九八一年、高金利に憤慨しているという一人の男が、ＦＲＢ本部の警備員の前を、ソードオフ・ショットガン、ピストル、ナイフ、偽爆弾を持って突っ切った」と報告しています。「男は、メインボード室の手前でガードマンにタックルされた。そして、ボルカーに初めてフルタイムの警備がつけられることになった」（Irwin 2013, 70-71）。この男の計画は、「総裁たちを人質にとり、報道機関に連邦準備制度が国に対して行なっていることに注目させること」だったらしい（Greider 1987, 461）とされています。結局、ＦＲＢは一九八二年六月に政策を撤回し、その後数ヵ月の間にマネーサプライは急拡大しました。マネタリズムは金融政策の指針としては放棄されたのです。

ボルカー・ショックは、私たちの議論にとって重要な意味を持っています。それは、これがブレトン・ウッズ体制が崩壊して金との結びつきが断たれた後、「健全な貨幣」を導入する唯一の試みだったからです。それは、資本の危機を先延ばしにするのではなく、それに正面から立ち向かうという意味を持った、今までで本当に最後のグローバルなレヴェルでの試みだったのです。このほかにも、一般に国家間の資本誘致競争の一環として、特定の国の国家レヴェルで貨幣に厳格なルールを課そうとする試みはいろいろありましたが[4]、実質上の国際通貨であるドルのレヴェルでは初めてのことだったのです。

この攻撃は極めて効果的であると同時に、維持することが不可能だったのです。「規律は発揮された」(Greider 1987, 507) のです。賃金と物価は強制的に引き下げられ、物価上昇率は一三%以上から四%未満にまで低下しました。主流の経済学者にとって、「ボルカー不況は偉大な事業のための舞台を整えた」(Irwin 2013, 71) ものでした。それは間違いなく、その後に続くべき「偉大なる節度」に寄与するものでした。しかし、それは限界に達してしまい、それ以来、同じような規律を貨幣に対して課そうとする試みは行なわれていません。それどころか、過去四〇年間は、反対に、貨幣の膨張によって危機を回避する方策、価値生産における「健全な」基礎からの貨幣の分離を拡大していく方策が特徴になってきたのです。ボルカーは確かに暴徒の恐怖に立ち向かいました。だが、限界に直面してしまい、彼の功績がいくら経済学者に賞賛されても、(少なくとも二〇二一年末までに)それを繰り返そうとする試みは現れないのです。

では、ＦＲＢが一九八二年七月に「健全な貨幣」政策を放棄せざるを得なかった限界はどこにあったのでしょうか？　そこには恐怖があったことは確かです。連邦公開市場委員会（ＦＲＢを実質的に支配する機関）の中で一貫してボルカーの政策に反対していた唯一のメンバーであったナンシー・ティータースは、「私は怖かった。他のみんなもそうでした。……結局はそういうことだったんです」と述べています（Greider 1987, 466）。ガイトナーが二〇〇八年に感じた恐怖をドラマチックな形で表現したように、その恐怖が具体的にどういうものだったのかが示されることはほとんどありません。一九一七年の残響がまったくなかったとは思えないものの、その恐怖は労働者階級による革命に対する恐怖心ではなかっただろうと思われます。しかし、武装した男がＦＲＢを襲撃しましたし、それだけでなく、労働組合と資本家グループの両方を含むさまざまな団体による多くのデモや宣言が行なわれており、そうした行動に表れた社会的怒りの高まり、暴徒に対する恐怖があったことはほぼ確実です。ティーターズはＦＲＢの議論に異論を唱えた時のことを振り返って言っています。「私はＦＯＭＣ［連邦公開市場委員会］でレクチャーをしました。……私は彼らに言いました。『あなた方は、この国の金融の布地を、破れるほど強く引っ張っているのです。一度破れた布地を元に戻すのは非常に難しい、それがほとんど不可能だということを理解すべきです』と」。グライダーはそれを、「多くの人間関係を手当たり次第にばらばらにしてしまうこと、つまり人々や組織が依存していた社会的・経済的つながりの複雑で持続的な網を切断してしまうことが引き起こす測定不能なコスト」と表現しています。「一度壊されると、その網は修復不可能なまでに失われてしまうかもしれない」と言うのです（Greider 1987, 465）。これは、間違いなく、米国においてボルカー・ショックが与えた長期的な影響であったと言えるでしょう。

ボルカーと彼の周辺の経済学者たちは、ケインズのような社会的感性を持ち合わせてはいませんでした。経済学者として受けた教育とＦＲＢの制度的な独立性が壁になって、彼らは暴徒の恐怖からある程度隔てられていたのです。社会的圧力が金融破綻の可能性に変換されたとき初めて、彼らはついに「健全な貨幣」への信奉を放棄せざるを得なくなったのです。ボルカーの盟友がこうコメントしています。

ボルカーは金融制度保守派だし、それが彼の考え方を決めているんだ。彼が最も気にするのは、金融界の混乱なんだ。それが彼の頭にあるんだ。ボルカーは、高すぎる失業率が長く続くのを見たら、万一に備えておくかもしれない。だが、もし金融システムに脆弱性が見つかれば、彼はすぐに動く（Greider 1987, 517）[5]。

結局、「健全な貨幣」を課す試みを断念せざるを得なかったのは、銀行家が富を失うということだけでなく、社会が混沌とした状態に陥るという金融災害への恐怖があったことは間違いないでしょう。この場合、それは社会不安が世界の金融システムに入り込んだ結果でもあるのです。低金利と金融緩和のシステムに対するマネタリストの攻撃は、一九七〇年代に多額の借金をした米国内の人々の破綻を意味しただけでなく（Bonefeld 1995, 48）、国際金融システム全体を脅かすものでした。なぜなら多くの国々も一九七〇年代の低金利でドルを借りていたため、ＦＲＢが導入した高い金利では借金を返済することができなくなっていたからです。メキシコは、他の多くの国々と同様、一九六八年から一九七〇年代初頭にかけて起こった大規模な学生叛乱や社会叛乱の影響を抑えるため借入した多額の借金を抱えていました。資金の多くは米国の大手銀行から借りられていたため、メキシコが債務不履行に陥れば、これらの銀行、ひいては米国の金融システムが危機にさらされることになったでしょう。そして、メキシコがデフォルトに陥れば、他の多くの国々もそれに続くことは明らかでした。結局、この金融崩壊の恐怖が、ＦＲＢにそれまでの政策を放棄させたのです。

一九八二年にメキシコがデフォルト寸前まで追い込まれると、世界的な信用関係は大きく崩れ、米国を中心とする先進国の政府当局は金利を大幅に引き下げ、マネタリストの「経済」政策を放棄して信用拡大を復活させた。一九八二年までに世界規模で擬似ヴァリデーションを復活させるという巨大な関連パッケージによって、大不況の危機は回避された（Bonefeld 1995, 49）。

それ以来、擬似ヴァリデーション、擬制資本が世界を支配するようになったのです。ケインズがまだ意識していた暴徒の恐怖は、経済学者の頭の中では財政破綻の恐怖に変換されていましたが、実質的に同じことなのです。災厄の先送りが経済政策の原則なのです。我が亡き後に洪水よ来たれ。心配するな、長い目で見れば、我々は皆、死んでいる。負債の絶え間ない膨張を通じた、生産されていない価値の疑似的検証と擬制的検証、危機の先送りは、資本主義発展の核心にあるものなのです。一九八二年六月以来、「健全な貨幣」を回復する組織的な試みは行なわれず、資本の再生産には債務の絶え間ない拡大、すなわち価値生産とその貨幣表現との間のギャップの拡大が必要であることが、実際上受け入れられてきたのです。リピエッツの「崖の端を行き過ぎてまっすぐに空中を歩いている漫画のキャラクター」のイメージで言えば、このキャラクターはボルカー・ショックで危険を察知して引き返し、足元が安全な地面にたどり着こうとして闘ったけれど、三年間の必死の努力の末にそれが不可能であることに気づくしかなかった、というようなものです。それが実行できなかったのは、社会的な怒りの高まりが起こったため、また金融崩壊が世界中に引き起こす社会的混乱を恐れたためでした。漫画のキャラクターが取りうる選択は、このまま引き返し、虚空を歩きつづけることしかなかったのです。

例えば、アルベルト・ガッロが著した「中央銀行が資本主義を壊した」(Gallo 2019) という印象的なタイトルの論文のように、多くの評論家は、信用の持続的な増加は政府や中央銀行による誤った政策の追求に起因すると考えています。[6] さらに興味深いのは、負債を基盤にした経済の発展には自律的なダイナミズムがあり、いったん負債の膨張を前提とした経済になってしまうと、元に戻すことはほとんど不可能だという議論です。ラチェット効果というものがあるというのです。「経済がいったん過剰な債務を抱えると、それを取り除くことは不可能に思える」(Turner 2016, 12)。この考え方は、いわゆる「ミンスキー効果」[経済においては「安定性が不安定性を生み出す」という効果]と結びつけて考えられている場合もあります。ハイマン・ミンスキーは、負債によるスパイラルは金融市場に内在するものだと主張しました。他の市場では価格が上昇すれば需要が減少するのに対し、金融市場の場合はその逆である、というのです。つまり、資産(株式など)の価格が上昇すると、買い手にとってより魅力的になる傾向があるため、暴落が起こるまで価格が上昇しつづける傾向があるというわけです。一九八二年メキシコのデフォルト危機のケースは、自律的なダイナミズムの議論が魅力を持っていることを示しています。非常に複雑な債務の世界が構築されているため、簡単に反転するという単純な考えには従えないものがあるのです。

このような負債の自律的なダイナミズムという考え方は、雪だるま式なものに喩えることができます。ブレトン・ウッズ体制の放棄は、貨幣と価値の決定的な断絶を意味しました。人間の活動を、金に体現される価値によって厳しく制限することは不可能であることがわかったのです。その縛りが断たれると、貨幣は雪だるまのように山の斜面を転がり、信用によってどんどん増えていきます。社会的抵抗が負債の雪だるまを押しているということは、すべての地点で目に見えるものではないかもしれません。しかし、この社会的抵抗が貨幣コンテナの中に収まらないものであるということが、全体のダイナミックな動きを決めているのです。この議論は魅力的です。なぜなら、社会的圧力が目に見えないときでも、なぜ債務が常に拡大するのかを説明することができるからです。しかし、ボルカーの経験を見れば、それがいかに抽象的な経済用語で表現されていたとしても、実際には常に闘争が存在することを示しています。一方では、資本が停滞から抜け出すために創造的破壊を積極的に推進することと、他方では、単に缶を道の向こうに蹴飛ばして危機を先送りし、最初の選択肢が生み出すであろう社会的対立を回避すること、この二つの対応の間に、絶え間ない衝突があるのです。そこには常に議論があり、実際には二つの選択肢が混在しているのですが、この四〇年間は、虚構の拡大によって危機を先送りし先延ばしさせる方法が優勢でした。現代資本主義を特徴づけているのは、危機というよりは、危機の先送り・先延ばしなのです。

虚構の拡大は、この二つの要素の間に広がる裂け目を指しているのです。擬制資本の増大や負債の爆発について語るとき、私たちはある関係、つまり貨幣による価値の表現と価値の生産との関係について語っているのです。この距離の拡大は、金融資本にのみ焦点を当てた説明のように、関係の片側だけから見ても、理解することはできません。擬制資本の増大は、価値の生産がその貨幣による表現に追いついていないことを意味しています。ボルカー・ショックやその後のあらゆる攻撃にもかかわらず、資本は価値生産を貨幣が請求できる量として表現しているレヴェルまで引き上げることができないでいます。コガンは、こうした事態を「過去四〇年間、世界は富そのものを創出するよりも、富に対する請求権を創出することに成功してきた」と要約しています（Coggan 2012, 267）。富に対する請求権を創出することに成功してきたということは、富の創出が請求権に追いついていないことと切り離すことはできません。この問題は、労働生産性の問題としてとらえることができます。「一九七〇年代頃から現在までの五〇年間、すべての主要な資本主義経済圏で労働生産性の伸びは鈍化している」とマイケル・ロバーツは指摘しています[7]。負債の絶え間ない膨張の根底には、抽象的労働の危機があります。つまり、資本が人間の活動に対して価値を生み出す活動［すなわち抽象的労働］という奇怪な形態を適切な程度まで押しつけることができていないということです。ボーンフェルド（Bonefeld 1995, 49）が言うように、「信用を労働に対する効果的な指揮に転換できなかったことは、資本が社会関係に緊縮財政を課すことによって封じ込めようとした労働の持つ生産力と破壊力を示している」のだと思います。漫画のキャラクターの足元の空虚は、労働によって生み出される価値が欠如していることを象徴するものなのです。

資本主義の拡大がますます虚構と化していることは、一部の人が主張するように、価値法則がその有効性を失っていることを意味しているわけではありません[8]。漫画のキャラクターが空虚の上を歩きつづけているということは、地盤が失われてもかまわないということではありません。確かに、いわゆる「現代通貨理論」〔MMT。独自通貨を持つ国は債務返済のための自国通貨発行額に制約を受けないため、借金をいくらしても財政破綻は起きないと説く〕がそうしたように、そうであるかのように装うことはできます[9]。しかし、創出されていない富に対する請求権が蓄積されていくことは、必ず何らかの結果をもたらすはずです。そうした中での資本主義の発展が、地平線上に起こりうる災厄に対する絶え間ない恐怖、現在の深刻な停滞、そして、さまざまな資本とそれを支援する国家がますます緊張した椅子取りゲームを行なう際に起こる激しい暴力、そういったものによって特徴づけられているということが私たちにはわかります。

ボルカーは、インフレを劇的に低下させるという永く続く功績を残したと評価されています。しかし、実際には、インフレは終焉を迎えたのではありません。単に局面が変わっただけなのです。一九八二年六月の転換後、急激な政策の転換があって、信用による貨幣の急膨張が起こりました。にもかかわらず、それが一九七〇年代のように物価の上昇という形では表れなくなってしまったのです。では、インフレはどこに行ってしまったのでしょうか？　答えは、信用の拡大が財政政策ではなく、金融政策によって行なわれたからだということは明らかです。中央銀行による金利の引き下げは、経済の活性化を意図したものでしたが、その結果として人々の懐に直接お金が入り、消費財の需要や価格が上昇するというわけではなかったのです。マネーサプライが増えたので、それは銀行から借りられるようになりました。しかし、銀行は通常、財産面で何らかの担保を要求し、融資がより多くの財産の取得に向けられるようにしようとします。銀行を通じて信用を拡大することで資金の流れができましたが、そのとき、資産を持っていてそれを拡大しようと思っている人には資金が回るけれど、お腹が空いていて食べ物を買いたいと思っている人には資金は回らないということになっていったのです。その結果、食料品の価格は比較的安定していましたが、資産価格はどんどん上がっていったのです。一九七〇年代に「公共の敵」ナンバーワンであった「インフレ」という言葉はもう使われていませんが、資産価格の大幅なインフレが起こり、貧乏人から金持ちへの富の大規模な移動が起こっているのです。一九八〇年代前半以降、ほとんどの国で実質賃金はほとんど上昇しませんでした。一九七〇年代にインフレの要因として問題視されていた不確実性はいまだに残っていますが、もはや問題視されることはなく、むしろ機会として捉えられるようになったのです。そこにあるのはカジノ的不確実性であって、適切な資産運用の機会に賭けることで、莫大な富を得る可能性が開けるというものだったのです。グライダーが言っているように（Greider 1987, 661）、「価格インフレーションがウォール街に移動したとき、連邦準備制度はそれに対抗しようとはしなかった」のでした。この時期、世界中で物質的な不平等が著しく拡大したことは、なんら驚くにはあたらないことでした（Coggan 2012, 151–2）。

34　ブラックマンデー　負債が急増する

一九八七年一〇月一九日の「ブラックマンデー」は、コガンによれば「バブル時代を決定づけた瞬間」（Coggan 2012, 145）でした。一九八二年以来、株価は急上昇していましたが、この日、市場は崩壊し、ダウ・ジョーンズ指数は約二三％下落し、世界中の株価がそれに追随しました。ＦＲＢは、熱心なマネタリストとして知られるアラン・グリーンスパンに率いられていましたが、このとき、「価格の急落に見舞われた銀行や証券会社に資金を供給することを約束する」という対応を示しました。「そして、消費を促し、貯蓄を抑制し、現金保有よりも株式保有の方が魅力的に見えるようにするために金利を引き下げた」（Coggan 2012, 145-6）のです。マネタリストなのに、「健全な貨幣」を守ることについては、今となっては何も言っていません。ただ、「システムを守るために必要なことは何でもする！」ということだったのです。

暴徒に対する恐怖は見えなくなり、失業者の苦しみに対する道義的配慮は明らかに見られません。グリーンスパンは、この決断を下す前に、何時間も電話をかけつづけたと回顧録に書いています。

最も辛かったのは、長年付き合いのある金融機関や銀行、国内の超巨大企業の主要人物との会話だった。彼らは恐怖で声をつまらせていた。長い間、富と社会的地位を築いてきた人たちが、今、奈落の底を覗いている（Greenspan 2008, 107）。

恐怖心はいまだにすべての中心にあるわけです。しかし、哀れな金融業者や銀行家にとって、それは革命に対する恐怖でもなければ、失業した暴徒に対する恐怖でもなく、おそらく自分たちの富と社会的地位を失うことへの恐怖だったのでしょう。もっと先見の明がある人は、金融システムの崩壊を恐れていたのかもしれません。あるいは、その背後には暴徒に対する恐怖があるのかもしれません。しかし、それははっきりとは示されていません。ラナ・フォルーハーは、こう述べています。

根底にある問題のひとつとしては、グリーンスパンとその後継者たちの多くは、資産のインフレーションよりも価格のインフレーションを懸念していたということがある。それは、言ってみれば、投資階級にふさわしいことだった。グリーンスパン自身が、その階級の一員になることに相当な思い入れがあることを考えると、それはそれで理に叶ったことだった。……彼が市場を支えれば支えるほど、ビジネスエリートにとっては好都合であり、政治家の出番は減り、資産家の運命とその他の人々の運命がどんどん乖離していくという機能不全のダンスが生まれてしまったのだ。(1)

ボルカー、そしてグリーンスパンによって、暴徒は再び貨幣の世界から押し戻されたように思われたのです。バルークが抱いた大きな懸念が解消されたかのように見えたかもしれません。トゥーズ（Tooze 2021, 15）は、労働者階級の敗北が貨幣の脱民主化をもたらしたと言って、同様のことを示唆しています。彼は当時、次のように論じていました。

最も決定的な制度的措置は、貨幣の管理を民主政治から切り離し、独立した中央銀行の権限下に置くことであった。同世代で最も影響力のある経済学者の一人、ＭＩＴのルディガー・ドーンブッシュが二〇〇〇年に述べたように、「過去二〇年間、独立した中央銀行の擡頭は、まさに優先順位を正しくすること、常に短絡的に動く悪い貨幣である民主的な貨幣の動きを取り除くことにあった」のだ。

これと同調するかのように、トゥーズは、二〇〇八年に始まりコロナ危機でも大規模に行なわれた国家介入の拡大を説明するにあたって、階級闘争の重要性を軽視して考察しています。「本書でたどるストーリーは、階級闘争の復活についてでもなければ、急進的なポピュリズムの挑戦についてでもない。ダメージを与えたのは、無頓着に進められた世界的な成長と金融蓄積の巨大な弾み車によって解き放たれた疫病だったのである」（Tooze 2021, 14）。

私が「本書」でたどるストーリーは、やや異なります。確かに、一九八〇年代には明らかな意味での労働者階級の敗北があり、金融政策の決定において資本蓄積の促進がより明確に焦点化されたことは事実です。しかし、資本蓄積は階級闘争なのです。それは人間の活動を囲い込んで搾取する絶え間ない闘いです。そして、多くの兆候が、過去四〇年間この闘いで資本が負けつづけてきたことを示しているのです。資本は人間活動の効果的な囲い込みと搾取にうまく成功していないのです。そして、そのために資本蓄積はますます虚構性を帯びてきているのです。階級闘争は、資本の存在に内在するものなのです。私たちが目をつぶって見ないようにしたからといって、あるいはその存在が見えにくくなったからといって、それがなくなるわけではありません。一九八〇年代には、確かに組織化された労働者階級の敗北がありました（イギリスの鉱山労働者のストが何度も思い起こされます）が、これはおそらく、（オペライスタが言うように究極的には社会学的概念としての）階級の再編成というよりも、資本関係の再編成につながったのであろうと思われます。それは、資本並びに貨幣と人間活動との間の依存と溢出との関係の再構成であり、暴徒の矛盾を孕んだ擡頭とそれに伴う不服従、非服従、火山噴火のような予知不可能性に映し出されている再構成なのです。私たちは、暴徒に対する恐怖が貨幣の発展を形成しつづけていることをやがて知ることになるでしょう。

ストーリーがどのように語られようとも、「健全な貨幣」という考え方が放棄されたことは明らかです。システムの維持が今や合言葉なのです。「株式市場パニック時のFRBの仕事は、金融麻痺――つまり企業や銀行が互いに支払いを停止し、経済が停止するカオス状態――を防ぐことである」（Greenspan 2008, 106）。サミュエル・ブリタンは、もっとわかりやすく断言しています。「不況の危機には、ヘリコプターで空から紙幣をばらまくことが必要なのだ。つまり、銀行の貸し出し政策を緩和し、それでも不十分な場合は、それに税金の引き下げと政府支出の増額をある程度織り交ぜるということだ[2]」(Bonefeld 1995, 56, Harman 1993, 15からの引用)。つまり、危機を回避するため、シュンペーターの言う創造的破壊を回避するため、必要なことは何でもやるということです。ガッロの言葉を借りれば、このやり方は「資本主義を近視眼的な缶蹴りゲームに変えてしまった」のです(Gallo 2019)。

ヘリコプターで紙幣を撒くという考え方は、現在のコロナ危機の文脈でもよく使われる観念になっています。少なくとも危機を和らげるために必要とあらば、どんなお金でもいいから作り出せというわけです。しかし、ブリタンの引用が明らかにしているように、この観念にはすでに曖昧さがあるのです。文字通りヘリコプターから撒かれたお金は、おそらく(あるいは可能性としては)国民に平等に分配されるでしょう。それはこれまでの不平等を緩和し、おそらく消費財に使われ、消費者物価のインフレにつながるかもしれません。次の手段として挙げられている対策(銀行の貸し出し政策の緩和)は、これまで見てきたように、まったく異なる効果をもたらすでしょう。それは資産所有者に貸し出され、資産価格の上昇につながることでしょう。それはより大きな不平等を生み出すことになります。現在の危機では、どちらの種類のヘリコプター・マネーも使われていますが、銀行貸し出しの方が非常に優勢なのです。これについては後にもっと詳しく説明します[3]。

一九八七年一〇月の金融破綻を回避するためにFRBや他の中央銀行が行なった介入を通じて明らかになったもうひとつの問題は、モラルハザードの問題です。「この危機から投資家は重要な教訓を学びました。もし資産が急速に、そして十分に下落したら、中央銀行が救援に乗り出すだろうということです」(Coggan 2012, 146)。負債が膨らみつづける中、モラルハザード(保険業界用語から取った言葉）の問題がますます重要になってきました。これは、特に大銀行などの側に、自分たちは「大きすぎてつぶせない」はずだという意識があるということに過ぎないのです。崩壊させた場合の影響は甚大ですから、どの政府もそれを許容できないというわけです。どんな政府でも、そうした破綻の危機が迫ればそれを回避するのが当然だということになります。企業側は、意思決定の際に、そうした政府の態度を考慮に入れて考えます。それを考えに入れると、リスクを取ろうという余裕が生まれます。そのリスクが報われない場合は政府が必ず助けてくれることを知っているので、より大きな利益を得るためにリスクを取ろうとするのです。これは明らかに、債務拡大のダイナミズムに拍車をかけるものにほかなりません。このことは、二〇〇八年の金融危機においても、現在のコロナ危機においても、同じように重要な論点なのです。

35　貨幣と価値の間にある裂け目は広がりつづけている
一連の心臓発作

ブラックマンデー以後の二〇年間、資本はますます負債を抱えるようになります。システムはますます不安定になり、個別の領域で大きな危機が発生しました。メキシコ（一九九四年）、東南アジア（一九九七年）、ロシア（一九九七年）、アルゼンチン（二〇〇一／二年）、ドットコム市場（二〇〇〇／二年）という具合です。これらは、各国で暴動や死者が発生し、アルゼンチンでは大きな政変が起こるなど重大な出来事でしたが、いずれも収束し、グローバルな大崩壊にはつながりませんでした。リッカーズ（Rickards 2016）は、これらは「前触れ地震」、つまり、これから起こるもっと悪いことの警告として見ることができると指摘しています。彼は、一九九八年、ロシアの債務不履行をきっかけに、大手ヘッジファンドのロングターム・キャピタル・マネジメントが破綻しそうになったことが、最も大きな前触れだと言っています。

（二〇〇八年の崩壊の）ちょうど一〇年前、ほとんど同じ日に、金融システムは最初の世界的な心臓発作に見舞われたのである。その時も、ＦＲＢの医師は患者を救った。しかし、一九九八年以降、この患者は、再び葉巻、大酒、運動不足の生活に戻った。二回目の心臓発作が起こるのは時間の問題だった。……一九九八年の教訓は学ばれなかった。機能不全の市場行動は、銀行と規制当局の祝福を受けて、さらに大規模に再開されたのである（Rickards 2016, 119）。

ドットコム市場を除くすべての前震は、特定の通貨や通貨群に限定された局所的な危機でした。ここでの議論では、貨幣は世界の貨幣であり、ある地域と別の地域、ある投資形態と別の投資形態の間を絶えず流れ動いている資本であるという前提で行なわれています。このグローバルな流れは、貨幣の性質そのものに刻み込まれているものなのです。この流れは、常に利益を追求し、異なる資本とそれを支える国家間の競争を通じて行なわれています。ここで注目すべきなのは、米国をはじめとする先進国が、貨幣の流れやその流れを形成する政策、またその流れによって形成される政策を理解する上で中心的な存在になっているということです。しかし、その流れの影響や特性が、しばしば世界の他の地域に恐ろしい結果をもたらしていることは明らかなことです。貨幣の流れを通して世界を見渡し、貨幣不安の地理学を展開してみるのも興味深いことかもしれません。レバノン、アルバニア、キプロス、ギリシア、ジンバブエ、デトロイト、プエルトリコ、などなど。ここでは、支配と抵抗の関係としての貨幣の発展が主な関心事ですから、この種の地理や異なる通貨間（たとえばドルと人民元）の関係にはあまり注意を払うことはしません。つまり、支配としての貨幣ではなく、階級闘争としての貨幣を考えているのであって、そのような闘争は豊かさと貨幣との闘いなのだと私は理解しています。資本とその属する国家の間の対立は、二次的な闘争であると、マルクスに倣って、私は考えています。人間の活動を抽象的労働に強制的に転化し、その搾取を行なうことに対する、隠れたものではあるけれど根本的な闘争こそが、第一次的なものだと考えているのです。剰余価値の分配をめぐる資本とその属する国家との間の闘争は、その剰余価値の生産から必然的に派生したものなのです。

近年の金融の混乱は、よりグローバルなものになっていることが特徴です。われわれの観点から見て興味深いのは、リッカーズが、パンデミックの数年前に、二〇〇八年の金融危機を第二の前震として捉えて、もっと悪いことが起こるという警告を発していることです。「一九九八年と二〇〇八年とでは状況は違うが、ダイナミズムは同じであった。不気味なことに、次のパニックは一九九八年と二〇〇八年の両方が予言しているのだ。しかし、その教訓は学ばれていない。エリートはその都度、救済策を拡大しただけだった。ただし、次回はそれでは収まらない。パニックが大きすぎ、それに対して取ることができる救済措置は小さすぎて止められないだろう」(Rickards 2016, 121)。

一連の心臓発作が資本の死につながるのでしょうか？　私たちはそう願っています。

心臓発作が連続して起こっても死に至るわけではありません。しかし、どんどん重症化している心臓発作となると話は別です。負債は深刻な慢性疾患であり、解消するのは非常に困難です。ブラックマンデーから二〇〇八年の危機までの二〇年間で明らかになったのは、前例のない、累積的なプロセスが進行しているということです。このプロセスは、部分的には許容され管理されたものですが、しかし誰の手にも負えないものなのです。一部の人々には大きな富をもたらしはしますが、システム全体としては大きな不安定性をもたらすプロセスだということが明らかになっているのです。

前代未聞のことでした。いまだに前代未聞です。資本の歴史を通じてバブルは何度もありましたが、これほどの規模、これほどの期間のものはありませんでした。一九三〇年代以後、危機へ向かう傾向を先送りし、管理しようとする試みはありましたが、今や平時における債務膨張がケインズの時代には想像もつかないレヴェルにまで達しているのです。負債のレヴェルがどんどん上がっていき、信用崩壊がもたらす潜在的な影響がますます恐ろしいものになっていっているのです。すでに見てきたように、ガッロ（Gallo 2019）は中央銀行が「債務の缶をさらに下の方に蹴り落とす」ことを非難していました。これは危機を常に先送りしているイメージを捉えたものですが、「債務缶」がどんどん増えていく事実には触れていません。蹴られて道を落ちていくのは、実際には、雪だるまなのです。確かに、特に、現在のような深刻な危機に際して、ＦＲＢ議長が（他の中央銀行も同じ路線で）システムの流動性を維持するために「必要なことは何でもする」と発表したときには、政府の支援を得て、中央銀行が慢性的な債務の拡大を許可し促進してきたのでした。しかし、銀行や政府の手に負えない要素も出てきているのです。金融商品の高度化と不透明化が進んで、もはや規制当局には何が起きているのか理解することが難しくなっており、ましてやコントロールすることは不可能になりつつあるのです。

私たちは、資本の死を望んでいます。実際、資本の死が人間の生命の存続の前提条件であることは、ほぼ間違いありません。しかし、負債を資本の慢性的かつ進行性の病とみなしたとしても、それが資本の終焉につながるかどうかは、まだわかりません。先ほど、私たちは崩壊の理論としてではなく、資本の脆弱性が高まっていることを理解するために危機に関心を持っているのだと言いました。その脆弱性の増大は目に見えるものになっていますが、この敵の脆さがどのようにして私たちの希望につながるのかは、まだよくわからないのです。

36 資本の脆弱性は二〇〇七／二〇〇八年の金融危機で爆発した二回目の心臓発作？

負債の拡大は、負債を返済できないことによりリスクが拡がることを意味します。金融派生商品やモラルハザードの世界の複雑さ、銀行や重要な非金融法人が「大きすぎてつぶせない」という前提を加えるなら、債務の拡大は、一つの銀行だけでなく相互に関連した一連の金融機関が破綻する可能性を常にもたらし、金融システムの完全崩壊につながる可能性があることが明らかになります。二〇〇七年九月にリーマン・ブラザーズ銀行が破綻したとき、連邦国家はその救済を拒否し、その結果、ガイトナーが述べたような金融パニックが発生したのです。米国をはじめとする資本主義国家は、世界を金融破綻から救うため、そしてその過程で銀行家が富を失うのを防ぐために、「健全な貨幣」という概念を捨てて、当時としては前例のない規模の紙幣を印刷せざるを得なかったのです。マクナリーは、その総額は20兆ドルにのぼるという計算をしています（McNally 2011, 2）。リッカーズにとっては、これは世界金融システムの「二回目の心臓発作」だったわけです。[1]

この金融危機は、大いなる苦しみ、幻滅、怒りの期間としてよく知られています。失業率は急上昇し、国家の社会サービスは軒並み削減され、何百万人もの人々が住む家を失いました[2]。特別に大きな打撃を受けた地域もありました。ギリシアはその最たる例で、生活水準は二五％低下し、若者の失業率は五〇％を超え、公的年金は何度も削減され、空港や港は民営化され、何千人もが国外に移住してしまったのです。巨大で戦闘的なデモが起こりましたが、政府の緊縮財政政策を変えることはできませんでした。二〇一五年一月に選ばれた急進左派連合（Syriza シリザ）政権は、マネーの力で崩れ落ちてしまいました[3]。米国では、それに続く数年間、住宅ローン未払いによる家屋の差し押さえが毎年一〇〇万件以上発生しました。

つまり、二〇〇七／二〇〇八年の危機は、世界中のほとんどの人々に、不幸と期待の喪失、そして怒りの高まりをもたらしたのです。そして、二〇一一年の「アラブの春」、同じ年に世界各地で起こったインディグナドス運動やオキュパイ運動など、体制に対する怒りが爆発しました。しかし、一〇年が経過するなかで、その怒りは別の側面も持つことが明らかになっていきました。怒りは外国人に向けられ、国家の安定という想像上の過去に希望を抱く、怒れる右翼が擡頭してきたのです。怒れる民衆の擡頭は、今やまったく異なる二つの顔を持っているのです。

この危機は、資本とそれを支えるさまざまな国家が信用の拡大を通じて長年先送りしてきた創造的破壊、大粛清だったのでしょうか？　答えは「イエスでもありノーでもある」と言わなければなりません。でも、おそらく「イエス」よりも「ノー」の要素の方がはるかに多いでしょう。確かに資本主義的な社会関係の再編成はかなり進みました。賃金の低下と労働規律の強化、非効率的な資本の倒産といった変化が現れました。ほとんどの国家が緊縮財政政策を課したことで、ほとんどの人々の苦しみが増しました。これは基本的に、銀行への莫大な補助金を支払うために社会的支出を減らしたことを意味していました。しかし、同時に、資本の再編成を市場原理に任せていたら、巨大な破壊が起こることが考えられるので、それを避けるために、まったく前例のない信用拡大が行なわれたのです。

二〇〇八年の危機を語るとき、「パニック」という言葉が何度も使われます。ガイトナーがニューヨーク連銀総裁、後に財務長官として感じた恐怖を、爆弾処理班が爆弾を処理しようとするイメージで表現していることは、すでに見たとおりです。しかし、この爆弾とは何だったのでしょうか？　銀行家や政治家が恐れたのは、いったい何だったのでしょうか？　二〇〇八年には当面のリスクを回避することに成功したわけですが、彼らが恐れていたことは何だったのでしょうか？　これは重要な問題なのです。なぜなら、リスクと恐怖は、先送りはされましたが、まだうやむやのままで、解消されたわけではないのですから。その恐怖は、正しい予兆に変わるかもしれないのです。

ＦＲＢ議長のベン・バーナンキは、その後、「我々は世界金融メルトダウンに非常に、非常に近づいていた」(Blinder 2014, 145) と述べています。これは決して大げさな話ではなく、世界は本当に金融崩壊の危機に瀕していたというのが一般的な見解のようです。これは何を意味しているのでしょうか？　銀行はドミノ倒しのように倒れ、一つの銀行の破綻は他の銀行の破綻を招き、保険会社、年金基金、その他の金融機関、そして信用に依存している非常に多くの非金融会社までもが、その存続を脅かされることになるのです。多くの富裕層は財産を失い、ヨットや飛行機、島を失うことになるでしょう。何百万人もの人々が、給料や年金が打ち切られ、ＡＴＭ機は使えなくなることを意味していたのかもしれません。

「世界的な金融メルトダウン」という恐怖の裏には、もうひとつの恐怖がありました。街頭での暴動や、コントロールが利かなくなることへの恐怖です。言い換えれば、暴徒に対する恐怖、つまり、ヘーゲルやケインズが抱いた恐怖、そして私たちを絶滅に向かわせようとしている法と秩序のシステムに同調しているすべての人々が抱いている昔ながらの恐怖です。バーナンキとポールソンが、米国議会で、銀行救済のための七〇〇〇億ドル（$700,000,000,000）の支出（いわゆるTARP、不良資産買い取りプログラム）を承認するよう、非常に難色を示す議員を説得したのも、この恐怖があったからにほかなりません。

［ポールソンと］バーナンキは、もし議会が迅速に行動しなければ、この国に金融ハルマゲドンが起こるというヴィジョンをアウトラインだけでなく、詳細に説明した。ハルマゲドンはすでに彼らの目の前で繰り広げられていたのだから、説得は容易だったであろう。……二人はさらに踏み込んで、アメリカで市民社会秩序が崩壊し、街で暴動が起きるというシナリオを実際に描いてみせた。「もしそれが通らなかったら、天がわれわれを助けるだろう」と、信仰の人であるポールソンは結論づけた（Blinder 2014, 183）。

ブラインダーが「ハルマゲドン」という言葉を使ったのは、非常に意識的なものです。彼は著書の別の箇所（Blinder 2014, 119）で、こう説明しています。

好ましくない経済事象の結果は、一般的にハルマゲドニスト――最悪の事態を予測して生計を立てる、センセーションを求める識者、占い師、ジャーナリストの群れ――によって誇張されている。……しかし、ハルマゲドニストはほとんどいつも間違っている。経済や、より不安定な金融システムでさえも、終末論者が言うほどに脆いものではなく、回復力があるのだ。……リーマン・ブラザーズの破綻は、それには例外があることを示すものであった。ほとんどすべてのことが、ほとんどの人の予想をはるかに超えて悪化し、最も暗い予言が最も正確なものになってしまったのだ。しかも、すべてがワープするようなスピードで起こった。

オックスフォード・コンサイス辞典は、「ヨハネの黙示録」一六章一六節から取られた「ハルマゲドン」という言葉を、「最後の審判の前の善と悪の最後の戦い」と定義しています。希望を追い求めて行き着く先がそこなのでしょうか？　そんなばかげたことはないでしょう。けれど、絶滅の可能性が近づいている今、それを否定するだけではいけないのだろうと思います。この本は「ハルマゲドニスト」であり、著者は「センセーションを求める識者の群れ」の一員になってしまっているのでしょうか？　そうでないことを願いますが、バーナンキが警告した「メルトダウン」の可能性は、資本主義発展の課題として明確に残されているのです。そして、コメンテーターが自由に語っている金融崩壊やメルトダウンの恐怖の背後には、あまり言及されていませんが、それと表裏一体のものとして社会崩壊の恐怖があるのです。

破綻の恐怖に直面したとき、中央銀行が取れる唯一つの道は、一九七〇年代末にボルカーが行なったのと正反対のことをすることでした。すなわち、マネーサプライを制限するのではなく、できるだけ速く拡大することだったのです。問題は、これをどうやって行なうかでした。本来なら、金利を下げて資本家の借り入れを促進するという手段を取るべきですが、資本家の投資を増やすために二〇年以上も金融緩和政策を続けてきた結果、ほとんどの国で金利はゼロに近くなっていたのです。金利がゼロに近づきつつあり、投資家はまだ借りようとしない。では、どうやってマネーサプライを増やせばいいのでしょうか？　米国をはじめ多くの国で採用された答えは、一九九〇年代半ばから日本で試されてきた「型破り」な政策、「量的緩和」（ＱＥ）を採用することでした。基本的には、中央銀行が金融システムに直接資金を投入して（現時点では毎月一二〇〇億ドル）、資産、国債、企業の株式を買い上げるのです。これには、いわゆる「ジャンクボンド」――債務者が借金を返せなくなるリスクが非常に高い債券――も含まれます。中央銀行によるすべての金融介入が資本家に有利であるとすれば、それは資本家に投資のインセンティヴを与えようとするものだからで、ＱＥの場合、その意図はより明確です。中央銀行による買い入れは、資本家の保有する資産価格のインフレに直接つながります。ＱＥは「ヘリコプター・マネー」の一種と見ることもできます。しかし、ヘリコプターがただお金を街中に撒いて、通りすがりの人に拾ってもらうというイメージとは大きく懸け離れたものです。ＱＥの場合、お金は富裕層の銀行口座に直接落とされるのです。ＱＥとは、富裕層をより豊かにすることによってシステムを救うために国家が巨額の資金を費やし、自らの貪欲の結果起きている危機から富裕層を救うものなのです。こんな政策が左派からも右派からも怒りの標的にされることは、少しも不思議なことではありません(4)。

資本主義を支持する中道の知的な声として私が頻繁に引用しているマーティン・ウルフは、「（量的緩和の）これらの行動は適切であり、かつ成功した」として、次のように発言しています。

要求された対応の規模と性質は、政治的にも大きな影響を与えた。国民は、銀行への支援の大きさと、さらに悪いこととして、明らかに銀行家のためにボーナスが支払われたことに激怒した。何億人もの一般市民が家や職を失い、あるいは金融危機後の緊縮財政の犠牲となったのだから、なおさら腹立たしさが掻き立てられた。また、起訴された幹部が少ないことに憤慨する人も多かった。民主主義において、エリート層とそれ以外の人々の間に存在しなければならない信頼関係が崩壊したのである。信頼が失われたことで、陰謀論者やいかさま政治家は失墜した。(5)

37　嵐は地平線上にある　次は火だ

すべての問題がコロナウィルスに起因するとされている今、二〇二〇年までの資本主義の不安定さを想い起こしてみることが重要になっています。

ＴＡＲＰやＱＥなどの政策によって、資本は異常な状況に陥っていました。資本家は、自分の資金を何に使うのか、どうやって資本を拡大するのがベストなのか、というディレンマに常にさらされています。基本的には、生産に投資するか、債権を買うかの二者択一です。生産に投資する場合は、機械、原材料、労働力を購入し、それらを商品（自動車、ソフトウェア、石油、その他）の生産に投入するのです。資本家は、労働者を搾取して剰余価値を生産させ、その剰余価値を全資本間の競争によって分配します。これが資本主義の富の基礎であり、マルクスが『資本論』の中で分析した過程です。例えば労働者があまりに戦闘的だったり、怠け者だったり、機械を適切に操作する能力がなかったりするなど、生産に投資することが魅力的な選択肢とは言えない状況もありえます。こうした理由やその他の理由から、生産的な投資から得られる利益よりも、リターンが大きいこと、あるいはより確実であることを期待して、債権を買う、つまり資本を他人に貸す方が魅力的である場合がありうるのです。その場合、借り手はその資金を生産に投資することもあれば、例えばヘッジファンドに貸し出す、つまり債権を買うことに決めていることもあるかもしれません。資本が債権の購入に投下された場合、富は生産されません。生産部門で生産された富（剰余価値）は、ここで、すべての資本に再分配されます。世界中のすべての資本は、生産されるグローバルな剰余価値のシェアを最大化しようと絶えず競争していますが、これを達成する最良の方法は、債権投資、つまり資本を他人に貸すことかもしれないのです。

過去四〇年以上にわたって、債権を買うことはより魅力的で、より成功につながる選択肢であり、より高い利益を集め、銀行やその他の金融機関の巨大な拡大を促進してきました。また、生産もかなり拡大し、時には極めて収益性の高いものもありましたが（例えば、アップルやマイクロソフトを考えてみてください）、生産の拡大は負債の拡大よりはるかに遅かったのです。生産された実質的な富は、その富に対する請求権の（負債による）増加にまったく追いついていないのです。資本の再生産は、ますます曲芸のような行為になっています。まだ生み出されていない富に対する請求権は、何百万枚もの皿の上に乗って宙に浮いているのです。もしこれらの皿が落ちてくれば、バーナンキやガイトナーなど多くの人たちが恐れていたハルマゲドンに本当になることでしょう。それを宙にとどめておくには、資本家が投資しつづけるしかないのです。しかし、負債が増え、バブルが膨れ上がると、あらゆる種類の投資がますます危険なものになっていきます。資本全体から見れば、生産に投資するのが一番いいのでしょう。しかし、金融が自律して動くようになり、資本主義世界が虚構になってしまったので、この区別がつかなくなったのです。QEやゼロ金利、あるいはマイナス金利を実行しながら、国や中央銀行は民間資本に対して、こう言っているのです。「あなたの投資のためにお金を払いますよ。好きなものに投資してください。私たちがなんとかして市場を安定させるので、あなたは損をすることはありません」。そのような状況のもとでは、資本家は資金を借り、多くの場合、資産（株式など）を購入します。資産の価格は上昇し（世間ではインフレとは言われていませんが、実際には資産価格、つまり資本家の利益は大きく上昇しているのです[1]）、これに対して新規生産は相対的に少ないのです。実際には、そのようなインセンティヴがあっても、資本家は、状況があまりに不安定なので、債権を買うことさえせずに、銀行に資金を置いておくか（当時は銀行の準備金が大幅に増えていました（Blinder 2014, 253））、資産の中で最も安全な金を買った方が良いと判断することもあるわけです。

資本のディレンマは、資本が自己生成的な金融のダイナミズムを示しながら、基盤においては、依然として生産への投資は相対的に魅力に欠けていることにあるのです。金融の自律性は決して完全なものではありません。銀行と金融投機家が分け前を要求する富は、生産からしか生まれないのです。このように見てくると、中心的な問題は、効果的な搾取の難しさにあることがわかります。

資本の恐怖に立ち向かうための代替案は「長期的な停滞」です。ローレンス・サマーズは、次のように述べています[2]。

今日のマクロ経済の中心的な問題は、現存する政策立案者が経験したものとはまったく異なるものである。私が数年前から主張しているように、これは大恐慌の時にアルヴィン・ハンセンが恐れた長期的停滞（慢性的な需要不足）のひとつのバージョンなのである。今日のグローバル経済においては、マイナス実質金利が行なわれ、金融市場の抑制が限定的であっても、民間投資需要が民間貯蓄を吸収できないことは明らかなのである。そうであるがために、政府債務が急増し、持続不可能なほどの融資が行なわれているにもかかわらず、成長率は低迷し、目標を下回っているのである。

つまり、資本の過剰蓄積（「貯蓄過剰」）に立ち向かわない限り、資本主義は深まる長期的停滞に苦しみ続けつづけることになるということです。

二〇〇八年に明らかになったのは、曲芸がますます難しくなっていること、すべての皿を空中に保つことがますます難しくなっていること、システムを継続することがますます難しくなっていることだったのです。しかし、代替案はあるのでしょうか？　この問いは、ケインズの批判者である「健全な貨幣」の擁護者たちに立ち戻ることを促します。リッカーズは、この問題を厳しい言葉で表現しています。

大雑把に言えば、（金融パニックで）皆がお金を取り戻したがっているときに、政策立案者が対応する方法は二つある。一つ目の方法は、お金を簡単に手に入れられるようにすること、需要を満たすために必要なだけ印刷することである。これは、「最後の貸し手」としての古典的な中央銀行の機能であり、より適切に表現すれば「最後の手段の紙幣印刷機」と呼ばれる。二つ目の方法は、ただノーと言うだけ、システムをロックダウンさせたり、フリーズさせたりすることである。ロックダウンとは、銀行を閉鎖し、取引所を閉鎖し、資産運用会社に対し売却しないよう命令することである。二〇〇八年のパニックでは、政府は第一の選択肢を追求した。中央銀行は、市場を緩和し、資産価格を下支えするために、紙幣を刷って回したのだ（Rickards 2016, 21-2）。

金融危機のどのような状況においても代替となるのは、二つ目の選択肢です。リッカーズはこれを「健全な通貨」ではなく「アイス・ナイン」と呼んでいます。これはカート・ヴォネガットの小説『猫のゆりかご』から取った言葉で、もしこの分子が放出されれば、地球上のすべての水が凍りつき、生命が絶えることになると説明されています。リッカーズは、「アイス・ナインは、次の金融危機に対してパワーエリートが取るべき対応を表すのにふさわしい言葉である。エリートは世界を再流動化させる代わりに、世界を凍結させるのだ。システムはロックダウンされるだろう」と言っています（Rickards 2016, 23）。現在のコロナウィルスによる危機的状況の中では、不気味に響く言葉です。リッカーズは、こう言っています。「金融パニックでは、紙幣を刷ることがワクチンになる。もしワクチンが効かないことがわかれば、唯一の解決策は防疫である。防疫とは、つまり、銀行、取引所、マネーマーケット・ファンドを閉鎖し、ＡＴＭを停止し、資産運用会社に証券を売らないよう命令することである。エリートはワクチンを使わない金融防疫を準備している」（Rickards 2016, 24)。この準備には、おそらく起こるであろうマネー暴動に対処するための警察力の強化や緊急事態対応権限の導入が含まれているでしょう。また、社会における現金の役割を減らすことにもなるでしょう。すべての取引がデジタル化されることで、社会におけるすべての貨幣の動きを国家が管理する可能性が大幅に高まることでしょう(3)。

リッカーズの予測は間違っています。コロナウィルスによって引き起こされた現在の危機において、中央銀行の反応はアイス・ナインではなく、かつてないほどの量の紙幣を刷っているのです。しかし、この議論は、二つの理由から、依然として非常に重要なのです。第一に、強硬な「健全な貨幣」の選択肢であるアイス・ナインは依然として政策決定者のアジェンダにあり、おそらくその勢力が拡大しているのであって、リッカーズの発言はそれを反映していると思われるからです。そして第二に、リッカーズ自身が指摘しているように、この政策はすでに地域単位で実行されたことがあるものだからです。彼は、二〇一一年のキプロスと二〇一五年のギリシアの例を挙げています。二〇〇一年のアルゼンチンの重要な事例にも言及することができたはずです。

しかし、二〇〇八年の金融パニックへの対応は、グローバルなアイス・ナインではなくて、それとは正反対のものでした。銀行が紙幣を刷って、危機をさらに先延ばしにしたものだったのです。あらゆる緊縮財政にもかかわらず、間違いなく行なわれた資本の再編成にもかかわらず、負債は拡大し続けたのです。

ですから、コロナウィルス流行よりずっと前から、経済学者たちが二〇〇八年よりもはるかに深刻な金融危機が予測されると警告していたのも不思議ではないのです。『フィナンシャル・タイムズ』の経済評論のチーフであり、「ハルマゲドン論者」とはとても言えないマーティン・ウルフが、二〇〇八年の危機の教訓に関する著書の結論部分に「次は火だ」（Wolf 2014, 318）と題して、脚注で次のように語っているのです。「この章のタイトルは、アメリカの作家、ジェームス・ボールドウィンの素晴らしい作品から取った。彼は、アフリカ系アメリカ人の霊歌の一節『神はノアに虹のしるしを与えた。水はもういらない、次は火だ』から取ったのだ」。つまり、次の金融危機は洪水ではなく、はるかに破壊的で強烈な火災になるということです。「メアリー・ドント・ユー・ウィープ」の同じ歌詞は、リッカーズが著書の章のエピクラフに用いています（Rickards 2016, 267）。最後から二番目の章のタイトル（Rickards 2016, 267）に、「ヨハネの黙示録」（6：5）から「黒馬を見よ」という言葉を引用しています。黙示録の三番目の騎手、黒馬に乗った騎手は、一般に飢饉の象徴として理解されています。二〇一六年に執筆したリッカーズは、一九九八年と二〇〇八年の「前震」に続く地震が二〇一八年に起こると予測し、同時に次の金融崩壊がいつ来るかわからないと述べています（Rickards 2016, 267）。(4)

このような文脈で、サパティスタが二〇一五年に開催した「資本主義のヒドラに対抗する批判的思考」という一週間のセミナーへの招待状で、スプガレアーノ（以前はサブコマンダンテ・マルコス）が嵐（la Tormenta）の問題を立ち上げています。

私たちサパティスタが見聞きするのは、あらゆる意味で破局が訪れ、嵐がやってくるということです。……私たちは、何か恐ろしいものが来るのを見、さらに破壊的なものが来るのを見ています。それがあり得るならば……しかし、サパティスタであるということは、常に自分たちが間違っているかもしれないと考えるということです。……ですから、私たちサパティスタは、他の暦を持つ人たちや異なる地理を持つ人たちに、彼らが見ているものが何であるかを訊ねなければならないと考えています[5]（EZLN（2015），27–29）[6]。

これまでの議論から明らかなのは、この嵐が何年も前から集結しはじめていたこと、そして、それが確かに恐ろしいものになりそうだったということです。次にやってくるのは火です。しかし、私たちはただ単に来るべき嵐の犠牲者ではありません。嵐の風は、資本が私たちに対して恐怖を抱いているがために、私たちを効果的に搾取することができないがために引き起こされるのだということが重要なのです。私たちは、嵐の潜在的主体なのです。

38　嵐が破壊する　コロナ危機

長らく予想されていた「次は火だ」は、期待されていたような形ではないけれども、確かにやってきました。リッカーズに言わせれば、「米国史上最大の経済破綻である。……二〇〇八年の世界金融危機、二〇〇〇年のドットコム崩壊、一九九八年の金融パニックと比較するのは的外れだ。これらの危機は、被害を受けた人々にとっては重大なものであったが、今私たちが直面しているものに比べれば、些細なことであった」（Rickards 2021, xiv-xv）。一方、マーティン・ウルフは、二〇二〇年四月に次のように書いています。「これは世界が直面する第二次世界大戦以来最大の危機であり、一九三〇年代の大恐慌以来最大の経済的惨事である」[1]。

長い間予測されていた災厄は、コロナウィルスという予測されなかった形で現れたのです。というか、経済的な議論では予測できなかったことだったのです。パンデミックそのものは確かに予測の範囲になかったことでしたから。生物多様性の破壊は、このようなパンデミックを引き起こす可能性があると、専門家は何年も前から警告していました[2]。しかし、そのウィルスは、私たちが分析してきた貨幣の法則の中においても、予測できなかったものでも、外的なものでもなかったのです。それは、人間と他の生命体との関係を組織的に破壊することに由来しているもので、この破壊は利潤の追求によって推進されているのです。もし、私たちが自然との関わり方を根本的に変えなければ、COVID-19の後に一連のパンデミックが起こる可能性が高い、というのが一般的な見方になっています。一般的な見方になっていないのは、自然との関わり方を根本的に変えるということは、必然的に人間同士の関わり方を根本的に変えること、つまり、商品の交換と資本の蓄積を軸とする社会組織の形態を放棄することを意味するという、当たり前のことを付け加えることなのです。ここには、この明白なことを述べることを難しくする強力な社会的タブーがあります。明白なことは、とても不合理で、とても不可能に思えるからです。私たちは貨幣の支配を廃絶しなければならないのです。そして、これは、明白なことでありながら、ばかげたことなのです。

このように、明らかなのにばかげて見える論点が議論から排除されているため、コロナ危機を使用価値という観点から、あたかも貨幣の支配とはまったく関連のないものとして論じる傾向が強くなっています。このウィルスによって、世界中のすべての経済活動が中断され、仕事をやめて家にいることを余儀なくされています。これは必然的に生産の低下と物質的な富の低下を意味します。この単純明快な説明は、ウィルスと資本主義による自然破壊との関連や、パンデミック到来前の膨大な債務の蓄積、さらにはウィルスとロックダウンの影響が、貨幣と利潤の追求を通じたあらゆる経済活動の仲介によって非常に大きく形作られているという事実にはまったく触れようとしません。もし、貨幣の支配から解放された世界でパンデミックが起こったらどうなるか、想像してみてください。生産活動は中断されるでしょうが、医療サービスが長年の緊縮財政で疲弊していることはなく、やるべきことがたくさんあるにもかかわらず失業することもなく、ビジネスが崩壊することもないでしょう。

しかし、貨幣が支配する現在の世界では、そうはいきません。このパンデミックは、悲劇的な医療大災害であるだけでなく、「一九三〇年代の大恐慌以来最大の経済的惨事」でもあるのです。これはまさしく「次は火だ」の火なのです。資本主義企業の大崩壊、失業率の高騰、多くの労働者の賃金の激減、雇用を継続できた「幸運な」人々に対する搾取の残酷な強化、何百万もの飢餓や飢餓寸前の生活。二〇二〇年九月、オックスファムは、年末までに毎日一二、〇〇〇人が飢餓で死亡する可能性があると予測していました。[3] 同じ月、「アメリカはコロナウイルスによる混乱の六ヵ月目を終え、飢えたニューヨーカーの列がクイーンズのフードバンクの外まで四分の一マイルも伸び、食料配給のために何時間も続く交通渋滞を引き起こしている」のです。[4]

パンデミックによって引き起こされた危機には、資本主義の危機と、資本が収益性を回復するために必要とするリストラの古典的なイメージと容易に一致するものがあります。残酷で破壊的なシステムが、定期的な激変を繰り返しているのです。長らく先延ばしにされてきた危機がようやく現実のものとなったということのように見えます。ここで資本がパンデミックに乗じて支配権を主張しています。しかし、これはリッカーズが予測したようなアイス・ナインとはほど遠いものです。それどころか、これは世界がこれまで見てきた缶の蹴り落としをきわめて大規模にしたようなものでしかないのです。負債はかつてないほどまでに膨れ上がっています。中央銀行は、二〇〇八年の金融危機のときよりもはるかに大規模にマネーサプライを拡大しました。これを書いている週の水曜日、それについて国際金融研究所が警告を発しています。

コロナウィルス危機に直面して政府や企業が「債務津波」に乗り出したため、今年［二〇二〇年］の最初の九ヵ月間に世界の債務が前例のないペースで増加したことが、新しい調査で明らかになった。この債務蓄積のペースからすると、世界経済が将来的に「経済活動への重大な悪影響」なしに借入金を減らすのに苦労することになるだろう。(5)

二〇〇八年の金融危機以降、世界の借入金は三分の一以上増加しました。FRBを筆頭とする中央銀行による前代未聞の貨幣創造が行なわれてきました。マーティン・ウルフが『フィナンシャル・タイムズ』（二〇二〇年六月三〇日）で、次のようにコメントしています。

政策対応は正しく、平時としては前代未聞のものであった。IMFは、今年の政府債務が対GDP比で一九％ポイント増加すると予測している。中央銀行の政策も同様に驚くべきものであった。また、財政・金融当局による支援も実際に画期的なものである。政府は最後の保険保障者として登場した。中央銀行は、銀行業務に対する責任をはるかに踏み越えた。必要な場合には、金融システム全体に対して責任を取っている。実際、他の中央銀行とのスワップ協定を含むその介入によって、米国連邦準備制度は世界の金融システムの多くに対して責任を果たしたのだ。絶望的な時代には絶望的な措置が必要なのである。[6]

全面的な崩壊が意味するあまりの重大さを前に、「旧世界の党」も、ボルカーも、マネタリストも、だれもアイス・ナインによる「健全な貨幣」解決策を推し進める者はいないのです。ガヴィン・デービスは、『フィナンシャル・タイムズ』にこう書いています。「さらに注目すべきは、マクロ経済学者の間で、大規模な財政・金融刺激策が『戦時』経済的緊急事態への適切な対応であるという点で意見が一致していることである。ウィルスがもたらしたショックを克服するために『必要なことは何でもする』という政策に、真剣に異論を唱える人はほとんどいない[7]」。

「アイス・ナイン」というより、「ヘリコプター・マネー」のような反応なのです。しかし、これまで見てきたように、ヘリコプター・マネーはさまざまな形をとることができます。COVID-19への対応は、ある程度、ヘリコプター・マネーのイメージに近い形になっています。例えば、アメリカ政府が国民全員に千ドルの小切手を配るのは、文字通り空からお金が降ってくるような、一回限りの支払いということになります。バイデン政権発足時にも同じような支払いがありましたが、FRBが債券などの資産購入を刺激するために銀行に毎月支払っている一、二〇〇億ドルに比べれば、その重さはほんのわずかです。また、その他に、社会保障の増額や前進、家賃滞納による立ち退きの停止、レストランでの外食に対する補助金など、多かれ少なかれ国民一般を対象とした施策が、いろいろな国でいろいろな形を取って行なわれました。しかし、政府と中央銀行の対策は、圧倒的に資本、特に大資本の流動性を維持することに向けられてきました。ラナ・フォルーハーは、次のように述べています。

前回の危機では、米国は国内の大手銀行を救済した。今日では、政府の手当てを真っ先に受けたのは大企業である。その中には、プライベート・エクイティ大手だけでなく、航空会社も含まれている。航空会社は、近年、膨大なフリーキャッシュの大半を自社株買いに費やしているが、連邦政府の援助があっても生き残れないかもしれない状態なのである。これらに、ボーイング、ビッグオイル、クルーズ産業、ホテル、病院、カジノ、豚肉生産者、製薬会社、ドローンメーカーなどの製造業が加わっている。多くの大企業や金融機関が、FRBから返済期限を設定されないまま、必要なだけの信用と資金を受け取っている。雇用創出の大部分を占める中小企業は、六、六〇〇億ドルの融資制度を利用することができるようになった。しかし、中小企業や活動家などの中には、払い出しが遅くて混乱していると言う人もいる。多くの中小企業は、官僚的な理由で融資を受けることができなかったり、一部の大企業よりも高い雇用基準を課されたりしている。もちろん、個人労働者は最も大きな打撃を受けている。ロックダウンから五月一六日までの間に三、九〇〇万件近い新規失業手当の申請があり、現在アメリカにはオーストラリア全土よりはるかに多くの失業者がいる。(8)

FRBをはじめとする中央銀行は、企業に超低金利（ゼロ金利やマイナス金利も）で貸し付けるために銀行に資金を供給して、経済の全面的崩壊を防いできました。今のところ、破綻の危機に瀕しているのは銀行ではなく、多額の負債を抱えるノンバンクの非常に大きな部分です。銀行は企業への融資を仲介することで、多額の手数料を得ていますが、それとともに、企業が破綻を避けるために債務を拡大させることを容認しているわけです。つまり、資金を貸すことで、FRBや他の銀行は負債を買っているのです。今回の危機までは、このような支援は信用力のある企業、つまり黒字化の見込みがあると判断された企業に対してのみ行なわれていました。ところが、二〇二〇年四月、FRBは、そこからさらに一歩踏み込みました。

三月二三日に発表された多くの制度の中で、FRBは企業債を取得することを可能にする二つの制度を明らかにした。当初は、大手格付け会社から「投資適格」と判断された安全性の高い債権に限ってのことだった。しかし、四月九日、FRBは新たなルビコン川を渡り、その基準以下の格付けの企業債を購入する計画を発表した。この分野の債権はしばしば「ジャンク」［くず］と蔑称されるが、これは必ずしも不正確な呼び名ではない(9)。

つまり、FRBは返済の見込みのない債務を買い取り始めたのです。ヘリコプター・マネーは、資本を維持するためだけでなく、おそらく企業の生存能力がほとんどないことが明らかな場合にも使われていたのです。また、リスクがあっても高い利益が得られると考えて、リスクのある投資をした投資家も報われたのです。

ヘリコプター・マネーという大量の新貨幣の創造は、インフレーションをもたらします。しかし、これまで見てきたように、その資金が一般消費者ではなく、投資家に回るのであれば、値上がりするのは消費財ではなく、資本家が所有する資産なのです。多くの人々の生活水準が劇的に低下したのと同時に、富裕層の富は目を見張るほど増大しました。FRBをはじめとする中央銀行が「景気維持」のためだと言って資金を投入し、今後も継続すると約束したことで、世界経済が止めどなく落ち込んでいるにもかかわらず、株価は急上昇し、株式市場は新記録を達成しているというわけなのです。パンデミック終結後には、より公平な社会を創る必要があると語られている一方で、社会的不平等が急速に拡大しているのです[10]。

「必要なら何でもする」というのは、缶の蹴り落としを大規模にし、危機を大幅に先送りし、私たち全員が死ぬときまで長期的に先送りするということでしかないのです。危機を回避したことは、あるレヴェルで考えれば、資本にとって大きな勝利であったということができます。しかし、またしても資本は、その利益を強化し、さらに権威主義的な国家がそれを支援することによって、困難な状況から脱出することに成功したのです。それは事実です。しかし同時に、その勝利は、持続不可能なフィクションが深まっていく泥沼への進軍でもあるのです[11]。

39　大いなる脆さは深まる

現在の状況の異常な点は、一九三〇年代以来最悪の資本主義危機を生きているにもかかわらず、この危機の進展が、歴史的に前例のない危機の**先送り**によって深いところで形作られていることです。それは、ある意味では、ニューディール法が施行された一九三〇年代についても言えることで、そこでは、先送りされた危機の解決が戦争によって達成されることになりました。危機と先送り、それと懸案解決の可能性との間の相互作用の強さは、今日、はるかに大きくなっています。国家による大規模な介入がなければ、危機の影響は一九三〇年代よりもはるかに大きかっただろうと思われます。行なわれた国家介入は一九三〇年代よりもはるかに、はるかに大きなスケールでしたし、戦争による解決の可能性は第二次世界大戦よりもずっと、ずっと悪いものになる可能性があります。

資本主義の危機と再編の先送りは、資本主義の発展の態様に非常に重要な結果をもたらします。今後数年間、大きな役割を果たし続けるであろう三つの要素を強調しておく必要があるように思われます。それは、すなわち、長期的停滞、脆弱性の増大、不平等の拡大の三つです。

政府や中央銀行が債務を大量に拡大するしかなかったという点では一般的な合意があることは確かですが、にもかかわらず、多くの経済学者が、この債務拡大が資本に及ぼす長期的な影響、特に「長期的停滞」の激化を懸念しています。元米国財務長官のローレンス・サマーズ、特に二〇一三年のＩＭＦでの彼の講演に関連する議論が多いのですが、そこで論じられているのは、資本主義、特に富裕国の資本主義は長期停滞期に入ったという主張です。[1] これは「過剰貯蓄」に起因するもので、資金を持っている人（資本家）には生産活動に投資するインセンティヴがほとんどない状況にあります。過剰貯蓄は、実際には「富裕層の過剰貯蓄」なのです。[2]

貯蓄の過剰は、ウルフ（Wolf 2014, 152）が指摘しているように、投資の不足でもあるのです。資金を貯めすぎているということは、生産的に投資することができないでいるということです。サマーズはこれを「慢性的な需要の欠如」と特徴づけています（*Financial Times*, 11 October 2019）。ここで言う需要とは、つまり生産的な投資を求める需要ということです。ウルフはこれを「慢性的な過剰供給」と表現しています（Wolf 2014, 154）。「資本主義の見えざる手は壊れている。経済的・政治的な力が市場の自力修正を阻んでおり、われわれは今、前代未聞の供給過剰の中に生きている」。

資本は過剰であり、したがって労働も過剰なのです。このことは、先に述べた、資本家に対して開かれた選択肢という観点から考えることができます。その資本家は、資本を使って労働力と生産手段（機械や原材料）を買うか、あるいは、この選択肢が魅力的でない場合は、負債を買う、つまり、同じ選択肢を持つ他の人に自分の金を貸すことができるのです。第二の資本家が生産に投資するために第一の資本家から借金をするとしたら、それは「良い債権」と呼ばれるかもしれません（前欧州中央銀行議長で現イタリア首相のマリオ・ドラギが最近の講演で述べたように）[3]。もし第二の資本家が負債を買った方が良いと判断すれば、負債の膨張が起こります。しかし、何も新しいものは生産されません。そういった具合です。負債の購入が株式や将来の収入につながる他の債権の購入という形をとった場合、株式や他の資産の価格はどんどん上がりますが、新しい富、つまり新しい資産は生産されません。あるいは、ウルフの語るところによると、次のようになります。

今日の金融システムの主な活動は、既存の資産の購入を促進することであり、新しい資産の創造ではないし、消費のための直接的な資金調達でさえない。しかし、経済における［投資のための］実際の需要を直接的に決定するのは、後者の形態の貸出と支出だけである。だから、グロスのネットの貸出に対する比率が大きく、それに応じてグロス債務が大きくなることは、金融システムが実際に行なっていることに内在している要因によるものなのだ。それは、これまで以上に高価な既存資産の購入に向けられた経済においては、大量のレバレッジ［借入金などを用いて少ない資本で利益率を高める経営手法］を生み出さずにはおかない……（Wolf 2014, 170）。

これはドラギが言うところの「悪い債権」であって、過去四〇年ほどの間、明らかにこれが支配的な負債の形態なのです。その結果、虚構の資本、「悪い債権」や「紙の約束」が膨大に拡大し、新たな生産に対応しない資産ベースの富が爆発的に増加したのです。この過剰貯蓄、すなわち過剰な「グローバル供給」は、「最も政策的に弱い国々や最も規律のない国々を探して世界中を駆け巡り、まったく余裕がなくなり危機に屈するまで支出するよう誘惑しつづける」（Rajan 2010, 10, Wolf 2014, 163が引用）のです。

利潤を求める余剰資本が多いので、貸し出す資本に対するリターンが下がる、つまり金利が下がるようになるのです。利子率は、過剰貯蓄の存在を示す最も確実な指標だとウルフは主張しています（Wolf 2014, 154）。中央銀行の政策だけによるものではなく、このような背景から、金利は非常に長い間、歴史的な低水準で推移してきたのです。

「過剰貯蓄」論は、資本の過剰蓄積という観点から危機を分析する古典的なマルクス主義者の分析と著しい類似性を持っています。利潤率の低下は、資本が過剰に蓄積された状態、つまり、収益性の高い投資機会が少ししかなくて、これに比して、あまりにも多くの資本が投資機会を探している状態と見ることができます。過剰な蓄積は、市場原理に任せておけば、危機を通じて解消されます。国家が介入することで、債務の膨張によって危機が先送りされる場合、過剰な蓄積が続き、結果として「長期的停滞」が起こります。その政治的な意味合いは甚大で、すでにはっきりと表れています。現在のコロナ危機のもとにおける中央銀行と政府のケインズ主義的な「必要なら何でもする」反応は、資本主義をこの長期的停滞に深く陥れることはほぼ確実です。

異常なのは、危機を先送りして長期的停滞を作り出してから四〇年経っているのに、金融の世界の主要人物たちは、この問題を簡単に解決できる技術的な問題として考えているかのように見えることです。こうしたなかで、最近、欧州連合が、欧州中央銀行が財政危機の影響を打ち消すために七、五〇〇億ユーロの基金を処分することに合意した後、ドラギは演説で、「『悪い債権』が非生産的な目的に使われるのではなく、『良い債権』が生産的な目的に使われる場合にのみ回復が持続する」と述べてました（*Financial Times*, 18 August 2020）。また、ローレンス・サマーズは二〇一九年の記事（*Financial Times*, 11 October 2019）で、「健全な支出に拍車をかけることは、長期的停滞と通貨ブラックホールへの解毒剤である。それは解決しやすい技術的な問題であり、以前の時代の緊縮財政の課題よりも政治的に売るほうがずっと簡単なはずだ」と述べています。

「良い債権」あるいは「健全な支出」とは、おそらく人間活動の効果的な囲い込みと搾取を促進する債権であり、「悪い債権」とは、人間活動を抽象的労働（つまり囲い込まれて搾取される活動）に転換できない活動のことを指すのだと言えるでしょう。過去四〇年間の負債のほとんどが「悪い債権」であったことが、長期的停滞の原因なのです。これを社会的な問題ではなく、技術的な問題として捉えるのは、不誠実であるか、あるいは単にブルジョア思想の形式主義的思考の限界を反映しているかのどちらかであろうと思われます。

あるいはまた、資本の過剰蓄積の観点からすれば、これは「技術的な問題」ではないと言えます。この点で、マルクス主義の視点は「過剰貯蓄」の議論を超えています。資本が生産的投資の有益な機会を見つけられないから過剰貯蓄が起こるのであって、これは蓄積された価値の拡大を促進するに足りる新しい価値の生産が不十分であるためなのです。言い換えれば、搾取率の上昇は、資本の有機的構成の上昇や生産過程からの労働の漸進的な排除から生じる利潤率の下落に打ち勝つには不十分なのです。これは、資本の大規模な再編成を通じて解決することができますが、そのためにはおそらく、資本の再生産そのものを危うくするほどの社会的対立を覚悟しなければならないでしょう。危機を先送りした代償として、資本主義の発展に長期的停滞を発生させることになっているのです。

この停滞の一つの現れが、いわゆる「ゾンビ」企業の増加です。ジョー・レニソンは、こう述べています。

コロナウィルスの発生と中央銀行の大胆な政策対応によって、生と死の間の黄昏の中で足を引きずっている企業の群が生まれた。この一〇年間、低金利が続いたため、多くの企業が安易な借り入れを行ない、営業利益が貸し手に払うべき利息に満たないまま、のんびりと暮らしていたのである。現在、三月のCOVID-19危機の深刻化に伴う債券乱発がその傾向を加速させ、いわゆるコーポレート・ゾンビの新世代が生み出されているのだ（*Financial Times*, 13 September 2020）[4]。

利益が不足して、三年以上にわたって負債の利息を支払うことができない企業（業界ではこれが「ゾンビ」と定義されています）が急増しているのです。資本の危機のために、非効率な資本と非効率な労働者を排除するという資本主義の古典的な機能が果たされていないのです。

危機の先送りは、モラルハザードの問題とも不可分な関連を持っています。モラルハザードとは、企業、特に大企業が、いざとなったら国が直接補助金を出すか融資をするかして救済してくれるだろうという前提で行動する危険性を指しています。これが、過去四〇年間に擬制資本を発展させる要因として大きくなってきたのです。一九八七年の「ブラックマンデー」に対するグリーンスパンの反応、二〇〇八年の金融危機、そして今回のコロナ危機と、困難に陥った資本を支援するために中央銀行が行なった大規模な支援のケースで、私たちはこのモラルハザードの実態を見てきたのです。トゥーズ（Tooze 2021, 294）が言うように、「『大きすぎてつぶせない』は、完全にシステムの至上命令となった。その結果、負債を糧とした投機と成長が次々と加速されることになる」というわけです。

モラルハザードは、企業がリスクの高い投機を行なうことを助長し、また、非効率な資本の排除を妨げます。また、資本主義の道徳的イメージにも影響を与えます。二〇〇八年の金融危機に伴う怒りの高まりは、強い不公平感とともに、資本家としてふさわしくない資本家を救済することによって資本主義の道徳的パラメーターが破られたという捉え方と関係があるように思われます。搾取のシステムに道徳など存在し得ないという事実は、このシステムの道徳的な境界線として認識されていたものが破られることへの怒り、つまり、いろんなことがあるけれども、資本主義の浮き沈みにはある種の公平性があるという考えがあったという事実を変えるものではないのです。一八〇五年にリバプール卿がジョージ三世に「この新しい種類の擬制資本」について助言し、「商人たちのモラルを堕落させ、紙の通貨だけでなく、イギリス国内の商業を支える信用をも揺るがす」傾向があることを指摘していたことが思い出されます。

私たちは、アンドリュー・メロンがフーバー大統領に次のように助言した時代からは、はるかに隔たった世界にいるのです。「労働を清算し、株を清算し、農民を清算し、不動産を清算する。システムから腐ったものを一掃するのだ」(Coggan 2012, 96)。古典的な危機に伴うこうした清算の実行は、少なくとも当面は考えにくくなっています。これは、価値法則がもはや適用されないということなのでしょうか？　人間の労働によって商品化された富が実際に生産されることは、もはや重要ではないのでしょうか？　私たちは、もはや価値など関係ない虚構の世界に移ってしまったのでしょうか？　私たちは確かに、漫画のキャラクターがとっくに崖っぷちを越えて歩きつづけているような、虚構の世界に移ってしまったのです。しかし、だからといって、足元に地面がないことが意味のないことになってしまうわけではありません。漫画でもそうであったように、足元に地面がないということは、脆さ、つまりキャラクターが奈落の底に落ちていく可能性あるいは必然性を意味しているのです。

この章の冒頭で述べた危機の長期的な先送りの第二の結果は、脆弱性の増大です。負債は脆さを意味します。だから、負債の蓄積は脆さの蓄積なのです。今日の資本主義的発展の核心であるグローバルな負債のスパイラル化は、グローバルな脆弱性のスパイラル化状態でもあるのです。負債には常に、今は存在しない、あるいはまだ手に入らない価値を将来支払うという約束が含まれています。それは、満たされないかもしれない条件にかかっているのです。負債の絶え間ない膨張は、負債の根拠となる条件、すなわち価値の生産が慢性的に満たされていないことを示しているのです。

二〇〇八年の危機とは異なり、コロナウィルスの危機は、主に金融危機として現れているわけではありません。大手銀行が直ちに破綻する危険はありません(二〇二一年七月)。しかし、危機の影響を封じ込めるための膨大な債務の膨張は、システムの脆弱性と不安定性を増大させることになるのは確実です。「コロナウィルスが消えて久しい頃、そのときこそシステム全体のトラブルが始まるときだ」[5]。

コロナ危機は、間違いなく行なわれた巨大なリストラと非効率な資本の排除にもかかわらず、資本主義を、その再生産が負債の絶え間ない拡大に依存する、脆弱で不安定な世界へとますます深く引き込んでいるのです。このような脆弱性は、経済的な領域にとどまらず、政治的な影響をも及ぼしています。これは、左翼ケインズ主義者の頭の中では、危機の先送りは、より不公平でない社会の創造と結びついているのですが、実際の効果は逆で、より大きな不平等と憤りを引き起こしているのです。

ボルカー・ショックの終焉以降、主流となっている金融緩和政策は、事実上、富裕層をより裕福にするものなのです。ジリアン・テットは、こう書いています。

> 中央銀行のバンカーたちは、低金利が資産価格にとってロケット燃料のようなものであることを内心では認めており、これは金融政策の重要な伝達経路とみなされている。しかし、この夏の株式市場の高騰は自分たちの責任だと公の場で認める人はほとんどいない。市場に「プット」を作りたくないからなのか、富の不平等が拡大していると非難されるからなのか、バブルが弾けるとスケープゴートにされるからなのか、その内のどれかだ。あるいは、その三つすべてか……（*Financial Times*, 17 September 2020）[6]。

金融政策は「資産価格のロケット燃料」である、とテットは言っています。その目的は、株式などの資産を購入できる人たちの手に資金を流し込むことで危機を回避することにあるのです。

FRBの量的緩和は、主に株式や債券などの金融資産を保有する人々の純資産を増加させることで、富の不平等を拡大している。アメリカ人の上位一〇パーセントがこの国の株式の八四パーセントを所有している。上位一パーセントは約半分を所有している。アメリカ人の下位半分、つまりパンデミックの最前線に曝されている人たちは、ほとんど株を持っていないと言う。……規模が大きくなればなるほど、得られるものも大きくなるのだ。S&P500〔スタンダード・アンド・プアーズ500種指数〕は、二〇二〇年に約一六・二%のリターンを示した。そのグローバル・ラグジュアリー・インデックス〔特定の投資要件を満たす高級品の製造・販売、高級品サービスの提供に従事する80の上場企業の指数〕の利回りは、三四%という驚くべきものだった。(7)

金融政策、特に量的緩和の結果は、「K字回復〔急回復と緩慢回復ないし落ち込みに二極化する回復〕」である。グレート・ギャツビー風のブームが頂点に達する中で、大多数の人々が苦しんでいる」(8)。大多数の人々の苦しみは、家計の負債に反映されています。ほとんどの国で、実質賃金は一九八〇年代初頭から低迷しています。生活水準の向上は、それが実現した範囲においては、主に負債によって賄われてきました。貧乏人の叫びに対するシステムの反応は、フランス革命前のマリー・アントワネットの反応と同じように鈍感なものでした。「彼らに信用を食べさせよう」が時代の合言葉だったのです。[9]

社会的不平等の増大は、過去四〇年間の金融政策の優越性と不可分なものでした。中央銀行は、利潤率の低下に対して、生産関係の再編成を強制することによって応えるのではなくて、資本家に資金を供給することによって応えてきました。だから、富の生産に相応の成長がないにもかかわらず、利潤は増加し続けているのです。これまでもっぱら金融政策に依存してきた結果、中央銀行の規制よりも財政政策、つまり国家支出による経済運営が再び重視されるようになってきました。しかし、それが資本が陥っている「破滅のループ」[10]からの脱出につながるかどうかは定かではありません。国家債務の拡大は、資本の一般的な債務と、債務の拡大にますます依存するようになったシステムの再生産につながる可能性が高く、それは停滞、脆弱性、不平等の拡大、そして憤りといったすべての要素が亢進されることを意味します。[11]

この本の執筆も終盤に差しかかった頃（二〇二二年初め）には、FRBがより「タカ派」的なアプローチを採用し、それによってインフレ率の上昇に拍車がかかり、翌年にはほぼ確実に一連の金利の上昇が続き、FRBによる資産購入に使われる月額は縮小されるだろうことが明らかになりました。ボルカーに戻るという話も盛んになっているようです。[12]このような金利上昇が、米国内の重債務資本、特に貧しい上に重債務を抱える州にどれほどの強い影響を与えるかはまだわかりません。しかし、膨大な債務の重荷が非常に大きな規模で解体される可能性は低いと思われます。[13]あるいは、もしボルカー型の資本の大リストラが金利の大幅な上昇によって強行されれば、（ポスト）パンデミックやウクライナ戦争に伴う国際緊張の中で、世界中に社会不安が生じることは想像に難くありません。恐怖が高まります。

なぜか？　なぜ資本は、このような運命的な債務のループに自ら陥ったのでしょうか？　経済理論や経済政策の誤りでは説明しきれません。システムが暴走しているだけだという要素も確かにあります。それぞれの資本は、蓄積への焦燥感によって動いています。モラルハザードの時代には、椅子取りゲームがますます熱狂的になり、すべての警戒心が放棄されます。しかし、資本一般の普遍的な利益だと認識されているものを守ろうとして、国家が蓄積への衝動を制御しようと介入するという範囲においては、この介入は、何よりも恐怖によって推進されているのです。

その恐怖がはっきりと示されることはほとんどありません。それは、金融崩壊への恐怖です。確かに、富裕層は富や豪邸、社会的特権を失うことを恐れています。しかし、それ以上に、システム崩壊への恐怖、システムが崩壊し、暴徒が蜂起し、無秩序が支配することへの恐怖があるのです。二〇二一年一月の米国議会占拠によって、その恐怖は見事なまでに劇的に演じられました。

めったに発展させられることはありませんが、それでも暴徒の恐怖は、現在の状況についての論評の中で何度も何度も表面化しています。例えば次のように。

パンデミックの経済的遺産は、生産高の急減、企業の倒産、失業率の上昇、財政赤字の累積などであろう。世界で最も豊かな国々が、より貧しく、より負債を抱えることになる。資本主義が新しく生まれ変わるのだ。パンデミックに対する支払いも、同じような問題を引き起こすだろう。緊縮財政への回帰は狂気の沙汰である。革命とまではいかなくても、広範な社会不安を招き、ポピュリストにとっては天の恵みとなる（Philip Stephens, *Financial Times*, 8 April 2020）。

アメリカのように豊かな国でも食糧不足が深刻化しており、五世帯に一世帯が十分な食糧がないと答え、フードバンクの列はパンデミックの間に長くなり、さらに学校の閉鎖により毎日の食事を学校に頼っていた子供たちが食事を摂れなくなっている。歴史上、飢餓と政情不安の関連性は明らかである（Lyric Hughes Hale, *Financial Times*, 8 September 2020）。

もしこの仮説が正しいのであれば、そしてもし不平等が今日の世界の政治的緊張に拍車をかけているのであれば、その緊張は株式市場の上昇と無関係とは言えないだろう。この二つは同じ根から生長しているのだ。世界経済の不平等とアンバランスは、まだ数年間は米国株が有望であることを保証するはずである。しかし、長い目で見れば、政治的な変化により、自分たちの利益が愚者の黄金であることが明らかになるかもしれない、と投資家に考えさせるものである（Robert Armstrong, *Financial Times*, 8 June 2020）。

公的債務と財政赤字ははるかに大きくなるだろう。また、「緊縮財政」や公共支出の水準や伸びの削減を再び行なうことはほとんど許されないだろう（Martin Wolf, *Financial Times*, 16 June 2020）。

アメリカ人が大統領選でドナルド・トランプに投票し、イギリス人がＥＵ離脱を支持し、ヨーロッパ中の投票者が極右や左派の政党に群がったのは、ポピュリズムのおかげであることは間違いない。戦後のアンシャン・レジームの安定は、生活水準の安定的な上昇を保証する社会契約によって支えられていた。これは国によって異なり、完璧とは言い難く、決して普遍的なものではなかったが、その正統性は「公平」という幅広い認識に根ざしていたのである。世代を重ねるごとに、前の世代よりも豊かになることが期待できた。二〇〇八年の経済危機とそれに続く緊縮財政による不況で信頼は失墜した。しかし、平均収入の停滞、雇用不安の増大、所得格差の拡大などを通じて、戦後の社会契約の崩壊はもっと以前から始まっていたのである。低所得の未熟練労働者は、テクノロジー、比較優位への急激な変化、そしてワシントン・コンセンサス［ワシントンを本拠にしている米国政府と国際通貨基金（ＩＭＦ）および世界銀行との間に成立した合意で「小さな政府」と規制緩和を促進したとされる］と呼ばれるものに魅了された政策立案者による自由な市場への闇雲な傾倒によって取り残された。ひとたび事態が悪化すれば、ポピュリストたちは、旧来の政治的エリート、銀行家、最低賃金の移民などといった、ごちゃまぜにしたさまざまな敵を差し出せばよかったのである。有権者は、自分の子供たちがより良い未来を約束されていることを信じられなくなったとき、失うものは何もないという結論に達したのである。ミスター・トランプや英国のボリス・ジョンソン首相がエリートの一員であることは、ほとんど問題ではなかった（Martin Wolf, *Financial Times*, 14 July 2020）。

「もし、州が支出を減らし、教師を減らし、警察を減らすなど、そうしたことを州や地方自治体が行なうのを見なければならないとしたら、それはまさに火遊びだ」と、かつて民主党のビル・クリントン大統領が任命したFRB副議長だったプリンストン大学の経済学者アラン・ブラインダーは述べている（James Politi, *Financial Times*, 15 September 2020）。

ジョン・メイナード・ケインズ以来、国家介入の最良のケースは、市場を廃止することではなく、市場に対する公的支援を維持することであった。野放しの資本主義では、選挙民の判断に耐えられないだろう。確かに、二〇〇八年の大暴落以来、庶民、特に若者の不平等に対する不満が、全面的な制度改革の要求へと波及しかねない時期があった。もしバイデノミクスが実施されれば、企業や高額所得者の生活はより負担の大きいものになるだろう。しかし、さらに先のより徹底した清算を回避することができるかもしれない（Editorial Board, *Financial Times*, 20 October 2020）。

現在の危機は、「ほとんどの国にとって、長期的な生産性上昇率の低下、家計の財政不安の増大、無秩序な金融変動のリスクの増大を意味する。これはまた、社会基盤を弱体化させ、政治的偏向をさらに助長させる危険性がある」（Mohamed El-Erian, *Financial Times*, 15 January 2021）。そして、最も興味深かったのは、二〇二〇年の年末に向けて書かれた社説です（Editorial Board, *Financial Times*, 30 December 2020）。

世界金融危機以降、この裏切られたという感覚は、グローバリゼーションや自由民主主義の制度に対する政治的な反撥を加速させてきた。右翼ポピュリズムは、資本主義市場を残したまま、この反撥に乗じて盛んになるかもしれない。しかし、彼らが経済的に挫折した人々への約束を果たすことができない以上、資本主義そのものと、そこから利益を得ている人々の富を掬い上げて一掃する熊手が向けられるのは時間の問題であろう。

などなど、さまざまな意見が飛び交っています。経済政策や経済発展についての議論には、常に暴徒に対する恐怖が存在していること、その恐怖は、負債という破滅のループ、単なる循環的バブルとは程遠いこの擬制資本の長期的成長の中に常に存在していること、このことを否定するのは難しいでしょう。ケインズの恐怖は生き続けています。私たちが見た恐怖は、『一般理論〔雇用・利子および貨幣の一般理論〕』の最後のページに表現されていた恐怖なのです。「世界は、束の間の高揚の時期を除けば、資本主義的個人主義につきものの、そして私の考えでは必然的なものでさえある失業に、もはや長くは耐えることができないだろう」(Keynes 1936/1961, 381)。

世界は、もはや長くは耐えることができないだろう。世界は、もはや長くは耐えることができないだろう。世界は、もはや長くは耐えることができないだろう。……資本主義そのものと、そこから利益を得ている人々の富を掬い上げて一掃する熊手が向けられるのは時間の問題であろう。資本主義そのものと、そこから利益を得ている人々の富を掬い上げて一掃する熊手が向けられるのは時間の問題であろう。資本主義そのものと、

そこから利益を得ている人々の富を掬い上げて一掃する熊手が向けられるのは時間の問題であろう。

何度も何度も、その悪夢は資本の精神の中に響き渡り、貨幣そのものの最も深い核心に入り込んでいくのです。

PART Ⅷ

結末を求める書物
ハッピーエンドを求める希望

40　容器は収納できない

貨幣は脆い

貯水池は溜め、泉は溢れる(1)。貨幣は溜まり、豊かさは溢れ出る。

貯水池は実在する。私たちは本当に封じ込められ、囲われ、制限されているのです。さらに悪いことに、その貯水池が圧縮されているのです。私たちは、資本の論理が、商品を生産するための社会的必要労働時間の減少によって引き起こされる圧縮の論理であることを見てきました。資本の論理は、私たちの生活にますます深く浸透しています。その最もよく目に見える顔が貨幣です。

貨幣は、私たちが暮らす貯水池です。それは、大いなる容器であり、かつ大いなる欲求不満でもあります。それは、私たちができること、見うること、考えられることを制限します。それは非歴史性であり、不可能性なのです。

泉は、私たちが創りたいと望んでいる世界です。それ以上に、貯水池の中からの叛乱であり、打ち破り溢れ出る力、対抗し乗り越えていく力、そうすることで自らを創造していく力です。それは、形態に対抗する脱物神化の運動なのです。

貨幣は、永久的で、時間を超越し、非歴史的で、必要不可欠なものとして自らを示します。貨幣のない世界は考えられない、不可能であると自己主張しています。パンデミックの時代である今でも、貨幣の自己拡大への衝動が人間生活の未来の存在を危うくすることが明らかな今でも、そうなのです。誰もがリセットの必要性を口にしますが、貨幣を超えるなどと言うのは狂人だけだとされているのです。

貨幣の批判は、貨幣を社会的諸関係の歴史的に特異な形態として理解することにあります。これが、マルクスの政治経済学批判、スミスやリカードに対する批判の中心であることは、これまで見てきたとおりです。スミスやリカードは、資本主義が永続的であると思われてしまう世界に社会的にも概念的にも囲い込まれていたため、価値や貨幣を社会関係の歴史的に特異な形態として理解することができなかったのです。マルクスの批判は、貨幣の起源とその限界、死すべき運命、脆さを指摘しています。しかし、その形態の歴史性は、実践的に示されなければなりません。私たちが見てきたのは、価値と貨幣を引き離す長期的な遠心力が存在することです（その表現として現在最も影響力があるのが、現代貨幣理論［ＭＭＴ］と暗号通貨です）。価値の生産（基本的には搾取を通じて生産されます）と貨幣による価値の表象との間に、ますます大きな裂け目ができています。この裂け目は、負債の長期的な増大とそれが生み出す擬似的な価値の虚構世界によって隠蔽されているのです。この遠心力は、資本が労働を十分に搾取できないという事実、そしてこの無能力を暴露することへの恐怖、すなわち、暴徒への恐怖によって形作られたものです。

価値と貨幣の間のこの遠心的な隔たりこそが、貨幣の脆さをもたらし、貨幣を歴史的に過ぎ去るものとして潜在的に規定しているのです。その脆さは、システムのダイナミズムが自律的に働いた結果ではなくて、私たちの抵抗・叛逆が強く働いた結果なのです。資本というのは、貨幣を通じて、私たちの活動を絶えず締めつけ、より過酷になっていく特定の論理の中に封じ込めることに基づいている支配の様式です。私たちの抵抗と叛逆の強さが、この封じ込めシステムを脆くしているのです。この封じ込めのシステムは、搾取と支配のシステムが必要とするより厳格な要件を課すことが不可能になるのではないかという恐怖によって、その限界まで緊張させられています。この恐怖が、システムを虚構の存在、脆い存在へと追いやっていったのです。

しかし、脆さとはどういう意味なのでしょうか？　それは壊れやすさを意味します。システムは見かけほど無敵ではありません。資本を基盤にしていない社会、つまり価値の拡大を基盤にしていない社会を想像することは、不可能だと思われているのが普通です。しかし、資本を基盤にしたシステムは、見かけほどには安定していません。二〇〇八年の危機の核心であったパニック、つまり世界金融システムの崩壊が本当に起こるかもしれないという恐怖は、克服されるには程遠いのです。暴君は見かけほど無敵ではないのです。

脆弱性は弾力性とは反対のものです。資本主義はしばしば無限の弾力性、無限の適応性を持っているように見えます。現在起こっているパンデミック、地球温暖化、核兵器の増強などなど、社会組織を根本的に変えなければ、人類の存続が危ぶまれることを教えてくれる事例には事欠きません。

それなのに、資本はこのようなことすべてを受け入れているように見えます。地球温暖化対策は株式市場の計算に取り込まれ、化石燃料の巨大企業の脅威は将来の利益予測に取り込まれ、製薬会社はパンデミック対策のヒーローとして登場し、銀行は活況を呈しているのが現状です(2)。このままのやり方で生活していくことはできないということは誰もが認めるところなのですが、貨幣が宿命として持っているダイナミズムは疑う余地がないように見えてしまいます。貨幣は弾力性を持った大きな復元力であり、死のダイナミズムの中で私たちの活動を支える大きな容器になっています。だからこそ、その脆さを問うことが重要なのです。脆さが無限の復元力のイメージを覆します。

脆弱性は不可能というタブーを打ち破ります。このタブーは、システムが機能していないというかなり広範な認識と、だから今こそ貨幣が支配しない世界を創らなければならないという結論との間に立ちはだかる障壁の役割を果たしています。**貨幣の支配は災厄をもたらす。だから、貨幣が支配しない世界を創らなければならない。**これは単純な主張でありながら、それが不可能に見えるということによって、「だから」が隔たりに変換されてしまうのです。何百万人もの人々にとって、不可能だと信じられているタブーによって、私たちの単純な主張は「**貨幣の支配は災厄をもたらす。……非現実的で夢想に浸る人たちは言う、貨幣が支配しない世界を創らなければならないと**」と言い換えられてしまうのです。だからこそ、こう言うことが重要なのです。「**貨幣の支配は災厄をもたらすだけでなく、非常に脆いものであり、しかも、その脆さは、貨幣の支配が私たちを封じ込めておくことができない結果、もたらされているものなのです。したがって、貨幣が支配しない世界を創ることは、現実的であり、かつ緊急の課題なのです**」と。見かけの上では不可能だということによって押しつけられたタブーを、革命的な希望が打ち破ることによってのみ、貨幣が支配するゲットーを壊すことができるのです。

しかし、貨幣が脆弱だということは、社会関係の形態としての貨幣の存在意義が問われることを必ずしも意味しません。ATM機が動かなくなり、銀行が閉鎖されたとき、最もありそうな反応は、「ああそうか、お金は資本主義の社会的関係にすぎないんだから、ないほうがいいんだ」ではなく、「お金がほしい！」ということでしょう。貨幣危機は、社会的形態としての貨幣の危機では必ずしもありません。確かにそうかもしれません。最もはっきりとしたケースは、二〇〇一／二〇〇二年のアルゼンチンの金融危機でした。このとき、金融危機は政治危機のきっかけとなり、数週間のうちに大統領が相次いで辞職し、大都市では近隣住民の集会が開かれ、何百万人もの人々が参加する物々交換運動が起こりました。この運動が起こったのは、貨幣がない状況で生存のための緊急課題を解決しなければならないという現実的必要性があったからであり、また社会的関係の形態としての貨幣に対する拒絶反応があったからでもあります。物々交換運動は、その両方を動機として行なわれたのです。いかなる金融危機も、社会的連帯関係の成長を促進する傾向がありますが、必ずしも社会的関係としての貨幣の否定につながるとは言えません。一九九七年のアルバニア通貨の暴落は、約二、〇〇〇人の命を奪う内乱を引き起こしましたが、貨幣形態への疑問は出されなかったようです。貨幣の脆さは不可能を可能にしますが、必ずしもハッピーエンドに導いてくれるわけではありません。

『フィナンシャル・タイムズ』は、広告でこう言っています。「われわれは資本主義を信じていいます。しかし、そのモデルは歪んでいます。資本主義を維持するために改革が必要です。もし、あなたも同じ考えなら、私たちに加わってください」。この本は、こう答えます。「資本主義は、現在において計り知れない害悪をもたらし、将来において完全に破局に至る恐れがあります。だから、私たちは資本主義を信じません。資本主義を維持するために改革することは、人類の破局への道を維持することです。しかし、**資本主義のモデルに歪みがある**のは重要なことです。その歪みを作り出しているのは私たちであり、それが私たちの希望なのです」。

貨幣の危機は文明の危機である

貨幣は、私たちが暮らしている文明の中心にあります。私たちの活動は、貨幣の支配形態を通して互いに関連し合っています。貨幣の脆さを語ることは、この文明の脆さを語ることでもあるのです。「全てが解体し、中心は自らを保つことができない」。たとえそれが偽りのものであったとしても、私たちが多くの国で慣れ親しんできた民主主義は、右翼政党の擡頭、国家の権威主義の増大、民間企業による私たちの生活の詳細な管理の拡大によって危険にさらされています。

「中心は自らを保つことができない」という発想には、前提としてある種の社会契約が含意されています。それは、明確な合意があるという意味ではなくて、ある種の確立された行動パターンが闘争を通じて確立され、個々人が全体としてのシステムの再生産に必要な部分と見なされるという意味において社会的合意があるということです。このパターンは時代や場所によってさまざまに異なりますが、どのような時代や場所でも、秩序を維持するために何が必要かという考えとして表現されます。このようなパターンの裏側には、暴徒に対する恐怖があります。例えば、ホッブズ(Hobbes 1651)においては、この点が明確で、そこでは、人間の生活が「孤独で、貧しく、厄介で、残忍で、短い」ものとなるような無秩序な世界に代わる秩序ある世界を創るために社会契約が提示されています。(3)

ここでの議論は、経済政策(そしてより一般的には国家介入)が維持しようとするある種の中心が実際に存在するというものでした。この中心は、リベラルな理論が言うような合理的で自由な合意なのではなくて、公然たる闘争と隠然たる闘争を通じて資本に課された階級的な力の均衡、あるいは支配のパターンにほかならないのです。これは、ネグリがケインズに関する論文で見事に指摘した点です。それは、支配のパターンに刻み込まれているのは、ロシア革命とそれに伴う階級闘争の波によって資本に突きつけられた労働者階級の力に対する認識であるということです。マンが労働者階級に対する恐怖を暴徒に対する恐怖にどのように置き換えているかを見てきましたが、ポイントがまだ残っています。それは、ある支配のパターン、またはある社会契約は、公然たる社会闘争と隠然たる社会闘争によって、被支配者と支配者の双方に課されるものなのだという点です。それは、資本主義打倒のための闘いと生命維持のための闘いとの間に生まれたある種の行き詰まりであり、またある種の生存様式でもあるのです。

確立された支配のパターン、この保つことのできない「中心」について、私たちは二つのことを言うことができます。第一に、おそらくそれが人類を滅亡に導いているということでしょう。それは、この本の最初のところで述べた列車のことなのです。ケインズとすべての左翼・中道・右翼ケインズ主義者が維持するために懸命に闘っている文明は、搾取、人種差別、性差別、抑圧、投獄、他の形態の生命の破壊に基づく残忍な文明なのです。そうではあるものの、その残忍な性格は、暴徒への恐怖、労働者階級への恐怖、すべての支配を失うことへの恐怖によって、ある限度内に抑えられています。それゆえ、マンが自分はケインズ主義者であると告白したことが示すように、非常に現実的なディレンマがあるのです。それは、さらにもっと残忍な社会に陥るのを避けるために、われわれがその中で生きている残忍な文明を守るのか、それとも、資本主義ではない世界を創るために、今ある残忍な文明を破壊しようとするのか、という選択をめぐるディレンマです。これは、人々に「改革派」「革命派」というレッテルを貼るだけでは解消されない重大なディレンマです。

長い目で見れば何とかなるだろうと危機を先延ばしにすることは、いざ危機が訪れたときに危機を悪化させることにつながることを考えれば、左翼ケインズ主義者のディレンマはさらに大きくなります。この点においては、ケインズの敵であった「旧世界の党」、アンドリュー・メロンのような人々や今日の金融タカ派は、ある意味で正しいかもしれないのです。それは、危機の先送りがもたらす悲惨な痛みや暴力の脅威の蓄積よりも、定期的な危機の痛みや暴力の方が好ましいということなのだろうと思われます。現在の状況は、行方を指し示す鳩が戦争から遠ざかるどころか、むしろ戦争へと導いていることを暗示しています。

第二に、それを防ごうとしてもしなくても、「中心」は自らを保てない可能性が非常に高いのです。それは、負債を絶え間なく拡大して、自らの基盤をますますの虚構性に基づくものにしていっているからです。現在のポジションは自らの危機を常に先送りにすることで維持されているのです。すでに存在している社会的閉塞の中で自らのポジションを維持するためには債務の拡大が必要なのです。そして、その債務拡大は長期的停滞、脆弱性、社会的緊張の上昇をもたらすのです。生産されていない富に対する請求を曲芸のジャグリングのように絶え間なくやりくりしていくしのぎ方は、ますます不安定になっていきます。破滅的な爆発が迫っているが、正確に予測することは不可能であるという意味で、それは火山に似ています。

闘争によって課せられたある種の生存様式という考え方は、私たちの議論に内在しているものです。危機の先送り（あるいは危機の先送り＝長期化＝管理）とは、まさにそのことなのです。ある種の支配パターンを維持する必要性を認識し、そのパターンの反対側にあるものを恐れているわけなのです。それは、ある種の対決の保留であり、最終的決着の回避です。ルーズベルトのニューディール政策は、その数年後に起こる第二次世界大戦の対決を一時的に回避するためのものであったのだろうと言うことができます。現在、対決を保留したままの状態を、いつまでも維持することはできない状況に再び陥っているのです。

恐怖と希望。対決が意味するものへの恐れ。戦争、ファシズム、私たちの世代の内で多くの人々が逃れることができた恐怖。貨幣は私たちの文明の基礎です。貨幣の脆さは、生活様式全体の脆さでもあります。ウクライナの戦争は、そのような生活様式がいかに簡単に壊れてしまうかを示した恐ろしい一例です。しかし、恐怖だけではありません。そこには希望もあります。資本家と彼らを代表する政治家も最終決着を恐れていることがわかります。それは、彼らが良い人たちだからではなく、彼らに反対する態手の一揃いが、彼らの資本や資本主義さえもかっさらってしまうかもしれないからです。

これは、嵐の到来、サパティスタが語るトルメンタ［tormenta スペイン語で「嵐」］のイメージです。嵐はすでにここにあります。新自由主義はすでに戦後の社会契約を破棄し、新自由主義以前の時代に生きていた私たちが永遠になくなったと思い込んでいたレヴェルの暴力を再び導入してしまったのです。労働条件における暴力、他の生活形態の破壊における暴力、警察行為や軍国主義における暴力、フェミサイド［女性であることを理由にした殺害］の暴力、人種差別、権威主義やファシズムの擡頭による暴力などがそれです。資本主義は、特に世界の特定の地域において、増大する攻撃と暴力によって特徴づけられています。しかし、それだけではなく、ある種の生存様式がまだ存続していて、債務の拡大による危機の先送りによって支えられている社会の行き詰まり、支配者の恐怖によって引き起こされている行き詰まりがあるのです。今は嵐です。だが、地平線上にはもっと大きな嵐があります。それは支配者たちの恐怖によって抑えられているのです。そして、私たちの疑問は、答えられないままです。彼らの恐怖は私たちの希望なのでしょうか？

脆さは移行を意味しない

脆弱性は移行を意味しません。ヴァネイジェムが言っているように、「ある文明が崩壊し、別の文明が誕生する」ことはよくあることかもしれません。しかし、一方から他方へ自動的に移行することがないのは確かなことです。一つの文明が崩壊しているのに、何も生まれてこないということもあり得ます。新しい世界は、それを創造する力が見出されなければ生まれないのです。これは、ある世界システムが、激動の時代を経て別の世界システムに移行するという、定められた流れではないのです。あらかじめ定められている結果があるわけではないのです。嵐が去るまで隠れていようとか、ノアのように箱舟を造って向こう側に行こうとか、そういうことではないのです。

それよりも、もっと私たちの助けになるのは、古いものが死につつあり、新しいものがまだ生まれてこないという事実に危機があるというグラムシの考え方なのではないでしょうか？　しかし、繰り返しになりますが、あらかじめ構成された新しいものが誕生するのを待っているわけではありません。この脆さという概念は、旧世界が滅びつつあるという考えを裏づけるものですが、その過程で私たち全員が死に至る可能性があるのです。そしてまた、新しい世界は、私たちが創り出すことによってしか生まれないのです。

もしかしたら、私たちがボクサーの一人であるボクシングの試合のことを考えなければならないかもしれません。過去四〇年間の新自由主義の暴力を受けて、私たちは血まみれになり、打ちのめされています。勝つ見込みはなさそうだから、せいぜい敗北の条件を交渉するくらいしかできないのかもしれません。私たちの対戦相手である資本は、万能で無敵のように見えます。しかし、よく見てみると、それは偽りの姿であり、見せかけにすぎないことがわかります。相手は、私たちの抵抗が与えたダメージのために、足がよろめき、倒れそうになっているのです。偽りの見せかけの姿は、私たちからすべての希望を奪っていきました。しかし、今、私たちは、血まみれになり打ちのめされながらも、自信を失わなければ、まだ希望があることを知ったのです。

新しい年が始まるとき、かつてなかった様子で、歴史は一度に両方の方向に鋭い眼差しを向けようとしています。脆さは二つの道を指し示しています。ひとつの方向は、ホッブズが言うような万人と万人との戦い、ある者たちが別の者たちを虐殺し合うような混沌とした世界に向かっています。そして、もうひとつの方向は、相互承認に基づく共同生活を徐々に構築していく、解放された世界に向かっています。貨幣は今、限界まで伸ばしたゴム紐のようなものになっています。しかし、多くの人が経験しているように、切れる限界ぎりぎりまで伸ばされたゴム紐は、引き伸ばしたものの上でひどく跳ね返されるか、あるいは単に切れて指が空っぽになるかのどちらかしかないのです。

貨幣の脆さは、封じ込めシステムの脆さであり、全体化システムの脆さなのです。資本はとてつもない求心力を持っています。私たち全員をその論理の中にどんどん吸い込んでいくのです。この吸引力には物質的な根拠があります。この論理に引き込まれないと、餓死してしまうのです。しかし、この吸引や封じ込めや全体化のプロセスは脆いものなのです。壊れてもおかしくないし、もしかしたらもう壊れているかもしれません。それは、世界の人口の大部分にとって、物質的な再生産を確保できないことが次第に明らかになってきたという意味で、単純に崩壊する可能性があるのです。そして、この論理が生命を破壊し、パンデミックに追い込み、ウクライナや他の多くの場所のように戦争に追い込んでいることがますます明白になっているという意味で、崩壊する可能性があるのです。そして、通貨制度の求心力が働かなくなってきたという意味で、崩壊する可能性があるのです。ある意味で、吸引力が弱まり、私たちは社会的な相互関係を別の方法で考える方向へと押しやられ、あるいは強いられているのです。封じ込める力が弱まり、溢れ出る力が強まっています。

41　われわれは暴徒−豊かさ−抵抗−叛逆である

人類は今、大きな危機に瀕しています。貨幣が私たちを最後の奈落の底へと突き落とそうとしているのです。どうすればこのダイナミズムから抜け出せるのでしょうか？

この危機からの脱出は、貨幣の論理とその影響に対するあらゆる種類の闘いを通じてでなければならないのです(1)。問題なのは、こうした闘争が、一般に、貨幣そのものに対してというよりも、貨幣の影響に対して向けられていることです。貨幣の廃止は、とうてい考えられないほど不可能なこととして表れています。貨幣と、貨幣に付随するもの、つまり利益の追求と生活の多くの側面の貨幣化は、私たちの活動を非常に大きく左右し続けています。

貨幣というのは、実は、見た目よりもずっと脆いものです。その脆さを形作っているのは私たちの豊かさなのです。貨幣の凝集力は、溢れ出る私たちの豊かさに直面して、脅かされているのです(2)。

豊かさは、私たちの生成の運動であり、私たちの創造性の発展なのです。その豊かさは、商品形態によって利用され、変質させられています。しかし、商品形態には適合しないので、商品形態から溢れ出し、富として貨幣として貧困なものに変質させられてしまうことに抗っています。拮抗する社会の外に純粋さや豊かさがあるわけではありません。そうではなくて、この社会の内において、反対物と対抗しながら、それを乗り越えていくところに豊かさはあるのです。豊かさが利用され変質させられて形成される社会においては、豊かさとは、自覚するしないにかかわらず、必然的に満たされない豊かさになってしまいます。資本主義における拮抗関係の核心は、この満たされなさにあります。この満たされなさは、搾取、つまり、他人のための剰余価値生産に、あるいはその生産を支援する活動に、私たちの日々、私たちの人生を費やすことを強いられることにおいて、最も苛烈に表されます。

豊かさは、自己決定へと突き進むところにあります。「(私たちの)創造的な潜在能力の制約されない発揮」は、自己決定のプロセスとしてしかありえません。あらゆる創造は社会的なプロセスの一部ですから、それが行なわれるには、個人の意思決定だけでなく、ある種の集団的な自己決定が必要です。その集団的な自己決定は、通常、関係者全員が参加する討論のプロセスを通じて行なわれます。これはつまり、ある種の共同体におけるようなコミューナルなプロセス、ある種のコミューン化になりますが、それは前世紀の「コミュニズム」からは何百万マイルも遠く離れたものです。

豊かさと創造性は、自らを貨幣、資本として変質させられた形で展開されます。それと同時に、その貨幣への変質に対して、満たされなさ、不服、抵抗、反抗を突きつけることになります。このような対立は、日常生活の中に消え失せてしまうため、見分けがつかないことが多いのですが、支配者の恐れ、うまく規律を課すことができない失敗が慢性的になりどんどん深まっていく傾向に反映されているのです。アンドリュー・メロンが打ち出した「労働を清算し、株を清算し、農民を清算し、不動産を清算する」という処方箋は、少なくともこの四〇年間は、「道の向こうに缶を蹴飛ばす」処理に押しのけられて無視されてきましたが、これがいつまでも続くわけはないでしょう。民主主義（国家レヴェルのデモクラシー）は、異議と貨幣の支配を調和させようとしていますが、それには負債を限界まで引き延ばすという代償が必要になっています。満たされないままの豊かさの力と怒りを抑えるのは、ますます難しくなっていきます。その結果、国家はより権威主義的な構造へと向かっていき、そうした政策を実行していくことになるのです。

資本主義の破局を前にして、今こそ私たちの心を踊らせるときです。貨幣は災厄に向かって行進していきます。しかし、私たちはその歩みを乱し、踊るのです。私たちは、貨幣の文法を乱し、貨幣の論理を乱して、踊るのです。私たちの豊かさは、商品化され、富に換えられ、貨幣に換えられ、そういうものとして同定されています。しかし、完全にそうなっているわけではありません。貨幣は私たちを攻め立てます。しかし、私たちを征服することはできていません。私たちの豊かさは、詩として溢れ出るのです。貨幣の文法とは違う私たちが持つ文法で書かれた詩です。私たちは名詞に対抗する動詞です。心のダンスなのです。私たちの詩の力・踊踏の力は、負債の長期的な拡大、資本が私たちを価値法則の中に閉じ込めることの困難さがますます増していることに示されています。

私たちは正常な人間です。正常な人間は適合しないのです。資本のプロクルステスのベッドには適合しないのです。この不適合は力を持っています。それは今まで見てきた通りです。その力は、積極的な不服従の力だけではなく、消極的な非服従の力でもあります。資本は、叛逆者、活動家、公然とその支配に反対して闘う人々だけでなく、別の者とも常に闘わなければならないのです。資本はまた、非服従の人々、つまり、朝目覚まし時計が鳴るとあくびをして眠りに戻る人々、仕事が鬱陶しくて辞めてしまう人々、仕事に行かずに子供と遊ぶ人々、授業をサボって本、例えばこの本を持って公園に行く人々、そうした人々を資本の論理に閉じ込めるのに苦労しているのです。資本が生き残るためには、人間の活動を資本の論理にますます服従させることが必要になっているのです。慢性的な債務の膨張は、それを実現するのが非常に困難であることを示しています。「大量離職」[1]、すなわちパンデミック規制の終了に伴い、何百万人、何千万人もの人々が職場に戻ってこないという事実は、非服従の力を示すものにほかなりません(3)。

私たちは満たされないままの豊かさなのです。私たちは暴徒です。私たちは荒れ狂う暴徒なのです。それは恐ろしいことです。私たちはヘーゲルが言ったことに戻ってきました。「暴徒は、貧しさに心の性向、すなわち金持ちに対する、社会に対する、政府に対する内なる憤りなどが加わったときにのみ生まれる」（Hegel 1821/ 1967, 277）。私たちはそれを少し修正してみます。「暴徒は、富裕層や社会、政府に対する内なる憤りという、満たされない豊かさと結びついたときにのみ生まれるものである」。「富裕層、社会、政府」に対する、つまり貨幣の力で成り立っている文明に対する内なる憤りと結びついた満たされない豊かさ、それが私たちなのです。

私たちは、希望と怒りの出発点に戻っています。しかし、怒りは危険なものです。私たちは危険な世界にいるのです。コントロールできない虎に乗ろうとしているのです。

42
怒りから尊厳ある怒りへ
憤怒から憤怒の尊厳へ

世界はもはや長くは耐えることができないだろう……　（Keynes）

アバハリ・バセミジョンドーロは常に警告してきた。貧者の怒りはさまざまな方向に向かう。われわれはたびたび警告してきた。われわれは時を刻んでいる時限爆弾の上に座っているのだ。（Abahlali baseMjondolo）

資本主義そのものと、そこから利益を得ている人々の富を掬い上げて一掃する熊手が向けられるのは時間の問題であろう。（*Financial Times* editorial）

いまお前は見る　俺の目に火が燃えているのを
俺のフライパンから　嫌な臭いがする

暴力を感じる　暴力を
飛び出すぞ
注意しろ！
もう遅い
俺はお前に警告していたはずだ　(Linton Kwesi Johnson)

火山の噴火のような怒り。それは、希望を求めた結果、私たちにもたらされたものです。約束を守れなくなった体制に対する、いつ爆発するかわからない、鬱積した怒り。

希望は、「**世界はもはや長くは耐えることができないだろう**」というところにあります。なぜなら、もし世界が貨幣の支配を容認し続けるなら、私たちは現在の破壊と未来の災厄を招いているダイナミズムにますます深く入り込んでいくしかないからです。この体制を認めて耐えていく態度を打破することが、根本的に異なる世界への希望の前提なのです。

私たちは、怒りが増幅していく世界に生きています。このことは、パンデミックの恐ろしい影響が明らかになるにつれて、より明確になっていくと思われます。世界の人口の大半には飢えと絶望が、その一方で他の人々には――

ウィルスが蔓延する中、各国中央銀行は世界経済を浮揚させるために九〇億ドルの資金を注入した。この景気刺激策の多くは金融市場に投入され、そこから超富裕層の純資産に流入した。

世界の億万長者の総資産は、一二ヵ月間で五兆ドル増加し一三兆ドルになった。これは、『フォーブス』誌が毎年作成している億万長者番付で、過去最も劇的な急増となった[1]。

火山の噴火のような怒りが高まっており、エスタブリッシュメントの「中心」はそれを抑えるのがますます難しくなってきています。

世界はもはや長くは耐えることができないだろう。これが、近年の女性運動 Mee Too の核心にある思いです。女性たち（と彼女らに連帯する人々）は、もはやいかなる形の性的虐待も許さないことでしょう。黙って受け入れ、加担するという態度を取ってきたエスタブリッシュメントの「中心」はもはや自らを保つことができません。女性たちの怒りがそれを突き破ったのです。

世界はもはや長くは耐えることができないだろう。「ブラック・ライヴズ・マター」運動は、社会的な常識となっていた暴力や差別を、黒人（および彼らに連帯する人々）はもう許さないということを宣言しているのです。

世界はもはや長くは耐えることができないだろう。「エクスティンクション・リベリオン」［Extinction Rebellion 温暖化に反対する非暴力の直接行動］や「未来のための金曜日［Fridays for Future グレタ・トゥーンベリが一人で始めた抗議行動に端を発し、十代の子どもたちを中心に世界中に広がった気候変動対策を要求する運動］といった運動は、これまで多くの人が問題ないと考えていたレヴェルの環境破壊を、若者やその他の人々がもはや許容しないことを明らかにしました。

世界はもはや長くは耐えることができないだろう、貨幣の支配を。これを定式化するのはもっと難しいことなのですが、過去一世紀にわたって貨幣の支配を駆り立て続けてきたのは、明らかに恐怖心でした。一〇〇年前、この**われわれはもはや耐えることはしない**は、より明確に定式化されたものでした。コミュニズム運動は、はっきりと**われわれはもはや**資本の支配もしくは貨幣の支配を**認めはしない**と言っていたのです。いわゆる共産主義国家の悲惨な経験を経て、このことを言明するのはより困難なことになっています。しかし、この課題の緊急性が高いことに変わりはありません。貨幣の支配は人間の尊厳の否定であり、人間と人間以外の生命の破壊であり、絶滅のダイナミズムであり、私たちを終点へと導く列車なのです。

われわれはもはや貨幣の支配を認めはしないという資本とその支配者が恐れている意思が、いま、約束を守らないし守ることができないシステムに対する怒りの高まりと広まりという形で、表れてきています。それは、世界中で高まる怒りの中に存在するものですが、この怒りは必ずしも私たちが望む世界へと導いてくれるわけではありません。それどころか、逆の方向に進んでいるような気もします。アバハリが「貧者の怒りはさまざまな方向に向かう」と言っているように。二〇〇八年の金融危機という社会的惨事の後、特に二〇一一年には「アラブの春」や「インディグナドス」、「オキュパイ」運動など、怒りは希望に満ちた方向へ流れていくように思われました。しかし、一〇年が経つにつれ、怒りの最も顕著な表れは、右傾化、つまり、非常に多くの国々で性差別、人種差別をますます強める権威主義政治の擡頭に見られるようになり、それは二〇二一年一月の米国議会占拠に、茶番的かつ劇的に表現されたのです。

もう我慢できない！　もうたくさんだ！　**いい加減にしろ！**　怒りの世界。しかし、サパティスタが宣言した尊厳ある、あるいは正義の怒りである **digna rabia** と、右派で拡大している権威主義的、あるいはファシスト的な怒りとではきわめて大きな違いがあります。「貧者の怒りはさまざまな方向に向かう」この世界に、私たちはどのように希望を注ぎ込めばいいのでしょうか？　怒りから尊厳ある怒りへ、**rabia** から **digna rabia** へ、どうすれば移行できるのでしょうか？　世界に充満しているこの怒り、**私たちの**怒り、**私たちの**希望の怒りをどう表現すればいいのでしょうか？

押し寄せる、流れるような怒りの世界で希望を考えよう。コントロールできない虎にどうやって乗ればいいのか、と［「騎虎の勢い、下るを得ず」（一度虎に乗ったら降りられない。やりかけた物事は中止しにくい）という中国の故事成語］。この怒りの流れを、人間の尊厳の相互承認と他の生命体の尊重に基づく世界へと導く方法はないものでしょうか？

現存する死と破壊のシステムに対して、そのようなものは容認できないとして拒否することは、それがいかなるかたちのものであっても、少なくとも理解できるというところから、私たちは出発しなければなりません。セルヒオ・ティシュラー（Tischler 2002）が二〇〇一年の九・一一の破壊について論じたように、私たちが嫌悪感を抱く行動や立場に対しても、そこに存在する「ユートピアの核」を見つけ出そうとするのです。これは一九三〇年代のエルンスト・ブロッホの主張であり、当時の他の批評家とは異なる立場でした。ブロッホはこう言っています。「ナチス・ファシズムの擡頭でさえ、その核心には、ひどく歪んだものではあっても、よりよい世界に対するユートピア的な憧れがあった(2)」。

そうであったとしても、しかし、右派の人種差別的・性差別的な行動に「ユートピアの核」があ

ると は考えにくいように思われます。米議会を占拠したトランプ支持者の一団にもそれがあったと言うのでしょうか? あるいはまた、アルンダティ・ロイは、インドでパンデミックが始まったときのことをこう書いています。「警察に支援されたヒンドゥー自警団の武装集団が、デリー北東部の労働者階級の居住区でイスラム教徒を攻撃した。家屋、商店、モスク、学校などが焼かれた。襲撃を予期していたイスラム教徒は反撃に出た。五〇人以上のイスラム教徒と一部のヒンドゥー教徒が殺害された。数千人が地元の墓地にある難民キャンプに移動した」(3)。

「貧者の怒りはさまざまな方向に向かう」。二〇二一年七月の暴動に際して出された声明で、南アフリカの掘っ立て小屋居住者の運動であるアバハリ・バセミジョンドーロは、その点を展開して、こう述べています。

多くの人が、買うべき食料がなくなること、暴動で奪った食料がすべてなくなるときにさらに大きな飢餓がやってくることを恐れているのだ。人々は失業が悪化することを心配している。また、略奪した酒を大量に飲んでいる人がいるので、小屋の中で火事が起こるのではないかと心配している人たちもいる。多くのジンバブエ人は、これがジンバブエの崩壊の始まりを思い起こさせ、今は状況が悪いので、帰国したほうがいいと言っている。……当初は、いろいろな貧しい人たちがいっしょに食事を取っていた。今、水面下で外国人嫌いと自民族本位のつぶやきが始まっている。外国人嫌いと部族主義がやってくる。アフリカ人とインド人の間で部族主義的な戦争が起こるのではと心配している人もいる。ANC[アフリカ民族会議]の地方組織は、しばしばソーシャルメディアを使って、分裂を促している。国民の四二％以上が失業しているというのは、正常なことではありえない。これほどまでに国家が腐敗しているのは正常なことではありえない。貧しい人たちが、国家や支配政党からこれほどまでに暴力を受けて支配されるのは、正常なことではありえない(4)。

ここでは、**もうたくさんだ！　もう我慢できない**と「水面下で外国人嫌いと自民族本位のつぶやきが始まっている」とがいっしょになっています。分裂を促しているのは支配政党であるアフリカ民族会議ですが、外国人嫌いのつぶやきは民衆自身の中から起こっているのです。外国人嫌いと部族主義は「水面下」から生まれているのです。潜在的な外国人嫌いは、「われわれはもう我慢できない」というところですでに表れています。この分析は、外国人嫌いを反アイデンティティ志向の見地から理解しようとしている点で、重要です。ジンバブエ人を襲う（と言う）暴徒たちが外国人嫌いなのではなく、抵抗・反抗する人たちの中に、水面下で外国人嫌いや自民族本位のつぶやきが存在しているのです。ここには、叛逆の左翼と反動的で差別的な右翼という単純な区分けはなくて、むしろ「もうたくさんだ！」そのものに分裂症が見られるのです。暴動そのものには、反アイデンティティ志向からの「われわれはもう我慢できない」という姿勢と、ジンバブエ人、黒人、ユダヤ人、イスラム教徒といった集団相互の敵対に見られるアイデンティティ志向のヴィジョンとの間に、内部拮抗的な緊張が存在しているわけです。

私たちは、抵抗に関する言説において、左と右という単純なマッピングに慣れてしまっています。

こうしたマッピングは、通常、イデオロギー的ないし社会学的区別に基づいています。「権威主義的な宗教的思想や慣習での中で育ったから右派だ」とか、「農民やプチブルジョアの店主だから右派だ」とかいう具合です。ここで提案したいのは、その人が誰**である**かや、どんな考えを**持っているか**ではなく、むしろ社会の怒りの流れを形成しているものに注目すべきだということです。

この本で強調されている反アイデンティティ志向の思想は、反社会学的なものと考えることができます。社会学には、社会における役割や立場によって人々のあり方を規定する傾向があります。マルクス主義は、そうした意味での社会学として理解されることが多いのです。社会の中での位置づけによって人々を理解しようとする試みだからです。労働者階級というのは、そういうふうにして位置づけを規定されたものです。資本家階級、小ブルジョアジー、ルンペンプロレタリアート、「中産階級」なども同じようなやり方で規定されました。そのような分析では、社会的対立の流れは後景に退いてしまいます。ここで提案しているのは、人々の社会的立場を固定的なものとして考えるのではなく、私たちの相互作用を形成する対立関係の社会的流れから出発して考えようということです。資本関係としての対立関係、あるいは、豊かさと商品、豊かさと貨幣、具体的行為と抽象的労働との間の対立関係に照らして考えようということです。これは、私たちすべてを通して流れる拮抗作用であって、私たちは皆、引き裂かれ、自己の内で自己と拮抗し、俗に言う統合失調症のような状態になっているのです。自己同一化することは、自分自身の不適合を抑制し、閉鎖性を強化することにほかなりません。おそらく、ファシズムの擡頭に対して取るべき反応は、「ファシストの豚を殺せ!」というよりも、「自己の内で自己と拮抗する共通の対立関係によって起こってくる怒りの表現の向きを変える方法はないのだろうか?」というものなのではないでしょうか?

アバハリが述べていたことに戻りましょう。「貧者の怒りはさまざまな方向に向かう。……今、水面下で外国人嫌いと自民族本位のつぶやきが始まっている。外国人嫌いと部族主義がやってくる」。これは、貧しい人々の中に人種差別主義者がいるし、そうでない人もいる、ということを告げているのではありません。この説明は、それぞれの貧困層の社会的地位や利益の違いに注目するのではなく、社会関係の商品化の中心的側面であると見てきた自己同一化させる力の「水面下」での一般的な浸透に注目しなければならないということを教えているのです。その結果、最初の「もう我慢できない」が、実際には、その我慢できないものを強める力へと変容していってしまうのです。そうすると、最初の叛乱の「ユートピアの核」は、その反対のものへと形を変えてしまいます。

私たちの出発点が「叫び」であり、貧しい人々の怒り、あるいは私たちの豊かさにつきまとう満たされなさにあるとするならば、課題となるのは、アイデンティティ志向に反対する政治、つまり自己同一化に抵抗し、それを乗り越えて推し進められる政治の観点から考えることだと言えるでしょう。抵抗はしばしば、男性の抑圧に対する女性、白人に対する黒人、イギリス人に対するアイルランド人というように、アイデンティティ志向の形で提示されます。

しかし、良いアイデンティティなどというものは存在しません。一見「良い」アイデンティティ(女性、黒人や先住民、労働者)と見えるものは、一見「悪い」アイデンティティ(男性、白人、資本家、非先住民)と見えるものと同じように、自らを確認すると同時に自らの限界を打ち破るものとして理解されない限り、私たちを囲い込むものでしかありません。その違いは、反抗的なアイデンティティ（一見「良い」アイデンティティ）は、そのアイデンティティに含まれている自己肯定が反抗的な力を持つという事実によって、より限界を越えて爆発しやすいという事実にあるのは確かです。[5] しかし、性差別の逆はやはり性差別、ナショナリズムの逆はやはりナショナリズム、人種差別の逆はやはり人種差別のままなのです。あらゆるアイデンティティ化は、社会的関係の流れを凝固させ固定化するものであり、その流れから私たちを引き離す認識の誤りであって、虚偽なのです。ファシズムは、あらゆるアイデンティティに内在する暴力の極端な発現にすぎないのです。アドルノが言うように、「アウシュビッツは、純粋なアイデンティティの詭弁を死んだものとして確認した」（Adorno 1966/1990, 362）のです。

この本で主張してきたのは、豊かさは流れとして、生成として理解されるべきなのに、この流れが、商品と貨幣形態の内にありながら、それと対抗し、それを乗り越えていこうとしているが故に、妨げられ、凝固され、隔てられ、自己同一性の中に閉じ込められてしまうのだ、ということでした。希望は、こうした凝固を溶解してしまうことにあります。「右派」の怒りと私たちの怒りとの違いは、彼らの怒りが凝固され限定されてしまうのに対し、私たちの怒りは凝固に逆らい、常に相互承認に向かって突き進むものであるところにあります。どんなにひどい状況においても、「敵との対話の可能性はない」で済ましてはならないのです。これは、現実に存在する凝固の恐ろしい力を否定するものではありません。けれど、希望の闘いは逆の方向に行かなければならないということを言いたいのです。それは、誰がそれを行なうのかという問題ではなく、どのようにしてそれを行なうのかという問題なのです。（国家のような）アイデンティティに基づく組織形態を拒否し、集会やコミユーンのような反アイデンティティに基づく組織形態へと向かわせようということなのです。

抵抗がどこまで溢れ出て叛乱となっていくか、そして異なる抑圧をつなぎ合わせていく点が、少なくとも図式的に、どこまで合流し始めるかに応じて、希望が開かれ始めるのです。逆に、運動が自らのアイデンティティの中に閉じ込められている限り、自らが反抗している耐え難いものを再生産し始めるのです。

私たちが抱いている「もう我慢できない」という気持ちが流れ出し溢れ出すことに対する恐怖は、すでに見てきたように、資本を前に進ませる衝動となっているのです。私たちは、それとは別の恐れを抱いています。私たちが「もう我慢できない」と思っているものがアイデンティティ志向の形態に流れて固められていくなら、その我慢できないものを再生産し、強化するような方向に行ってしまうという恐れです。私たちの理論的・実践的な挑戦は、「もう我慢できない」という気持ちに込められている力を、アイデンティティを乗り越える方向に押し広げていくことにあります。

反アイデンティティ志向の政治は、不適合の政治です。それは、「いや、私たちはあなたたちのカテゴリーには適合しません」あるいは「いや、私たちはあなたたちのカテゴリーすべてから溢れ出ていきます」という宣言なのです。私たちは、あなたたちのカテゴリーから溢れ出ていきます。私たちは、あなたたちが考えるような場所にはいません。私たちを置いておこうとしている場所にはいません。なぜなら私たちをそこに置いておこうとする試みが成功することは決してないからです。この点を見事にはっきりと表現しているサパティスタに再び目を向けてみましょう。今度は、「いのちの航海」の準備の中で、サブコマンダンテ・ガレアーノの声で語られた言葉です。「私たちは、スペインの人々に二つの簡単なことを言いに行きます。ひとつはあなた方は私たちを征服したのではないということ。私たちは抵抗と叛逆を続けるということです[6]」。

あなた方は私たちを征服したのではない。私たちは抵抗と叛逆を続ける。それは、反アイデンティティ思考の核心に基づく言葉です。あなた方は私たちを封じ込めたのではない。私たちは溢れ出し続ける。あなた方は私たちを類別化したのではない。私たちは抵抗と叛逆を続ける。私たちを類別化することに対する、私たちを労働者階級として囲い込むことに対する抵抗と叛逆を続ける。あなた方は私たちをアイデンティティに押し込めることはできない。なぜなら、反アイデンティティ（あるいは非アイデンティティ）は、いつでもアイデンティティを乗り越えて、その手の届かないところに出ていくからだ。これがアドルノの言う「矛盾とは同一性の様相のもとでの非同一性のことである」（Adorno 1966/1990, 5）ということなのです。私たちは征服され、類別化され、アイデンティティに閉じ込められるという側面がありますが、その下において、私たちは抵抗し、叛逆し続けるという真実の側面があるのです（アドルノはそうした言葉では表現しなかったでしょうが）。これは、オペライスタが反アイデンティティ志向を表した一面でもあります（彼らは、残念ながら、それを反アイデンティティ志向とは理解していませんでしたが[7]）。彼らは事実上、こう言っていたのです。伝統的なマルクス主義者は、労働者が賃金労働のカテゴリーに囲い込まれていると理解していますが、そうではないのです。工場を見てごらんなさい。彼らが、そして私たちが、労働というカテゴリーそのものに抵抗し、反抗し続けているのを見てごらんなさい。

貨幣も同じなのです。お前たちは私たちを征服したのではない。私たちは抵抗と叛逆を続ける。

そして、この抵抗と反抗こそが、お前たち貨幣というものを、ますます脆弱な世界へと追いやっているのです。オペライスタの人たちが、自分たちの闘いを工場管理やテクノロジーを常時コントロールするための闘いとして明らかにしたのと同じように、私たちは、自分たちの闘いを貨幣を常時コントロールするための闘いとして理解しようと努めてきたのです。単なる支配(8)としてではなく、常に問題になっている支配として。

反アイデンティティ思考とは、自分を被害者にすることを拒否する考え方なのです。「あなた方は私たちを征服したのではない。私たちは抵抗と叛逆を続ける」。スペインの征服者が征服を決して完成できなかったように、貨幣の征服に対しても私たちが抵抗と反抗を続ける以上、その征服も決して完成しないのです。私たちは、征服を前提にするのではなくて、抵抗と反抗という現実から事態を理解することを追求しているのです。

あなた方は私たちを征服したのではない。しかし、あなた方は確かに私たちを攻撃したし、攻撃し続けています。驚くほど深遠で刺激的な論ではありますが、アドルノの言う非アイデンティティは、ここでは通用しません。**反**アイデンティティでなければならないのです。対立する世界において、アイデンティティと対立する関係で存在しようとしない非アイデンティティというのは、想像することが難しいのです。資本とは攻撃するものです。私たちは、それに抵抗し反抗します。それは、今そこに別の世界を創る、代替物を創るということではありません。私たちは攻撃されているから、それに抵抗し反抗しているのです。資本の攻撃が、私たちを反資本という存在にするのです。その攻撃は、生まれた瞬間から、私たちを〈内〉において〈対抗〉し〈乗り越える〉という存在に押し入れてしまうのです。だからこそ、資本や貨幣というカテゴリーは、希望を考える上で極めて重要なのです。希望とは、対抗する希望です。性差別、人種差別に対して、地球破壊に対して、そして資本主義の身体、つまり貨幣という冷酷な心を持つ身体に何らかの形で結合しているすべてのヒドラの頭部に対して対立し対抗している希望なのです。貨幣は、私たちのどんな勝利も回収し、資本の論理に再統合する無限に柔軟な容器であるように見えます。しかし、そうではありません。私たちの「あなた方は私たちを征服したのではない。私たちは抵抗と叛逆を続ける」という言葉は、貨幣そのものにも入り込み、それを脆く壊れやすいものにしているからです。

43　豊かさを解放せよ！

本の終わりに来ると、いつも同じプレッシャーがかかります。解答はどこにあるのですか？　これは希望についての本ですから、ハッピーエンドはどこですか？

しかし、解答はありません。解答はありえません。解答とは閉鎖であって、希望とは開放なのです。そして同じ理由で、エンディングはないのです。ハッピーエンドであろうとなかろうと、終わりはないのです。せいぜいあるのは始まりだけです。

解答はありません。あるのは疑問だけです。解答のための政治と疑問のための政治とでは、同じ政治でも全く違います。どうなっているのか、どうすればいいのか、教えてあげよう。私の言うことを聞いてください。これが解答のための政治です。疑問のための政治は違った方向に行きます。私は知りません、私たちは解答を持っていません。この四〇〇ページほど、私の話に耳を傾けてくださってありがとうございました。私は、ずいぶんたくさんのことをお話ししてきました。私が考えていることをみなさんに話す必要があると感じたから話しただけで、実は答えを持っているわけではないのです。さあ、あなたは話したいですか？　この本は私の手の先から伸びているものです。それを受け取って、座って話しませんか？　コーヒーか、チャイか、マテか、素敵なウィードラムのウイスキーでも飲みながら。

解答のための政治は、階層的な構造へと導きます。それは、組織的な形態としての党によくマッチします。疑問のための政治とは、議論して意見を交換しようと誘うものです。私はこのことについてよく考えてみたのですが、答えはわからないのです。だから、みんなで集まって意見を交換しませんか？　これは、集会や評議会、コミューン、ソヴィエトの政治です。これらは、反資本主義闘争の起源以後、何度も何度も生まれてきた、もうひとつの、まったく異なる組織形態です。集会は、党が目指しているような効率的な道具ではなく、決定が遅かったり、操作されたりすることもありますが、相互承認に基づく運動、他者の尊厳を尊重するようになる運動を目指しています。それは、資本の組織形態と似たものではないことを強調している結集の形態です。一方、党は、ある軍隊が別の軍隊と相似した形態をとるように、効果をあげるために対称性を受け入れる組織の形態なのです。集会は反アイデンティティ志向の疑問のための政治を、党はアイデンティティ志向の解答のための政治を司ります。集会はコミューン化を目指すものであり、党はコミュニズムという恐ろしい閉鎖性を作ろうとするものです。

解答はなくて、ただ疑問があるだけです。しかし、経験、インスピレーション、理論、提案もあるのです。革命に王道はありません。ただ、そこへ歩いていく過程につながる小さな径があるだけです。しかし、過去に歩いた径もいくつかあれば、現在に歩んでいる径もいくつかあります。中には、その径は間違った方向に向かう誤った径であることをすでに学んでいて、その径で生き、死んでいった人々の尊厳と遺産を認めながら、「いや、その径ではない」と言わなければならない場合もあるのです。最も悪名高いのは国家です。国家を通じて資本主義の死のダイナミズムを排除しようとする試みはすでに失敗し、その過程でしばしば嫌悪すべき権威主義的社会を作り出してきたのです。だめだ、その径ではない。どんなに強い誘惑があっても、国家が唯一の径であることを伝えようとどんなにエネルギーが注がれても、そっちはだめだ。いや、国家ではない。それが舗装された美しい高速道路であったとしても、行き着くのは同じものの繰り返しでしかないのです。しかし、そうすると、私たちには、山刀を持ち出して、下草を切り開いて新しい道を作る作業しか残されていません。そして、疲れたときに周りを見渡すと、同じように希望の道づくりに取り組んでいる他のグループがいるのが見えるのです。この本でしばしば引用してきたサパティスタは、もちろん、とても豊かなインスピレーションを与えてくれます。また、クルド人の運動は、創造的で共同的なやり方で、地方でも都市でも、驚くほど困難な状況の中で、女性と男性の関係や異なる民族間の関係を変革しています。アバハリ・バセミジョンドーロは、南アフリカの掘っ立て小屋に住む人々の運動で、アフリカ民族会議に立ち向かいながら、恐ろしい貧困を尊厳のある運動に変えています。アフリカ民族会議は、三〇年前には世界の希望を体現していたように見えた組織だったのに、いったん国家権力を握ると、それまでの国家以上の不平等で相変わらずの抑圧を再現するものになってしまいました。（だからもう一度言わなければなりません。国家を通って行く径、アフリカ民族会議の、スターリンの、毛沢東の、オルテガの、マドゥロの、モラレスの径［それぞれオルテガはニカラグア、マドゥロはベネズエラ、モラレスはボリビアの左派政権首班でいずれも独裁化した」、いや、そんなやり方はだめだ）。もちろん、マプチェ族やチリ、コロンビア、パレスチナ、香港の叛乱、二〇二〇年のＭ８、女性の闘いの大きな高まり、ブラック・ライヴス・マターなど、目に見えにくい闘いもたくさんあります。だから、道を切り開くのを中断して周囲を見渡すと、何百万人もの人々が、しばしば矛盾した言い回しをしながらも、「あなた方は私たちを征服したのではない。私たちは抵抗と叛逆を続ける」と言い、さらに「もうたくさんだ！　もう我慢できない」と言っているのです。そして、おそらく息を切らしながら、こう付け加える人もいるかもしれないのです。「いまお前は見る　俺の目に火が燃えているのを／俺のフライパンから　嫌な臭いがする／暴力を感じる　暴力を／飛び出すぞ」と。でも、そうではない。私たちは、私たちの中から暴力が飛び出すのを感じながらも、暴力の世界を創りたいとは思っているわけではないのです(3)。私たちが望むのは、豊かさを解放することなのです。

豊かさを解放する。ここで、何も言い訳することなく、マルクスの『経済学批判要綱』の美しい一節をまたもや引用します。

限定されたブルジョア的な形式を取り払ってとらえるならば、富とは、人間の欲求、能力、快楽、生産力など、普遍的な交換を通じて生み出される人間の普遍性以外の何ものでもないのである。それは、それまでの歴史的な発展以外には何の前提も持たずに、人間の創造的な潜在能力が無制約に発揮されることなのである。それは発展の全体性、すなわち人間のあらゆる力の発展それ自体が目的であって、あらかじめ決められた物差しで測られるものではないのではないか？　何らかの特殊性において自己を実現するのではなくて、自らの全体性を実現しようとするものなのではないのか？　自分が成った何者かにとどまるのではなく、何ものにも制約されない生成の運動のなかで力を尽くそうとするものではないのか？（Marx 1857/1973, 488）

制約されることのない生成の運動の中にいること、そして創造的な潜在能力を制約されずに発揮して生きること。憧れと夢、しかし希望的観測ではなく。希望的観測ではなくというのは、私たちは何が私たちの邪魔をしているのかを知っているからです。それは商品形態、つまり貨幣形態です。豊かさが貨幣形態に対してどういうことを言っているのか聞いているので、希望的観測を退けるのです。「あなた方は私たちを征服したのではない。私たちは抵抗と叛逆を続ける」と言っているのです。そして、その言葉を聞いて貨幣が心に突き刺さるような恐怖を感じているのも聞こえるのです。ケインズが「世界はもはや長くは耐えることができないだろう」という言葉に表されている恐怖を思想の中心に据えたことは、彼のブルジョア的な才気の為せる業だったと言えるでしょう。貨幣の歴史は、その恐怖に対する反応の歴史なのです。豊かさが貨幣の支配に対抗し乗り越えて進んでくることが、資本が懐く暴徒に対する恐怖、「もう我慢できない」という叫びに対する恐怖に反映されているのです。私たちは、制約されることのない生成の運動という夢が単なる希望的観測ではないということを、それが敵の目に引き起こす恐怖を見て知るのです。

希望の主体は豊かさであって、貧困ではありません。貧困とは、豊かさが否定され、満たされずに、困窮している状態のことなのです。希望の主体は、溶岩を地下にたぎらせた火山のような満たされない豊かさ、私たちの生成の運動を阻む非常に多くの障害に対して反抗しようとする豊かさなのです。障害は多種多様です。性的偏見、人種差別、制度的規則、自分たちの行動や思考形態の肯定化とアイデンティティ化、両親、警察、国境など、非常にたくさんあります。怒りが湧き上がるとき、それぞれの障害に対抗して闘いがなされなければなりません。しかし、その障害物はヒドラのさまざまな顔であり、ヒドラの本体に到達してそれを殺さない限り、再生される可能性が高いのです。ヒドラの本体は霧に包まれ、ほとんど見ることができません。ヒドラの本体とは貨幣です。それは馬鹿げた賭けだと思われるかもしれませんが、それがこの本において論じられてきた理性的な希望であり、私たちのドクタ・スペス［把握された希望］なのです。

しかし、どうやってヒドラの冷酷な心臓を攻撃したらいいのでしょうか？　どうやって貨幣を殺したらいいのでしょうか？　その論理を打破し、その文法を打破することによってです。溢れ出すことによって、内において対抗し乗り越えていくことによってです。おそらく、怪物の心臓に到達する最良の方法は、そのいくつもの頭部を通って行くことでしょう。少なくとも今のところ、「貨幣を廃止せよ！」というスローガンを掲げて心臓を直撃する叛乱を想定することは困難です。私たちが見るべきなのは、むしろ多種多様な運動の存在です。性差別、人種差別、警察による暴力、自然環境の破壊、特定の政府の暴力や無能さなど、ヒドラのさまざまな頭部に対抗するたくさんの運動があるのです。これらのさまざまな運動の間の関係は、しばしば、ある種の選択的な親和性や連帯にあるとみなされています。しかし、多くの場合、抑圧のさまざまな頭部の背後に、これらの頭部を生み出している力があるということが意識されるようになってきています。地球温暖化の背後には、「蓄積せよ！　蓄積せよ！」という貨幣の死に向かうダイナミズムがあります。警察の暴力や政治指導者の残酷さの背後には、同じように容赦ない利潤追求があります。移民の発生と移民への虐待の背後には、同じような貨幣の残忍な力があるのを見ることができます。人種差別や性差別も同じです。アイデンティティを生み出す社会的な結節としての貨幣を廃止することは、完全な解答ではないかもしれませんが、人間の尊厳を相互に認め合う社会を創るための必要条件であることは間違いないだろうと思います。これらのさまざまな闘いを、限定的あるいは改革的なものと見なすのではなく、むしろこれらの運動の中にすでにある溢れ出んばかりの力を見ることが重要なのです。抵抗と叛乱の運動はすべて、アイデンティティ志向の封じ込めや定義づけと、反アイデンティティ志向の溢れ出しとの緊張関係を含んでいます。反アイデンティティ志向の溢れ出しは、中心にある卑劣で冷酷な心、人間の生命の破壊を生み出している力、すなわち貨幣と資本を隠している壁を打ち壊すものなのです。この心臓に到達するために、ヒドラを殺すために、おそらく私たちは存在するさまざまな闘争から溢れ出ているものを追う必要があるのです。先住民族の運動を見ると、そこにはサパティスタの最近の「いのちの航海」のスローガンが言うように、貨幣に対抗するいのちのための闘いへのほとばしりがあります。クルド人の闘いは、かつての民族主義的願望を超えて久しいものがあります。「気候変動ではなくシステム変動を」推進しようとする方向性は、地球温暖化に反対する運動の中で明確な声になっています。その他にも同じような動きが見られます。アニトラ・ネルソンの近著『*Beyond Money*（貨幣を超えて）』（Nelson 2022）は、特定の運動における

議論が、「獣を殺せ、貨幣を棄てよ」という根本的な緊急課題への扉を開いているという動向の好い例です。(4)

豊かさを解き放て！　抵抗と反抗のすべての運動の中にすでに存在している溢れ出んばかりのものを解き放て！　この溢れ出るものは、セルヒオ・ティシュラーやブロッホが言っているようにユートピアの核であり、現在の社会に対する怒りの爆発のすべてに、このユートピアの核は内在しているのです。問題なのは、こうした溢れ出るものが、定義づけによって作られた壁に隠されて、なかなか見えてこないことです。外国人、女性、黒人、ＬＧＢＴ、ユダヤ人、イスラム教徒などなどといった形の定義づけによって作られた壁です。この壁を破って、猥雑かつ暴力的な社会の力学に対抗する怒りの核心に到達する方法はないのでしょうか？　中心的な問題は、定義づけとアイデンティティの問題です。正しい定義と間違った定義の比較の問題ではなく、定義づけそのものの問題なのです。どんな定義づけも、どんなアイデンティティも、それが「良い」ものであっても「悪い」ものであっても、すべて認識の錯誤であって、尊厳の相互承認に反する動きなのです。尊厳の相互承認は、単に望ましいものだというだけでなく、おそらくは人間の生存にとって前提条件になるものなのです。

暴徒は矛盾した暴徒であって、自己に反抗する暴徒、さまざまな方向への怒りの流れをなすものなのです。ジョフ・マンの挑発は、そうなるしかないかのように、この本全体を通して鳴り響いています。ケインズは暴徒を恐れたが、「左翼」の多くもまた暴徒を恐れている、とマンは言います。資本の危機の先送りが難しくなるにつれて、今後数年間は不満の爆発が数多く見られるようになるでしょう。アルンダティ・ロイが描いたヒンドゥー教徒によるイスラム教徒の虐殺のように恐ろしい形をとるものもあれば、アルゼンチン、ギリシア、チリ、コロンビアなどで過去二〇年ほどの間に起こった蜂起などのように、より良い世界への道を示す形をとることもあるでしょう。どちらの場合も「暴徒」とは言えますが、暴徒というのは矛盾した怒りの流れなのです。一方では、イスラム教徒、外国人、女性、黒人、白人といったアイデンティティに傾く怒りがあります。他方では、アイデンティティに反対し、相互承認に向かう流れがあります。アイデンティティを志向する暴徒は確かに恐れるべきものですが、しかし、相互に承認し合う方向に進むなら受け入れられるべきです。私たちはこの矛盾した流れの外側に立っているのではありませんし、外側にいることはできません。私たちが出発した希望の怒り、私たちの尊厳ある怒りは、あくまでも世界中で増大する怒りの一部なのです。私たちは、そうした矛盾した怒りが存在しないふりをすることはできません。私たちにできるのは、ひとつの方向に、すなわち社会的な怒りの尊厳を高める方向に全力を傾けることだけです。

その際、社会的組織の問題が決定的に重要になります。集会やコミューンは、反アイデンティティ志向の組織の典型的な形態です。それは「私はこう思うけど、はっきりとはわからない。あなたはどう思う?」という、話しながら聞く運動なのです。それは、あらかじめ決められた線を基盤にするのではなく、私たちがいる場の共有を基盤にした組織なのです。たとえばパリやオアハカといった生活の場の共有、大学や工場といった仕事の場の共有、歌やチェスといった何らかの活動の共有といったものに基づいて集まってくる組織なのです。私たちがいる場を基準に集まるということは、その集まりの関係者全員を好きになれないかもしれないし、同意できないかもしれないということを意味します。それは、集まっている人たちそれぞれのユートピアの核心、尊厳、痛み、夢に触れようと努めなければならないということを意味します。それは、「私たちである私」と「私である私たち」の相互承認を目指すということです。サパティスタやクルド人の共同体のメンバーが皆、おたがいに好きであったり、おたがいに同意し合っていると考える理由はありません。しかし、共同体という組織の形態は、お互いの尊厳を認め、尊重し合って実践を行なっていくことを意味しているのです。集会は豊かさの合流点です。その合流は、商品交換、貨幣、国家、法律によって成立する社会的結合に対抗する社会的結合を構築することになるのです。

私たちは、必死になって、できるだけ速やかに、社会的に共に結集する、これまでにないやり方を見つけ出す必要があるのです。それは、人々の活動を意識的に調整して、私たちのすべての思考や活動が互いに溢れ出してひとつになる方法を認識し合い、それを基盤とした結合体を創り出すということです。それは、意識的に私たちそれぞれの豊かさを評価し合い、またお互いの豊かさが関係し合う方法を評価し合うことなのです。貨幣が私たちを絶滅させる前に、貨幣を廃絶しよう。行進をやめて、私たちの心を踊らせよう。

44　まだ足りない

もう夕暮れになりました。公園の少女は、ため息をつきながら、本を閉じました。この本です。お腹が空いたわ。少女は、バッグからビスケットを取り出して、かじりながら、スプガレアーノの言葉を考えていました。「希望はビスケットのようだ。あなたが自分の中に持っていなければ、意味がない」。

それから、少女は空を見上げました。怪物はまだそこにいます。

まだ足りない、まだ足りない、まだ足りない……

感謝の言葉

著者であるという嘘を覆い隠すように書くのが最も難しいところです。本の表紙に自分の名前を載せたいという私の虚栄心は、それがいかに強烈に集合的なものであるかを知るならば、同じ理由から、混乱して相互に接続しあった感謝の言葉の渦を必要としてくるわけです。エロイナ・ペラエス。常に中心にあって、私の人生愛のインスピレーションであり、常に空疎な希望的観測の敵です。常に実践的で美しい別の世界の創造に邁進しています。そして、最初はエジンバラで、今はプエブラで長年にわたって、共に教え、議論し、考えるという終わりのない会話が続いています。そうした大学の場で、私は、何年も前から闘われてきた闘争が生み出した環境、資本主義の内で・資本主義に対抗し・資本主義を乗り越えて考えることを決意した同僚や学生たちによって生み出され、再生されてきた環境に身を置くという大きな幸運に恵まれてきたのです。二〇年以上続いている主体性と批判理論に関する隔週ゼミナールを中心に、『資本論』「嵐」「希望」についてのコースを開いてきました。そして、素晴らしい学生たちによる多くの修士・博士論文。同僚や学生、たまたまゆきあった人たちとのもはや不分明になってしまった数々のディスカッション。そうしたものの中心にいたのは、セルヒオ・ティッシュラー、フェルナンド・マタモロス、フランシスコ・ゴメス・カルペンテイロ、エディス・ゴンサレス、カテリーナ・ナシオカ、サグラリオ・アンタ・マルティネス、パナギオティス・ドゥロス、アジズ・アスラン、パオラ・クバス・バラガン、イネス・デュラン・マトゥテ、マニオス・パニエラキス、ラース・ストゥッベ、ヴィットリオ・セルギ、マリオ・シェーベル、ネストール・ロベス、ルイス・メネデス、アルベルト・ボネ、リチャード・ガン、ウェルナー・ボーンフェルド、エイドリアン・ワイルディング、ドロテア・ハーリン、アナ・ディナースタイン、マルセル・ストーツラー、ハビエル・ビジャヌエバ、ロドリゴ・パスクアル、デヴィッド・ハービィ、スチュアート・プラット、そしてさらに多くの人たちがいました。これらの人たちとの会話は、部屋に入ったり出たり、出たと思えばまた入ってくるといった具合で、賛同し合ったり、異論を交わし合ったり、時には論争、そして和解の繰り返し。そうやって共通認識に向かって進んでいきました。これらの内多くの人たちが、この本の初稿に貴重な意見を寄せてくれました。それに深く感謝致します。そして、もちろん版元のプルート社のデヴィット・キャッスルほかの人たちは、いつもよく助けになってくれました。そして、長期にわたって支えてくれたプエブラ自治大学人文社会科学研究所「アルフォンソ・ベレス・プリエゴ」のディレクターのアルフォンソ、ロベルト、そしてフランシスコ・ベレス・プリエゴ、アウグスティン・グラハレス、そして今はジュセッペ・ロ・ブリュットは、批判的・反資本主義的な学生諸君との批判的・反資本主義的な素晴らしい討論の場を提供してくれました。すでに亡くなった人たちにも感謝致したいと思います。もう一つの世界は可能だと言うために、時にはひどい抑圧の下で人生を捧げた人たちに。なかでも、会ったことはありませんが、希望を考えることに人生を捧げることによって、私や多くの人たちに全く新しい思考の世界を開いてくれたエルンスト・ブロッホに特別の感謝を捧げます。そして、もちろん生きて闘っている人たちにも。資本主義を打ち破るという希望を、抵抗と反抗によって生き生きと保ち続けている生者たち、サパティスタ、クルド人運動、アバハリ、その他何百万人もの、NOと言いながら不可能な可能性を創造している不適応者たちに。そしてもちろん、もう子どもとは言えなくなった私の子どもたち、エイダン、アナマエーヴァ、マリアーナ・ホロウェイ、そして孫のコンスタンティノス、さらにはアントニオ・オルティス、マーサ・アヴァロス、マリアンヌ・マーチャントなど、家族の幅広いサポートと議論、彼らのことを考えることを抜きにして希望を考えることはできないでしょう。そして、親愛なる読者であるあなたへの感謝、この本を読み、何らかの考えや行動を起こしてくれた人たちへの感謝、さらにもっと多くの人への感謝、私の感謝は、この本と同じように、「まだ足りない」、Not Enough と言って、終止符なく……

原注

2　再出発しよう　恐怖からではなく希望から始めよう　貯め込むことからではなく溢れ出させることから始めよう

（1）このセクションを、私の友人であるドロテア・ハーリンに捧げます。彼女は、初期の草稿を読んだとき、破滅へ向かう列車から始めることに強く反対しました。私は、列車の比喩を使うことにはしましたが、出発点には疑問を呈することにしました。私が列車の比喩を使ったことについての批評は、Stoetzler（2022）を参照してください。

（2）サパティスタ運動における尊厳の重要性について、Holloway（1998/2019）及びS'bu Zigode of the South African shack-dwelllers' group Abahlali baseMjondolo: 'Dignity is at the centre of the politic of our movement'. Presentation 27 January 2021. Available at http://abahlali.org/node/17219/. を参照してください。

（3）私が省略した文言は以下のとおりです。「自然の力、いわゆる自然のものの力、また人間自身の自然に対する人間の支配力の完全な発展？」私がその部分を省略したのは、豊かさの理解に「自然の力に対する支配」を含めたくないからです。

（4）この一節はこう続きます。「ブルジョア経済学では――そして、それが対応する生産の時代では――、この人間の内容の完全な産出は、完全な空虚として現れ、この普遍的な対象化は完全な疎外として現れ、すべての限定的で一方的な目標の毀損は、完全に外部の目的に対する人間の目的そのものの犠牲として現れる」。

3　より良い方法として、対立から、闘争から始めよう

（1）亀裂という概念は、この本の母親に当たる *Crack Capitalism*（『資本主義に亀裂を入れる』）において展開されています。

4　苦悩から、ヤヌスから始めよう
まだ足りない！　から始めよう
私たちが倒さなければならないヒドラから始めよう

（1）ウクライナ紛争は、核戦争の非常に現実的な危険をこれまで以上に切迫したものにしています。

（2）https://abahlali.org/node/16663/

（3）アウグスト・モンテロッソの短編『恐竜』（Monterroso 1959）を参照。'Cuando despertó, el dinosaurio todavía estaba allí'.（「目を覚ますと、恐竜はまだそこにいた」）

5　今こそ希望を学び直す時である

（1）エルンスト・ブロッホは、長い間、私にとって重要なインスピレーションの源でした。ここでの議論は別の方向に流れていますが、この本はブロッホへのオマージュとして理解してもらうことができるものなのです。

（2）これは原文に基づく意訳です。英語版での訳は、'It is a question of learning hope'. となっています（Bloch 1959/1985, 3）。

（3）この言葉は、ヨハネス・アグノーリの『悲惨な時代における学者の決意としての破壊』（Agnoli 1990/2005）に由来しています。

6　希望を学ぶとは希望を考えることを学ぶことである
ドクタ・スペスということ

（1）Bloch 1959/1985, 7:「Docta spes、すなわち把握された希望は、このようにして世界にある一つの原理の概念を照射し、この概念はもはや世界を離れることはない」。

（2）Eagleton 2015, 61:「理性は希望なしには存在できないし、希望は理性なしでは栄えない、とブロッホは『希望の原理』の中で書いている」。そしてイーグルトンは、自ら直接語っています。「真の希望は……理性に裏打

ちされている必要がある」と。（Eagleton 2015, 3）

（3）非常ブレーキとは、後で述べるヴァルター・ベンヤミンの革命の再定式化に関連したものです。

7　希望はアイデンティティを乗り越えて進んでいく

（1）これは、彼女の著書 *Essai sur les dérives identitaires* の副題に表現されていたものです。この本に目をとめてくれた友人のフェルナンド・マタモロスとシルヴィー・ボッセレルに心から感謝します。

（2）メキシコにおける先住民の概念をめぐる闘いについては、Inés Duran Matute（2022）を参照してください。

（3）Lukács, 1923/1971, 13.「相互作用によって、二つのそうでなければ変化しない対象が互いに及ぼす相互の因果的な影響だけを意味するならば、社会を理解することに一歩も近づくことはできないだろう。……私たちが念頭に置いている相互作用は、相互作用がなければ不変のままである対象の相互作用以上のものでなければならない。すべての社会現象の客観的形態は、互いの絶え間ない弁証法的相互作用の過程で絶えず変化しているのである」。

（4）原文は、'El asunto es que lo que nosotros, nosotras, zapatistas, miramos y escuchamos es que viene una catástrofe en todos los sentidos, una tormenta ... Entonces nosotros, nosotras, zapatistas, pensamos que tenemos que preguntar a otros, a otras, de otros calendarios, de geografías distintas, qué es lo que ven'（EZLN 2015, 26–9）.

（5）アドルノを政治的に読むことについては、Holloway, Matamoros and Tischler（2009）を参照してください。

（6）「溢れ出る詩」という発想は、この本全体にわたって流れています。この発想は、ラウール・ヴァネイジェムが最近著したブックレットから採ったものです。Vaneigem 2021を参照してください。これはシリーズ *Al Faro Zapatista* の一部です。

8　私たちの希望は叫びから始まる　欠乏から始まるのではない

（1）この言葉は、*Change the World without Taking Power*（『権力を取らずに世界を変える』）のオープニングの言葉です。

（2）私は、もちろん、ブロッホが進歩中心の希望概念を持っていると批判しているわけではありませんし、それは私の関心事ではありません。ただ、ブロッホが「はじめに」の冒頭に書いている言葉が、ここで提起されているものとは異なる出発点を指し示しているというだけのことです。

（3）*Crack Capitalism*: Holloway 2010, 8『革命―資本主義に亀裂をいれる』のオープニング・ページで述べています。

9　叫びは私たちを否定の方向へ導く

（1）ですから、アドルノは序文で、「否定弁証法は伝統に背く言葉である」と述べています。「プラトンの時代から、弁証法は否定によって何かを達成することを意味し、『否定の否定』という思考形態が後に簡潔な用語として使われるようになったのである。本書は、弁証法を、それが持つ決定性を低下させることなく、そのような肯定的特質から解放しようとするものである」（Adorno 1966/1990, xix）。

（2）この点で、イーグルトンの著書（Eagleton 2015）のタイトル *Hope without Optimism*（楽観主義なき希望）は重要な意味を持っています。

（3）この問題に対する別の見解として、García Vela（2020）とSchäbel（2020）を参照してください。

（4）「初めに叫びがある。われわれは叫ぶ」。Holloway（2002/2019）の冒頭の言葉です。

（5）このことの意味を考えるうえで、アドルノの『ミニマ・モラリア』（Adorno 1951/2005）を参照してください。

（6）この点に注意を向けるように導いてくれたアルベルト・ボネットに深く感謝致します。Bonnet（2020）を併せて参照してください。また、内在よりも否定のほうが重要で、否定こそが溢れ出させるのだという点を指摘してくれたルイス・メネンデスにも感謝致します。

（7）ジョン・フォランが書いた本当に素敵なリーフレット *Cracks in the Concrete: Toward Radical Hope* は、その好例と言えるでしょう。その中で彼は、希望について考える実践的な方法を探っていますが、資本の概念についてはまったく触れていません。私は皮肉を込めることなく、「本当に素敵な」リーフレットだと言いたいのです。この冊子を送ってくれたジョンに心から感謝します。

（8）イネス・デュランは、本書の草稿に対する非常に有益なコメントの中で、代替物（alternatives）や「多元宇宙（pluriverse）」を強調するアプローチもまた、希望を考える方法ではないのか、と問いかけています。確かに、そういうふうにも言えます。しかし、それにもかかわらず、そうした見解も批判に対して開かれていなくてはならない、というのが私の答えです。私の批判は、セクト的なものでも、無礼なものでもなく、もう一つの世界を創るために必要な議論の一部となることを意図しているものなのです。

（9）この点について、異なった反対意見の優れた議論として Alberto Bonnet（2009）を参照してください。

（10）この点について、Tischler（2013）を参照してください。

10 否定思想を超える
内において・対抗し・乗り越えることを考える

（1）「内において対抗する」というテーマを国家との関連において発展させるものとして、London-Edinburgh Weekend Return Group（1979/2021）を参照してください。コロンビアのグループ La Minga Juvenil Nariño は、このテーマに関連してゲーム（el juego）の問題をコロンビア国家との関連で展開しています。これについては、Rodriguez（2021）を参照してください。

（2）プロクルステスと資本主義というテーマの展開については、Perelman（2011）を参照してください。

（3）悲惨な結果をもたらしたレーニンのこの見解の見事な展開については、『なにをなすべきか』（Lenin 1902/1977）を参照してください。この著作の一〇〇周年に際しての考察は、Bonefeld and Tischler（2002）

を参照してください。

（4） アナ・ディナースタインが、希望に関する重要な著作の中で、「具体的なユートピア」の重要性を主張しているのは、このような意味において理解されるものであると思います。Dinerstein（2015, 2020）を参照してください。

（5） このことは、一九九六年にサパティスタが主催した銀河系会議でのアナ・マリアの開会の辞によく表れています。'Detràs de nosotros estamos ustedes' これを 'Behind us are the we that are you'.（私たちの背後にはあなたがたである私たちがいる）と訳せばいいのでしょうか。そして彼女は続けます。「私たちの目出し帽の後ろには、排除されたすべての女性たちの顔があります。忘れ去られたすべての先住民たちの顔。迫害されたすべての同性愛者たちの顔。蔑まれた若者たちの顔。打ちのめされた移民たちの顔。言葉や思想のために投獄されたすべての人々の顔。屈辱を受けたすべての労働者たちの顔。忘れ去られて死んでいったすべての人々の顔。数えられることもなく、見られることもなく、名前を呼ばれることもなく、明日のない素朴で普通の男女の顔」。EZLN（1995, 103）

（6） クルド人運動における制度ではなく実践としてのコミューンの重要性については、Aslan（2021）を参照してください。

（7） 最近の *Quinta Parte*（第5部）でのスプガレアーノの皮肉な問いかけは重要です。「まだ議論があるのですか？」Ejército Zapatista de Liberación National（EZLN）（2020）.

11 対抗する希望は歴史的であることに根ざしている

（1） Žižek（2018）を批判的立場から参照するならば、ブルジョア思想の特徴は「希望を持たない勇気」を示すことだと言えるかもしれません。

12 歴史的であるということは史的唯物論を意味しない

（1）史的唯物論に対する優れた批判としては、Richard Gunn の 'Against Historical Materialism'（Gunn 1992）を参照してください。

（2）メキシコで進歩的な政府が押しつけている進歩的な巨大プロジェクトに対する優れた批判は、Durán Matute and Moreno（2021）を参照してください。

13 私たちを破滅に向かわせる列車という大きな物語がある その物語は破棄されなければならない

（1）Benjamin（1974）1232. この独特な定式化は、Adrian Wilding（1995）146 によって引用されています。同じ意味で、Anselm Jappe（2011, 21）の考察を参照してください。

14 希望は犠牲のためにあるのでも英雄のためにあるのでもない

（1）私が考えているのは、価値批判に関連した「マルクスの新しい読み方」をめぐる著作です。例えば、ポストーネ、ヤッペ、クリシス、ショルツの周辺の仕事です。私たちが展開している文脈で特に重要なのは、Jappe（2011）と Lohoff and Trenkle（2012）です。

（2）『マイ・フェア・レディ』でイザイラ・ドゥーリトルが歌っているように。

（3）『資本論』を引用する場合、私は通常、ムーアとエイヴリング（Moore and Aveling）による原語訳と、より入手しやすく、より新しいファウクス（Fowkes）による訳の二つの参考文献を挙げます。

（4）「労働者階級の叛乱に対抗する武器を資本に供給することだけを目的として一八三〇年以降になされた発明の歴史を、かなりの程度まで書くことが可能であろう」（Marx 1867/1965, 436; 1867/1990, 563）。

15　豊かさこそ革命的な主体である

（1）「自然の力、いわゆる自然のものの力、また人間自身の自然に対する人間の支配力の完全な発展？」前の注［2の（3）］で述べたように、私は豊かさの概念から「自然の力に対する支配」を除外したいと思っています。むしろ、「自然の力に対する支配」を「自然との共生」に置き換えた方がよいでしょう。

（2）名詞と動詞で考えてみるのも一つの方法です。名詞を切開して、それが囲い込んでいる動詞を探さなければなりません。［例えば名詞 movement を切開して囲い込まれていた動詞 move を探し出すというように］

（3）ヘーゲルの思想とハイチの革命との関連については、Susan Buck-Morss（2009）を参照してください。

16　潜在している豊かさに耳を傾けよう

（1）アルンダティ・ロイのこの美しい言葉は、それがどこから生まれたものであるかにかかわりなく、生命を宿しているようです。

（2）例えば、最近刊行された Fernando Matamoros and others, *Las luchas de las Invisibles en tiempos de pandemia de COVID-19*. Matamoros et al. 2022.を参照してください。

17　あらためて耳を傾けよう　もっと深いところに潜在しているものがある

（1）この「ひとまず目をそらして」というのは、「希望を組織化すること」や抵抗や叛乱の運動における希望の役割を研究することの重要性を私が過小評価しているということでは決してありません。単に、別の道を切り開きたいということです。希望、組織化、ブロッホの織り成すものについては、特にアナ・ディナースタインの著作（Ana Dinerstein 2015, 2020）を参照してください。

（2）*Financial Times* editorial 28/12/2021, https://www.ft.com/content/88b89565-1de9-4579-bb39-b1ee2502acb7. を参照してください。

18　すべてをひっくり返して資本家に同情してみよう

（1）このアプローチは、特にデヴィッド・ハーヴェイの大きな影響を及ぼした研究と関連しています。Harvey（2003）を参照してください。

19　希望は客体に対抗する主体の運動である束縛に対する打破

（1）イーグルトン（Eagleton 2015）やソルニット（Solnit 2004）のような刺激的な著作に対する私の批判の中心にあるのは、この点なのです。彼らは資本についてのコンセプトを持っていません。

（2）「社会的統合」としての社会的結束については、Sohn-Rethel（1978）, 5を参照してください。また、『革命―資本主義に亀裂をいれる』（Holloway 2010）、とくにその9章を参照してください。

（3）「全体化」についての私のコメント全体は、友人のセルヒオ・ティッシャーの影響を受けています。特にTischler（2013）を参照してください。

（4）この議論は、『革命―資本主義に亀裂をいれる』（Holloway 2010）でより発展させられています。

（5）「しかし、ここでは、ブルジョア経済がまだ一度も試みたことのない仕事、この貨幣形態の起源をたどる仕事が私たちに課せられている」（Marx 1867/1965, 47）。あるいは、ペンギン・ブックス版では、「しかし、今、我々は、ブルジョア経済学が決して試みなかった仕事をしなければならない。すなわち、この貨幣形態の起源を示さなければならない」（1867/1990, 139）。［日本語版マルクス＝エンゲルス全集の訳では「しかし、いまここでなされなければならないことは、ブルジョア経済学によってただ試みられたことさえないこと、すなわち、この貨幣形態の生成を示すことであり…」］

（6）原文は 'Dass die ökonomischen Charaktermasken der Personen nur die Personifikationen der ökonomischen Verhältnissen sind, als deren Träger sie sich gegenübertreten'（Marx 1867/1985, 100）.

（7）貨幣と商品については、Bonefeld（2020）を参照してください。

（8）急進左派の議論において「革命」という言葉を「民主主義」に置き換える近年の傾向については、Edith González（2018, 2020）を参照してください。

（9）多国家として国家の存在をとらえることについては、私がソル・ピッチョットとともに出版したエッセイ集（Holloway and Picciotto 1978）の中のクラウディア・フォン・ブラウンミュールの画期的な論文（1974/1978）と私自身の論文（1995a）を参照してください。また、Joachim Hirsch（1995）、さらにフォン・ブラウンミュールの論文に対するロドリゴ・パスクアルによる最近の批判 Pascual（2022）も参照してください。

（10）優れた分析として Aslan（2021）を参照してください。

（11）同じような議論として、例えば Roswitha Scholz（2000）を参照してください。

（12）http://enlacezapatista.ezln.org.mx/2021/01/01/part-one-a-declaration-for-life/ で読むことができます。

20　破滅への連鎖を断ち切るのは難しい

（1）いまだに素晴らしいルカーチの *History and Class Consciousness*（Lukács 1923/1971）［ルカーチ『歴史と階級意識』］を参照してください。この点についての批判としては、Tischler（2013）を参照してください。

（2）しかし、物々交換が基盤に行なわれるような状況では、相対的な価値を厳密に評価するよりも、共同体の連帯の精神が優先されるのかもしれません。イネス・デュランの調査によれば、プレペチャの人々にはこのような傾向が見られるということです。彼女の発言については Durán Matute（2021）を参照してください。

（3）例えば、『フィナンシャル・タイムズ』二〇二一年四月号のグレタ・トゥーンベリのインタヴューを参照してください。ここで彼女は、緊急の変革を求めるキャンペーンを資本主義批判と結びつけることを明確に拒否しています。https://www.ft.com/video/69bca16a-8be6-448c-b097-c2b73f8b2010.

（4）「コモンズ」のさまざまな解釈に関する優れたレビューとして、Clare and Habermehl（2016）を参照してください。

21　束縛の弱点は、諸形態の間のつながりにではなく各形態内部の拮抗にある

（1）冒頭の文とその解釈に関するより詳細な議論は、Holloway（2015）を参照してください。より一般的に『資本論』の反アイデンティティ志向からの読み方について、Holloway（2018）および Holloway（2019）を参照してください。

（2）全体化と脱全体化の重要性について、Tischler（2013）を参照してください。

（3）そうだとすると、労働者が資本家に対して声を上げるとき、労働者は自分の商品である労働力の販売条件を守るためにそうするのだということになります。「あなたと私は、市場において、商品の交換という一つの法則しか知らない」。（1867/1965, 233; 及び1867/1990, 342-3）。

（4）拙稿「日産の赤いバラ」（Holloway 1987/2019）で取り上げた英国のブリティッシュ・レイランドの事例も参照してください。

（5）こうした見方を発展させるうえでは、ハリー・クリーヴァーの著作が、いつでもきわめて助けになります。Cleaver 2015.

22　束縛を解く：革命を革命する

（1）こうした廃墟を特徴づけたベンヤミンの文章はよく知られていますが、くりかえし読むに足るものです。「『新しい天使』と題されているクレーの絵がある。それには一人の天使が描かれており、天使は、自分が凝視している何ものかから、いまにも遠ざかろうとしているところのように見える。彼の眼は大きく見開かれていて、口は開き、翼は拡げられている。歴史の天使はこのような様子であるに違いない。彼は顔を過去に向けている。われわれであれば事件の連鎖を眺めるところに、彼はただカタストローフのみを見る。そのカタストローフは、休みなく廃墟の上に廃墟を積み重ねて、それを彼の足先へ投げつけてくるのだ。多分彼はそこにとどまって、死者たちを目覚めさせ、破壊されたものを寄せ集めて組み立てたいのだろうが、しかし楽園から吹い

てくる強風が彼に孕まれるばかりか、その風の勢いが激しいので、彼はもう翼を閉じることができない。強風は天使を、彼が背を向けている未来のほうへ、不可抗的に運んでゆく。その一方では彼の眼前の廃墟の山が、天に届くばかりに高くなる。われわれが進歩と呼ぶものは、この強風なのだ」(『歴史哲学テーゼ』第九テーゼ)。Benjamin (1940/1969).

24 希望の理論に必要とされているのは希望が対抗しているものの弱点や危機の理解である

(1) ボブ・サトクリフが危機について書いた著作の印象的なタイトル「困難な時期」(*Hard Times*)のように。Sutcliffe 1983.

25 危機は資本に内在している

(1) マルクスの危機理論に関する優れた提示としては、Hirsch (1974/1978) を参照してください。

26 危機から再編へ、あるいは再編失敗へ これが資本の「命がけの跳躍」なのだ

(1) ローザ・ルクセンブルクは、無名の批評家に対する応答で、「利潤率の低下によって資本主義が崩壊するまでにはまだ時間がある、おおよそ太陽が燃え尽きるまで」と述べています。(Luxemburg 1921/ 1972, 77)

(2) 「危機の周期性とは、実際には、資本蓄積を再び確実にする価値と価格の新しい水準において蓄積過程をあらためて再編成することにほかならない。もし、それが不可能なら、蓄積を確保することも不可能なのである。これまで混沌とした形で現れては克服することができていた同じ危機が、いまや永続的な危機となるのである」(Mattick 1934/1978, 94)。

(3) この点については、Hirsch (1974/1978) を参照してください。

（4）ある程度同じ方向に向かう、非常にわかりやすい危機の解明としては、Jappe（2011, 113ff.）を参照してください。大きな違い、重要な違いは、ヤッペをはじめとする「クリシス」グループや「エグジット」グループに関係している論者が利潤率低下の傾向を闘争として理解していないことにあります。

（5）「両極」に関するセルヒオ・ティシュラーの議論を参照してください。Tischler 2002.

27 希望は貨幣のヒドラに立ち向かう

（1）現在、ESG（環境・社会・ガバナンス）投資の収益性について興味深い議論がなされていますが、政府の規制を含む状況がそうした投資を魅力的にすることはあっても、決定的な要素が利益であることは明らかです。二〇二一年四月二六日付の『フィナンシャル・タイムズ』でロビン・ウィグルスワースは、こう述べています。「今後一〇年間で、環境・社会・ガバナンス志向の投資により、とんでもない額の資金が作られることになるだろう。残念ながら、その多くは天使たちに逆らって賭けることで得られるだろう。……楽観的なバックテスト［過去の値動きから投資の有効性をテストすること］や希望的観測に騙され、良いことをすればうまくいくと思い込んでいた投資家は、結局失望することになりかねない」。

29 今日の資本はますます架空のものとなっている 貨幣は病んでいる

（1）*The Fire Next time* は、一九六三年に出版されたジェームズ・ボールドウィンのエッセイ集のタイトルでもあり、この書は一九六〇年代の黒人公民権運動において重要な役割を果たすことになりました。

（2）リピエッツの漫画のキャラクターが私たちに突きつけている政治的ジレンマについての議論は、Holloway 2000を参照してください。

（3）引用文中の強調は、引用者の手によるものです。

（4）マイク・デイヴィスによる戦慄すべき分析をご覧ください。Davis 2006.

（5） この文脈で重要なのは、資本主義の現在の暴力は、原始的あるいは本源的な蓄積の継続としてではなく、むしろ「末期的」蓄積、つまり死に脅かされたシステムの暴力として理解されるべきだというサグラリオ・アンタ・マルティネスの議論です。Anta Martínez 2020.

（6） 例えば、Blinder 2014 を参照してください。

（7） https://thenextrecession.wordpress.com/2017/09/17/blockchains-and-the-crypto-craze/ マイケル・ロバーツのブログは、現在の資本主義の発展をマルクス主義の視点から分析したシリーズで、ややオーソドックスな視点ながら、非常に参考になる内容です。

30 私たちは貨幣の危機の主体なのだ

（1） 訳者のT・M・ノックスは、「追加」は「ヘーゲルの講義でとったノートから抜粋したもの」と説明しています（Hegel 1821/1967, v.）。

（2） Mann (2017) xii.

31 災厄の先送りは、政治経済学の中心的な原則である 金本位制の放棄は、暴徒支配への道を開く

（1） ケインズは、一九三八年の「私の初期の信念」というエッセイの中で、「文明とは、ごく少数の人たちの個性と意志によって築かれ、巧みに伝えられ狡猾に保存されてきた規則と慣習によってのみ維持されている、薄くて不安定な地殻である」と述べています。

（2） 歴史家トーマス・A・クルーガーによれば、「半世紀にわたりバーナード・バルークは、この国で最も裕福で最も権勢のある人物の一人であった。大投機家、公職者、大統領顧問、政治的後援者、不屈の後援者として、彼の公的生活はアメリカの政治システムの内部構造を明確に示している」（Thomas A. Kruger, 'The public life and times of Bernard Baruch,' *Reviews in American History* 10#1 (1982) p. 115.）。

（3）ジンメルは、これが貨幣の象徴化の限界（彼にとっては一時的なもの）であることを指摘していました。

（4）このことは、おそらく、マルクス主義者が「資本主義の現在の危機」という言葉を絶えず使うことを正当化するものなのでしょう。しかし、実際には、「資本主義の現在の危機の先送りと延長」と言った方が正確でしょう。

32 戦争は資本の黄金時代を作り出した その危機は金と貨幣の結びつきを断ち切った

（1）この議論の詳細については、Holloway（1995b/2019）を参照してください。より詳細な経済分析については、二〇一二年八月六日のマイケル・ロバーツのブログ「世界大恐慌と戦争」を参照してください。https://thenextrecession.wordpress.com/2012/08/06/the-great-depression-and-the-war/.

33 ボルカー・ショック 健全な貨幣を強いる最後の試み

（1）この時期のインフレーションについての詳細な議論は、Warburton（1999）を参照してください。

（2）この言葉は、一九七三年にイギリスのエドワード・ヒース首相によって作られたものです。Warburton 1999, 33.

（3）ボルカーのスピーチの全文は https://fraser.stlouisfed.org/files/docs/historical/volcker/Volcker_19791009.pdf で見ることができます。

（4）例えば、イギリスのメージャー政権がポンドを欧州通貨制度にリンクさせることで規律を課そうとしたことについてのボーンフェルドの分析 Werner Bonefeld（1993）や、アルゼンチンのメネム政権がペソをドルにリンクさせることで同様の目的を達成しようとしたことについてのボンネットの分析 Alberto Bonnet（2008）が挙げられます。いずれの試みも最終的には破綻しました。

（5）二〇〇〇年に行なわれたボルカーへのインタビューでは、インフレという「竜を倒す」必要性に対する彼の理解、政策を転換した理由、マーガレット・サッチャーへの親近感と賞賛について、よく説明されています。https://www.pbs.org/wgbh/ commandingheights/shared/minitext/int_paulvolcker.html.

（6）最近の金融危機に関するアダム・トゥーズの目を引かれる研究（Tooze 2018）に対するマーティン・ウルフのコメント（*Financial Times* 17/7/2018）にも注目したいと思います。「トゥーズは、金融部門のバランスシートの拡大が最終的に危機の原因であったという考えに焦点を当てている。彼は、政策立案者がなぜこのような事態を必要としたのかについては十分な注意を払っていない」。

（7）二〇二一年五月三〇日のマイケル・ロバーツのブログ「生産性の危機」を参照してください。https://thenextrecession.wordpress.com/2021/05/30/the-productivity-crisis/.

（8）一部のマルクス主義者による価値法則の放棄についての議論と反論について、Cleaver（2015）を参照してください。

（9）現代貨幣理論［MMT］に対する強力な批判については、マイケル・ロバーツのブログにおけるさまざまな投稿、例えば「MMT３　資本主義のバックネット」（2019.2.5）https://thenextrecession. wordpress. com/2019/02/05/mmt-3-a-backstop-to-capitalism/ を参照してください。

34　ブラックマンデー　負債が急増する

（1）二〇二二年一月二〇日付の『フィナンシャル・タイムズ』に掲載されたクリストファー・レオナルド著 ‘*The Lords of Easy Money*’（Leonard 2022）の書評で。

（2）「ヘリコプターで紙幣をばらまく」とは、ミルトン・フリードマンが一九六九年に発表した論文 ‘The Optimum Quantity of Moneys’（Friedmann 1969）で使用した造語です。

（3）現金直接払いの重要性については、Chris Hughes in the *Financial Times*, 19 August 2020 を参照してください。

36　資本の脆弱性は二〇〇七／二〇〇八年の金融危機で爆発した二回目の心臓発作？

（1）二〇〇八年の危機に関して、きわめて強い印象を与え、かつ詳細な説明をほどこしている、Tooze（2018）を参照してください。しかし、彼が問題にしていることは、この本で問題にしていることではありません

（2）詳しい議論は、McNally（2011）を参照してください。

（3）ギリシアの危機とそれが持つ意味については、Holloway, Doulos and Nasioka（2020）を参照してください。

（4）二〇二一年八月一六日の『フィナンシャル・タイムズ』でエドワード・プライスは、ＱＥは同じことの繰り返しに過ぎないと指摘しています。「一九七〇年代以降、フラット通貨、変動為替レート、国際的な資本移動、金融革新、危機後の金融政策が相まって、われわれは通貨の浪費の道へと導かれた。それが通貨戦争とか量的緩和（ＱＥ）とか言われているものだ。緩和的な姿勢と呼ぶか、アニマルスピリットと呼ぶか。柔軟な平均インフレ目標（ＦＡＩＴ）と呼ぶか、証券化と呼ぶか。呼び方は自由である。通貨安の悪魔は、さまざまな名前で呼ばれている。真実はこうだ。二〇〇六年の資産バブルは崩壊しなかった。それは単に私的所有から公的所有に移行しただけだった。ＦＲＢがシステムを救済するという前提から、現実にはそうなってしまったのである。実際には、グレート・モデレーション［市場全体の安定期］を通じて、規制されていないアメリカの金融システムがＦＲＢの特権に――無制限に――介入していたのである。要するに、ＦＲＢはドルに対する過剰な債権を発行したのである。二〇〇七年から八年にかけて事態が悪化すると、ＦＲＢは急いでそのギャップを埋めにかかった」。ＱＥの導入とその問題点については、わかりやすく優れた論考としてLeonard（2022）を参照してください。

（5）二〇一八年七月一七日の『フィナンシャル・タイムズ』。マイケル・ロバーツは二〇一七年九月二一日のブログで「ＱＥの終焉」についてコメントしています。「ＱＥがやったことと言えば、金融資産の新たな投機バブルを煽ったことで、それによって株式と債券の市場はかつてないほど高騰した。その結果、これらの資産の大半を所有する大金持ちがさらに金持ちになったのである（そして、所得と富の不平等がさらに拡大した）。

そして、超大企業である米国のＦＡＮＧ（Facebook, Amazon, Netflix, Google）は、資金が潤沢になり、ゼロ金利に近い状態でさらに借入を倍増して、自社株を買い占めて株価を上昇させ、株主に多額の配当を配り、得た資金を使ってさらに多くの企業を買い占めたのである」。
https://thenextrecession.wordpxess.com/2017/09/21/the-end-of-qe/.

37　嵐は地平線上にある　次は火だ

（1）資産インフレは通常インフレとは言わず、単に好景気と表現されます。Leonard（2022）はそう指摘しています。価格インフレと資産インフレの違いは、彼の議論にとっては重要なテーマなのです。

（2）*Financial Times*, 11 October 2019.

（3）このテーマについては、『フィナンシャル・タイムズ』二〇二一年二月二一日に掲載された中国通貨のデジタル化に関する記事 James Kynge and Sun Yu, 'Virtual Control: The Agenda Behind China's New Digital Currency'［バーチャル・コントロール：中国の新デジタル通貨に隠された意図］を参照してください。

（4）二〇一九年九月三日付の『フィナンシャル・タイムズ』に掲載されたロビン・ハーディングの驚くべき予測も参照してください。「世界は不況と戦うためにこれほど装備が悪くなったことはない。しかも、戦うべき不況がこれほど少なかったこともない。そのため、次の世界的な不況を想像するのは難しいが、それはおそらく、毎年発症するインフルエンザとは違って、新しい病気が突然発生するような、トラウマになるような、予期せぬ出来事となるだろう」と述べています。

（5）スペイン語原文は、'El asunto es que lo que nosotros, nosotras, zapatistas, miramos y escuchamos es que viene una catástrofe en todos los sentidos, una tormenta ... Entonces nosotros, nosotras, zapatistas, pensamos que tenemos que preguntar a otros, a otras, de otros calendarios, de geografías distintas, qué es lo que ven'.

（6）この問いかけに応えて、私はエディス・ゴンサレスとともに、プエブラの社会学修士クラスで嵐（la Tormenta）に関する三つの講義を行ないました。Holloway（2017）を参照してください。

38　嵐が破壊する　コロナ危機

（１）Martin Wolf, 'The World Economy is Now Collapsing', *Financial Times*, 14 April 2020.

（２）コロナウィルスと資本主義の関係についてはいくつもの優れた分析があります。Baschet（2020）と Wallace, Liebman, Chaves and Wallace（2020）を参照してください。

（３）Lyric Hughes Hale in the *Financial Times* of 8 September 2020: 'Food Inflation Threatens Lives and Economic Recovery' を参照してください。

（４）Patti Waldmeir in the *Financial Times* of 21 September 2020: 'A New Era of Hunger Has Hit the US' を参照してください。

（５）Jonathan Wheatley in the *Financial Times* of 18 November 2020: 'Pandemic Fuels Global "Debt Tsunami"'.

（６）二〇二〇年三月に差し迫った金融危機に対するＦＲＢの反応について、詳細かつ非常にわかりやすい説明として、Leonard 2022 を参照してください。

（７）Gavyn Davies, 'Will Public Debt be a Problem when the Covid-19 Crisis Is Over?', *Financial Times*, 21 June 2020.

（８）Rana Foroohar, 'US Big Business Gets Help First but Who Needs it Most?', *Financial Times*, 26 May 2020.

（９）Robin Wigglesworth, 'The Fed's Vietnam Moment', *Finanicial Times*, 11 May 2020.

（10）これは、伝統的な資本主義諸国よりも中国の方がよりはっきりと当てはまります。（*Financial Times*, 23 August 2020）

（11）ＣＯＶＩＤ危機の間の擬制資本の拡大については、Michael Roberts のブログ 'Covid and fictitious capital', 25 January 2021, https://thenextrecession.wordpress.com/2021/01/25/covid-and-fictitious-capital/ を参照してください。

（1）この停滞は、富裕国の場合に最も顕著です。二〇〇八年の金融危機の後、ゆっくりとした回復を遂げられたのは、中国における資本のダイナミックな発展が大きく寄与しています。しかし、中国資本も負債への依存度を高めており、世界資本の救世主の役割を果たし続けられるかどうかはわかりません。

（2）Atif Mian, Ludwig Straub and Amir Sufi（2021）がこの用語を使っています。Robert Armstrong in the *Financial Times*, 8 June 2020を参照してください。

（3）*Financial Times*, 18 August 2020.

（4）Joe Rennison, *Financial Times*, 13 September 2020, ʻPandemic Debt Binge Creates New Generation of “Zombie” Companiesʼ.

（5）John Plender, *Financial Times*, 3 March 2020, ʻThe seeds of the next debt crisisʼ.

（6）Gillian Tett in the *Financial Times*, 17 September 2020: ʻEquity Investors Should Raise A Glass To Low Ratesʼ.

（7）Edward Luce in the *Financial Times*, 4 January 2021, ʻAmerica's Dangerous Reliance on the Fedʼ.

（8）Ibid.

（9）Rajan, 2010, ch. 1を参照してください。私が引用したのはWolf 2014, 187からです。

（10）この言葉は、Edward Luce in the *Financial Times*, 4 January 2021, ʻAmerica's Dangerous Reliance on the Fedʼから採ったものです。

（11）再びthe *Financial Times*,（17 September 2021）, Gilllian Tettから引用します。「かくして、われわれは長期的な存亡の問題に直面している。政府は結局、その債務を減らすために、空前のインフレを起こさざるを得なくなるのだろうか？　政治的・社会的混乱を避けるために、将来的に広範な債務免除が行なわれるのだろうか？　今では考えられないことかもしれないが、人類学者の故デヴィッド・グレーバーがその著書『借金、最初の五〇〇〇年』で述べたように、歴史上、社会的大混乱を避けるために指導者による債務免除（ジュビリー）

が行なわれることがあったのである。それとも、大量の債務不履行と金融危機が発生するのだろうか？　それとも、二一世紀は低金利が長く続き、その結果、目を見張るような負債額を、高い資産価格、貨幣供給の拡大、熱狂的な金融システムの必然的な帰結として受け入れて、無視する時代になってしまうのだろうか？　投資家や政策立案者にとって、負債は受信箱の中の未読メールのように感じられるだけなのだろうか？　恐るべきことであり、巨大な問題ではあるけれど、ずっと続いている問題だから無視するのはたやすいということなのだろうか？　私たちは単に知らないだけであり、金利が上昇するまで分からないということなのかもしれない。しかし、グローバルなシステムが三倍のレバレッジをかけ、さらに上昇しているという事実は、たとえあなたがその影響について楽観的であったとしても、もっと議論されるべきである。私は、楽観的ではない」。

（12）例えば、二〇二二年三月一六日の *Financial Times* の記事のタイトル 'Jay Powell Channels His Inner Paul Volcker with Tough Stance on US Inflation'［ジェイ・パウエル、内なるポール・ボルカーを導き入れ、米国のインフレに厳しい姿勢で臨む］を見てください。

（13）なお、現代貨幣理論［ＭＭＴ］の支持者には、低金利の世界では債務の増大はあまり問題にならないという反論があることに留意しておかなければなりません。しかし、世界の膨大な債務が大幅に削減されるよりずっと前に、金利が上昇する可能性が高いのです。現代貨幣理論に対する強力な批判としては、マイケル・ロバーツのブログの 'MMT 3 - a backstop to capitalism' などを参照してください。

5 February 2019: https://thenextrecession.wordpress.com/2019/02/05/mmt-3-a-backstop-to-capitalism/.

40　容器は収納できない

（1）ウィリアム・ブレイク「地獄の箴言」William Blake, 'Proverbs of Hell' (1793/1988, 35).

（2）The *Financial Times*, 9 January 2022: Wall Street banks set to report record profits for 2021を参照してください。

（3）*Leviathmn* xiii. にあります。

41　われわれは暴徒–豊かさ–抵抗–叛逆である

（1）アニトラ・ネルソンは、その点を非常に明確に述べています（Anitra Nelson 2022, 168）。「貨幣に関わる活動をやめようと決意することは、貨幣を使わないで社会的に公正かつ正当で、生態学的に持続可能なポスト資本主義を創造することと密接に関係していなければならない。実行可能で効果的な非貨幣経済を共に創造する戦略は、資本主義的活動を一挙に排除するものである。その結果、緊急の行動が決定的に重要な時に、素早く、建設的に、深く行動することができる。私たちは今すぐ、直接的に、双方向同時に、私たちの周りで、完全に行動することができる」。

（2）別の言葉で言えば、「われわれが資本の危機なのです」。

（3）「一二月には『大量離職』がピークに達し、求人倍率が高いにもかかわらず、四五〇万人のアメリカ人が仕事を離れ、二〇〇〇年以来最大の数字となった。これは米国だけの現象ではない。中国では、若者が日々の労働に背を向ける『寝そべり』運動［躺平《タンピン》主義］が人気を博している。長時間労働で知られる日本では、政府が週休四日制を提唱している。マイクロソフトの最近の調査では、世界の労働者の四一％が離職を検討していることがわかった。その理由は、Covid-19の中でのデジタルバーンアウト［オンラインメディアの過剰使用などによる燃え尽き症候群］、孤立感、ネットワークの喪失など多岐にわたっている」（Editorial Board, *Financial Times*, 1 February 2022）。

42　怒りから尊厳ある怒りへ　憤怒から憤怒の尊厳へ

（1）Ruchir Sharma in the *Financial Times*, 14 May 2021: 'The Billionaire Boom: How the Super-Rich Soaked Up Covid Cash' からの引用です。

（2）Bloch, *Heritage of our Times* (1936/1991)［エルンスト・ブロッホ『この時代の遺産』］を参照してください。

（3）Arundhati Roy, *Financial Times*, 3 April 2020: 'The Pandemic is a Portal'.

（4）Abahlali baseMjondolo, 'KwaZulu-Natal and Gauteng Are Burning', 13 July 2021. http://abahlali.org/

node/17320/ を参照してください。

（5）サブコマンダンテ・ガレアーノはごく最近、アイデンティティを肯定することはほとんどすべて暴力的だと主張しました。「そして、アイデンティティを肯定することはほとんどすべて、異なるものに対する宣戦布告であると言える。私は『ほとんど』と言ったが、私たちはサパティスタとして、この『ほとんど』に執着している」（'La travesía por la Vida. ¿A qué vamos?', July 2021. http://enlacezapatista.ezln.org.mx/2021/06/27/la-travesia-por-la-vida-a-que-vamos/）。この「ほとんど」は、説明のつかない魅力的なものです。ここでの議論は、「ほとんど」は存在しない、つまり、アイデンティティの肯定は暴力的であるということです。

（6）もう一つは、「私たちに何かを許せというのは理不尽だということです」。EZLN, Sexta Parte.

（7）これに対する批判としては、『権力を取らずに世界を変える』第9章を参照してください。

（8）支配としての貨幣については、Marazzi（1995）を参照してください。

43　豊かさを解放せよ！

（1）Öcalan, *The Sociology of Freedom*, 2020の私の序文を参照してください。

（2）ここでマテとウィスキーを飲みながらの座談について触れたのは、そのときに行なわれた私の友人であるアルベルト・ボネ、ルイス・メネンデス、セルヒオ・ティシュラーとの、反アイデンティティ闘争の問題についての非常に有益な議論を思い出すためです。彼らに心から感謝します。

（3）暴力の問題、彼らと私たちの暴力の問題については、Doulos（2020）を参照してください。

（4）「エコノミー（economy）」の代わりに「エコモニー（ecommony）」を構築することの重要性を強調したフリードリケ・ハーバーマンの仕事も、同じ方向への非常に重要な前進です。特に彼女の著書 *Ecommony and Ausgetauscht* を参照してください。

訳者あとがき

大窪一志

希望なき時代の希望は何処に見いだせるか

ホロウェイのこの著作は、*Change the World without Taking Power*（『権力を取らずに世界を変える』）、*Crack Capitalism*（『資本主義に亀裂を入れる』）に続く三部作の三番目に当たります。ホロウェイは、一番目を「祖母」、二番目を「母」と呼んで、「孫娘」に当たるこの本は、孫娘にふさわしく叛逆心が旺盛で、落ち着きがない、と書いています。ホロウェイは、僕とほとんど同じ歳の後期高齢者ですが、この本の筆致を見ると、孫娘さながらに、すっかり若返っています。そして、この叛逆心旺盛な孫娘は、われわれを乗せた列車を破滅に向かって驀進させている資本主義に対する叛逆が緊急課題であることを、最初から最後まで訴え続けているのです。その「叫び」は祖母譲りです。それと同時に、この破滅を避ける叛逆のためには、資本主義の内部に必ずある「亀裂」を見つけ、そこを突いて内から資本主義を乗り越えるのだ、と母親譲りの主張をしています。

〈価値〉と〈貨幣〉の乖離が招いている危機

なぜ資本主義に対する叛逆が緊急課題なのか。それは、世界資本主義の現状についてホロウェイが抱いている極めて深い危機感に基づいています。この危機感を共有できないと思う読者は、本書のPARTⅥとPARTⅦをお読みください。そこには、優れたエコノミストや経済学者の分析に基づきながら、なぜ、どのように資本主義の危機が深化し濃化してきたのか、このまま進んでいくなら、どんなことが起こりうるのか、なぜそれがこれまで起こってきたことを超えるものであるかが明らかにされています。

実際、いま先進国はコロナ・パンデミックの危機を乗り切るために膨大な財政出動や通貨増刷を行ない、続いて、それによるインフレーションの亢進に対処するため利上げを行なわざるをえず、その結果、この原稿を書いている時点でも、ヨーロッパの大銀行であるクレディ・スイスやドイツ銀行が経営危機に瀕し、G7も指摘しているように、金融システム破綻の不安が表れてきているではありませんか。こうした出来事がどうして起こっているのか、PARTⅥとPARTⅦが明らかにしてくれます。

このような危機を招いた根本要因としてホロウェイが強調しているのが、生産される〈価値〉とそれを表象しているはずの〈貨幣〉との乖離です。いまは、貨幣を大量に増刷することを通じて将来の価値生産を先取りすることで利潤を保っている状態なのです。信用は実体を失って架空のものと化しています。現実に生産された〈価値〉という地面が尽きたのに、〈貨幣〉という男がそのまま崖を踏み外して、将来生産される〈価値〉を架空の支えとして虚空を歩いている状態にあると描かれています。これは、一九二九年の世界大恐慌から脱け出すために、いまだ実現されていない価値を未来から前借りするかたちでしのぎ、破綻を先送りしようというケインズの提案によって生み出されたもので、それが危機のたびにくりかえされてきたのだとされています。

しかも、こうなると、あてにされている将来の〈価値〉生産を充当するために経済成長を加速しなければならないことになりますが、それはきわめて難しく、またそれができたとすれば、その副作用として、いまでさえ深刻な地球温暖化や気象危機やパンデミックの原因になっている自然生態系の破壊がさらに促進されることになり、そもそも生存の基盤が脅かされてしまいます。だから、ホロウェイは、現代資本主義社会を「絶滅行きの列車」だと言っているのです。

未来を消費されてしまった若者

この危機はまさに近代資本主義文明の危機であり、人類史的な危機だといわなければなりません。そのような根深いところから発した危機は、対症療法的対策で解決できるものではありません。実際、この本でも解析されているように、いったん負債の膨張を前提にした経済循環に入ってしまえば、その循環自体が固有のダイナミズムをもってしまい、元に戻すのはきわめて困難なのです。なぜなら、この事態を資本の側において見るなら、価格が上昇すれば需要が減少する商品市場や労働市場と違って、金融市場においては資産価値が上昇すると暴落が起こるまで価格が上昇しつづけるという「ミンスキー効果」が働くからであり、消費者側において見ても、負債の膨張によってもたらされた生活水準の向上のもとで支出を減らすことができなくなっていくという「ラチェット効果」が働くからです。

これはまさしく絶望的な状況です。こうした状況に対して、僕が数年前に対談した若者が、こう語っていたのが思い出されます。「『若者が未来に希望をもてないでいる』とか言いますけれど、未来は現在の破綻を表面上補填するためにすでにかなり先まで前借りしてしまったので、その結果、近未来は我々がそこに到着する前にすでに現在の犠牲となって破綻しています。……そんな奇妙な形で維持されている現在に漂う絶望は過去から来ているというよりも未来から来ています。だから現代においては、未来に希望がもてない若者のほうがむしろ正常なんじゃないでしょうか[1]」。

そのとおりではないかと思います。現代の若者は、「未来を消費されてしまった若者」なのです。そうした状況を洞察できる若者にとっては、この状況は「正しく絶望する」しかないものなのです。だから、ホロウェイがこの本で言っているように、現在は「希望なき時代」なのであり、「希望を考えるとは、絶望を考えることだ」ということになるのです。それは、ケインズが言った「未来から借りても問題はない。長い目で見れば皆死んでいるのだから」という亡びゆく人間たちの楽観と諦観の混ざった認識とは正反対の、絶望的な現状を直視しながら生きるべき未来を創り出していかなければならない若者たちの認識なのです。

〈内〉において〈対抗〉して〈乗り越える〉

そうした状況に陥っている現在においては、希望は〈外〉からやってきて救ってくれる力を見つけることではなくて、自分自身の〈内〉にあるものを溢れ出させる力を見つけることにあるのだ、とホロウェイは教えてくれます。エルンスト・ブロッホが言う「いまだないもの」が「いまあるもの」の内に潜んでいるのを見つけ出す力にこそ「希望」があるのだ、と。

だから、この本では、経済対策論議や政治的対立の次元よりもっと深いところにある潜在的胎動、そこに潜んでいる「死に至る社会に抗する静かな底流」にこそ着目し、それを呼び起こす呼び声を発しているのです。その呼び声として、〈内〉において〈対抗〉して〈乗り越える〉――in-against-beyond――という三代相伝の姿勢を唱える声が、響き渡るのです。そして、孫娘は、そのin-against-beyondの潜勢力の根拠を、人間の行為が「豊かさ」を求めて行なわれるものであることに見ています。そして、その発想から『資本論』を読み直し、マルクスの労働価値説が展開している「抽象的人間労働と具体的有用労働」「価値と使用価値」の二重性を、マルクスがそういうふうには見なかった「富Wealthと豊かさRichness」の二重性にまで遡って、〈豊かさ〉を創り出そうとするわれわれの具体的労働が〈富〉を創り出す抽象的労働を強制する資本主義に適合しないところに、資本の〈内〉において資本に〈対抗〉し資本を〈乗り越える〉力が生まれると見ているのです。

資本主義経済が人間の活動を商品関係のなかに全面的に包摂してしまうものであることは『資本論』の言うとおりでしょう。ホロウェイも、それは認めています。ところが、『資本論』は、この商品関係への全面的包摂が、結果として資本の利潤率の傾向的低下を法則的にもたらしていき、それによって資本主義のメカニズムが危機に陥っていくところに革命の客観的展望を求めています。

(1)『単独者通信』に連載した対談「社会の皮膚、社会の内臓」#22 http://neuemittelalter.blog.fc2.com/blog-entry-246.html
大窪一志編『脱近代の自由』(同時代社、2021年)pp.284~285に再録。

こうした見方は、エンゲルスによって「生産の社会的性格と取得の私的性格の矛盾」として定式化され、さらに「生産力と生産関係の矛盾」というかたちで一般化されました。そして、その転換をもたらす革命は、そうした矛盾の高まりによる資本主義の危機において、プロレタリアートの暴力革命による国家権力の奪取によってなされるという主観的展望が描かれてきたのです。これを受け継いだ旧来のコミュニズムやソシアリズムの運動、それに指導されていた労働運動では、資本主義の崩壊を歴史的必然性ととらえる客観主義的傾向とプロレタリアートが国家権力を握って独裁の力で新しい社会をつくるのだという主観主義的傾向とが相互に前提し合いながら反撥しあって交錯していました。

僕は一九八一年まで一〇年間賃金労働者として働いてきましたが、その頃の日本の労働組合運動は労働の現場から労働のありかたを問い直すものにはなっていませんでした。僕が労働組合の指導者に、なぜそういう運動をしないのかと問うと、それは経営権の侵害になるし、また労働のありかたをどうとらえるかは組合員の個人の価値観の問題だから労働組合は関与できない、というのでした。こうして、労働組合は、労働が資本によって商品関係のなかに全面的に包摂されていることを前提に、事実上、賃金と労働条件をよりよいものにしていくことだけを追求するものになっていました。左翼の運動の多くも同じで、労働現場において労働のありかたを変えることではなく、そこから離れたところで政治闘争をおこなうものになっていました。その後も、そういう状態が続いてきて、経済状態が変わっていくなかで、労働運動も左翼社会運動も衰退してきたのです。これは日本に限ったものではなく、サンディカリズムが伝統的に強かったイタリアやフランスなどで工場自主管理運動が盛り上がった時期があったものの、先進諸国では多かれ少なかれ共通して表れていた傾向でした。

「損なわれた主体」としてのプロレタリアート

そして、いまや労働者階級は、資本と対決する存在ではなくなり、〈富〉と〈豊かさ〉の二重性から見れば、〈富〉を作り出す主体ではあっても〈豊かさ〉を作り出す主体ではなくなってしまったし、先進国の左翼政党のほとんどは、「われわれは資本主義に反対しているが、出口がないことはわかっている」と言って、国家による危機の先送りを文明を守るためとして事実上支持する左翼ケインズ主義になってしまっている、とホロウェイは言っています。そのようになってしまった左翼は、いまや民主主義を語ることしかできなくなっていますが、国家導出論争の論議に基づきながらホロウェイが言っているように、資本主義社会においては国家機構は資本関係の特別な形態にならざるをえない以上、資本主義とは異なる社会を求める運動を今日の民主主義の延長上に考えることができないことは日々明らかになってきています。

注目すべきなのは、こうした労働運動と左翼の衰退は、労働者階級に関するマルクス主義のそもそものとらえかたの一面性に淵源しているとされていることです。『共産党宣言』で「ブルジョアジーの墓掘り人」と規定されたプロレタリアート自体が、そのままでは「資本制のシステムによって損なわれた主体」であり、その毀損から回復するために〈内〉で、システムに〈対抗〉し、それを〈乗り越える〉働きをすることによってはじめて墓掘り人になるのだという関係をマルクスは見ていなかった、と批判されています。こうしたプロレタリアートの実存の否定的側面を見ない見方に基づいて主導された労働組合と左翼の運動は、〈外〉からシステムを〈破壊〉し、それまでの支配者に代わって収奪者を収奪する〈独裁〉のシステムをつくりだすというものになっていき、プロレタリアートは損なわれた主体のままに、彼らを代行する共産党の独裁支配を受け入れることになっていったのです。それが生み出したものがソ連の現実であり、中国の現実であったわけです。

富 Wealth と豊かさ Richness の二重性のもとでの労苦 labor と仕事 work

ホロウェイの一貫した立場は、資本主義は社会そのものの内にそれを崩そうとする力が働かないかぎり歴史的必然として崩壊することはなく、また社会の上に立つ政治的力ではなくて、社会の内から働く社会的力でなければ社会を根本的に変えることはできないという考え方でした。旧来の客観主義的傾向と主観主義的傾向の両方が否定されているわけです。この両方の傾向を、この本では『資本論』に遡って、それに基づきつつ、かつそれを読み替えながら、批判しているのです。そして、われわれを包摂している商品関係の内部からその関係を乗り越えていく途を探っています。

その乗り越えが依拠するのが、先に取り上げた「富 Wealth」と「豊かさ Richness」の二重性です。資本は価値増殖を至上のものにして労働を抽象化し、使用価値よりも価値の生産を優先させますが、労働者は本来、自分たちが作った製品や提供するサーヴィスが、高い使用価値をもって使用され利用されることのほうを求めて働こうとする労働意欲を持っています。また、消費者・利用者もそうした製品やサーヴィスを求めているのです。そこに依拠しながら、資本に囲い込まれた他律的な労苦（labor）としての抽象的労働と資本の囲いを乗り越えようとする自律的な仕事（work）としての具体的労働の二重性という観点に立って、労働の現場から労働のありかたを問い直し、生活の現場から商品のありかたを問い直すことを通じて、資本制の生産と消費の根本的な問題点を自分の問題としてとらえることをホロウェイは訴え、促しているのです。

労働し生活する者が「自己決定」し「自主管理」する〈豊かさ〉は商品経済の下でも相対的に追求できるし、それを追求することが新しい生産関係の胚を創り出すことになるのです。そこに育まれる労働者自治・生活者自治は、いまだ全体としての商品関係に包摂されているので、十全なものにはなりえず潜在的なものに過ぎないかもしれません。しかし、そこには商品経済全体からは否定されているという意味では〈存在〉としては「いまだないもの」が、商品経済の内に、それとは適合しないものとして〈生成〉されていくのです。これをホロウェイは「いまだないものが持つ現在の力が表現するいまだないものへの憧れ」と呼び、「名詞〔＝である〕という〈存在〉」の中に閉じ込められている動詞〔＝になる〕という〈生成〉」の脱獄」と表現しています。そして、「私たちの闘争は何かの目的のための手段ではなく、私たちの存在の深みから生じる尊厳であり、拒否なのです」と言っています。

マルクスの『資本論』では、こうしたかたちでの「自己決定」「自主管理」の追求は見失われてしまっています。それは、『資本論』が古典派経済学のカテゴリーに焦点を合わせて論理展開しているからで、もともとマルクスにそれがなかったわけではない、とホロウェイは考えています。そして、『資本論』を準備した草稿をまとめた『経済学批判要綱』のなかから、「何ものにも制約されない生成の運動」という観点を救い出し、それを何度も引用しているのです。マルクスは言っています。「富〔ホロウェイはこれを「豊かさ」と読み替えているわけですが〕とは、人間の欲求、能力、快楽、生産力など、普遍的な交換を通じて生み出される人間の普遍性以外の何ものでもないのである。……〔それは〕何らかの特殊性において自己を実現するのではなくて、自らの全体性を実現しようとするものなのではないのか？　自分が成った何者かにとどまるのではなく、何ものにも制約されない生成の運動のなかで力を尽くそうとするものではないのか？」（ただし、ここで「自然の力、いわゆる自然のものの力、また人間自身の自然に対する人間の支配力の完全な発展」という文言を省略して引用しているところに、「人間による自然の支配」という思想への批判が表されています）

「何ものにも制約されない生成の運動」は完結することがありません。だから、それ自体、生成の運動を表現したものであるはずの弁証法を、「定立（テーゼ）が反定立（アンチテーゼ）で否定されたうえで否定の否定の総合（ジンテーゼ）で矛盾の肯定的な解決に至る」という定型の図式に押し込める公認の弁証法的唯物論は拒否されているのです。そして、『権力を取らずに世界を変える』でも、『資本主義に亀裂を入れる』でも、著述の結びの文を完結させることがなかったのです。この本でも、最後は「まだ足りない、まだ足りない…」というつぶやきで終わっています。

「解決のための政治」から「疑問のための政治」へ

　このように、「希望なき時代」には「正しく絶望する」ことから始め、「自己決定」「自主管理」を内側から生成していくなかにおいてしか「希望」は見えてこないと考えるホロウェイは、提示される「解決のための政治」を否定して、自問しながら格闘する「疑問のための政治」を提起しています。自分自身はどうしたらいいのか、それを探り合い実践し合う政治を興そうというのです。疑問を考えるための材料、状況をどう考えたらいいのかは、この本で出しました。さあ、疑問のための政治のミーティングを労働の場、生活の場から興そう。そこに「希望なき時代の希望」があるのだ、と言っているのです。

「解決のための政治」とは、党（party）による政治となっていき、一元的に集中し、求心力による闘いを展開しようとするものになっていきます。それは「なんじ〜すべき」を確立し教えこもうとする政治です。それに対して、「疑問のための政治」とは、集会（meeting）による政治であり、多元的に分立しながら、遠心力によって闘いを広げ、「われら〜しよう」という協同を醸成していく政治です。「私はこう考えるんだけど、あなたはどう思いますか」と尋ね合うなかで到達されるcommon undertakingから生まれてくる政治なのです。

しかも、この疑問のための政治のミーティングから希望が生まれるとしたら、それは「すべての答えを打ち破ってしまう問いかけ」であって、それこそが「希望の主体」なのだ、とホロウェイは言っています。そして、「私は誰なのか?」という基本的な問いにすぐさま答えてしまえるようなところからは、この「希望なき時代」のなかでの「希望」は出てこないと示唆してさえいます。そのような安易な自己認識をもっているかぎり、現存の社会秩序に根本のところで包摂されてしまうからだというのです。

これを読んで思い出したのは、キェルケゴールの『死に至る病』でした。彼が言う「死に至る病」

とは「絶望」のこと、すなわち「希望なき」状態のことです。そして、その状態から脱するには、絶望している自分から離れてその状態を外から改善して希望をもとうとすることによってではなく、自分自身がその状態を引き受け、自己のありかたを自覚することによってこそ、「死に至る病」治癒の始まりが生まれるのだと言うのです。これは契約の民の祖アブラハムが希望するすべをすべて失ったとき、なお望みを懐きえたのは何によってなのかという問題につながり、ホロウェイが問題にしていることとは位相が異なりますが、希望というものの論理、希望のない状態とはどういうことなのかという点では共通しています。絶望のなかで問われているのは、キェルケゴールの場合は絶対他者としての神との関わりであり神の義に対する自己のスタンスだったのに対し、ホロウェイの場合、他者としての人間たちとの関わりであり人間たちが創る社会の義に対する自己のスタンスだということです。

このように、ホロウェイが説いているのは、資本主義社会に対する自己自身のありかた、われわれ自身のありかたを、自己自身、われわれ自身の内側から自覚できたとき、そこから希望が始まるということなのです。

訳者あとがき

四茂野 修

「〈内〉において〈対抗〉し〈乗り越える〉」をめぐって

本書をここまで読まれた方は、「〈内〉において〈対抗〉し〈乗り越える〉」(in-against-beyond)という言葉が、繰り返し使われているのに気付かれたことでしょう。その数は、優に三〇回を超えています。

この「〈内〉において〈対抗〉し〈乗り越える〉」という言葉について、一〇年も前になりますが、ホロウェイ自身がやや詳しい説明をしたことがあります。それは、二〇一三年四月にアメリカのサンフランシスコで三日間にわたって講演した時のことでした。この「悪の帝国(Evil Empire)」で行われた講演で、ホロウェイはおよそ次のようなことを語っています(1)。

①私たちはこの社会の中に、この社会と対決し、乗り越えつつ、存在している。
②私たちがこの社会の中に存在しているというのは、そこで私たちが生きているからであり、そこで生き残らなければならないからだ。私たちが生活していく道、自分自身を再生産し、愛

(1) Holloway, John: In, Against, and Beyond Capitalism: The San Francisco Lectures (KAIROS) PM Press.

する者たちの面倒を見る道を、そこで見出さなければならないからだ。
③しかし同時に私たちは、この社会に立ち向かう形でも存在している。なぜなら私たちは、これが恐ろしい社会であることを知っており、災難であることを知っているからだ。だから私たちはこの社会の中で、社会と対立して存在している。
④また、私たちは、社会を乗り越えて存在している。なぜなら私たちはいつも、貨幣の論理に従わず、資本家のやり方に従わない人々と結びつこうと努力しているからだ。私たちは何か違うことをしようとし、何か違うものを創造しようとしている。それは資本主義に反対する議論を組織することでもあれば、学生たちに「批判的であれ」と教えようと試みることでもある。それには幾百万ものやり方があり、どんな時にも私たちは、私たちを支配するシステムの論理に亀裂を創り出す。

「なんだ、そういうことだったのか」と思われた方も多いのではないでしょうか。講演を記録したものであるため、必ずしも厳密ではありませんが、理解を深めるヒントが示されていると思います。

この「〈内〉において〈対抗〉し〈乗り越える〉」という言葉には、『権力を取らずに世界を変える』や『革命―資本主義に亀裂を入れる』から引き継がれた、ホロウェイの強い思いが込められているように私には思えます。

私たちはしばしば、「俺は非正規雇用の労働者だ」とか「私は女性だ」「僕は黒人だ」と言ってしまいます。こうして「非正規雇用労働者」「女性」「黒人」といったアイデンティティーにそって物事を考えようとするのです。ところがホロウェイは、叫びから始めます。『権力を取らずに世界を変える』では、クモの巣に捕らえられたハエの叫びから議論を始めたのでした。

本書の冒頭に、ウィリアム・ブレイクの「貯水池は溜め　泉は溢れる」という言葉が掲げられています。私はそこに、様々なアイデンティティーを溜め込んだ末に行き詰るのではなく、不断に水が湧き、溢れ続ける泉のように、「叫びながら立ち向かい、乗り越えて進もう」と呼びかけるホロウェイの声を感じます。

二〇〇五年にブラジルで開かれた「世界社会フォーラム」のある会合でその発言を聞いて以来、丹念にとは行きませんが、今日まで私なりにホロウェイの著作を読み、その歩みを追ってきました。そして読むたびに新たな刺激を受け、考えさせられてきました。

今、国内外を見渡すと、様々な新たな動きが生じています。そんな中、これからも引き続きホロウェイの著作を注視していかなければと思っているところです。私より二歳ほど年上ですが、その鋭い視線、的確な分析に衰えは見えません。本書に続く第四、第五の著作を待ちたいと思います。

参考文献

〔日本語訳があることが確認できた文献については，翻訳書を各項目の末尾の〔　〕内に示しました。〕

Abahlali baseMjondolo. 2021: ‘Dignity is at the Centre of the Politics of Our Movement’, Presentation 27 January 2021. Available at http://abahlali org/node/17219/.

Abahlali baseMjondolo. 2020. ‘Organising in the shadow of death’, Press statement, 7 July 2018. Available at https://abahlali.org/node/16663/.

Adorno, T.W. 1966/1990. *Negative Dialectics*. London: Routledge.〔アドルノ，T. W.［木田元・他 訳］『否定弁証法』作品社，1996年〕

Adorno, T.W. 1951/2005. *Minima Moralia.: Reflections on a Damaged Life*. London: Verso.〔アドルノ，T.W.［三光長治 訳］『ミニア・モラリア』法政大学出版局，新装版 2009年〕

Agnoli, Johannes. 1990/2005. ‘Destruction as the Determination of the Scholar in Miserable Times’, in Bonefeld. 2005. 25-38.

Anta Martínez, Sagrario. 2020. “Terminary Accumulation or the Limits of Capitalism”, in Dinerstein, García Vela, González and Holloway 2020. 95-108.

Aslan, Azize. 2021. *Economía Anticapitalista en Rojava. Las Contradicciones de La Revoluciôn en La Lucha Kurda*. Guadalajara: Cátedra Jorge Alonso.

Baschet Jérôme. 2020. ‘Qu’ est-ce qu ’il nous arrive? Beaucoup de questions et quelques perspectives par temps de coronavirus’, *Lundi AM,* 13 April 2020. https://lundi.am/Ou-est-ce-qu-il-nous-arrive-par-Jerome-Baschet.

Benjamin, Walter. 1974. ‘Anmerkungen zu “Über den Begriff der Geschichte’”, in *Gesammelte Schriften Vol. 1,* 1223-66. Frankfurt: Suhrkampf.〔ベンヤミン，ヴァルター［山口裕之 訳］『ベンヤミン・アンソロジー』河出書房新社，2011年に所収〕

Benjamin, Walter. 1940/1969. ‘Theses on the Philosophy of History’ in *Illuminations,* edited and with an Introduction by Hanna Arendt. New York: Schocken Books. 253-64.〔ベンヤミン，ヴァルター「歴史哲学テーゼ」，［浅井健二郎 編訳］『ベンヤミン・コレクションⅠ　近代の意味』ちくま学芸文

庫，筑摩書房，1995年〕

Blake, William. 1988. *The Complete Poetry and Prose of William Blake,* edited by David V. Erdman, commentary by Harold Bloom. New York: Anchor Books.〔ブレイク，ウイリアム［松島正一 訳］『ブレイク詩集』岩波文庫，岩波書店，2004年〕

Blinder, Alan. 2014. *After the Music Stopped*. New York: Penguin.

Bloch, Ernst. 1936/1991. *Heritage of Our Times*. Cambridge: Polity Press.〔ブロッホ，エルンスト［池田浩士 訳］『この時代の遺産』三一書房，1982年〕

Bloch Ernst. 1959/1985. *The Principle of Hope*. 3 vols. Cambridge, Massachussetts: MIT Press.〔ブロッホ，エルンスト［山下肇・他 訳］『希望の原理』全３巻，白水社，1982年〕

Bloch Ernst. 1959/1993 *Das Prinzip Hoffnung,* 3 vols. Frankfurt: Suhrkamp.

Bloch, Ernst. 1963/1968. *Tübinger Einleitung in die Philosophie*. 2 vols. Frankfurt: Suhrkamp.〔ブロッホ，エルンスト［菅谷規矩雄・他 訳］『テュビンゲン哲学入門』法政大学出版局，1994年〕

Bonefeld, Werner. 1993. *The Recomposition of the British State during the 1980s*. Aldershot: Dartmouth.

Bonefeld, Werner. 1995. 'Monetarism and Crisis' in Bonefeld and Holloway 1995. 35-68.

Bonefeld, Werner. 2020. 'Capital *Par Excellence:* On Money as an obscure thing'. *Estudios de Filosofía,* 62, 33-56. https://doi.org/10.17533/udea ef n62a03.

Bonefeld, Werner, Richard Gum and Kosmas Psychopedis (eds). 1992. *Open Marxism, vol. II. Theory and Practice*. London: Pluto.

Bonefeld Werner, Richard Gunn, John Holloway and Kosmas Psychopedis (eds). 1995. *Open Marxism, vol. III: Emancipating Marx*. London: Pluto.

Bonefeld, Werner and John Holloway (eds). 1995. *Global Capital, National State and the Politics of Money*. London: Macmillan.

Bonefeld, Werner and Kosmas Psychopedis (eds). 2000. *The Politics of Change*. London: Palgrave.

Bonefeld, Werner and Sergio Tischler (eds). 2002. *What is to be Done?*. Aldershot: Ashgate.

Bonnet, Alberto. 2008. *La Hegemonía menemista. El neoconservadurismo en Argentina, 1989-2001*. Buenos Aires: Prometeo.

Bonnet, Alberto. 2009. 'Antagonism and Difference: Negative Dialectics and Poststructuralism in View of the Critique of Modern Capitalism', in Holloway, Matamoros and Tischler 2009. 41-78.

Bonnet Alberto. 2020. 'The Concept of Form in the Critique of Political Economy', in Oliva, Antonio, Ángel Oliva and Iván Novara (eds) 2020. 203-26.

Braunmühl, Claudia von. 1974/1978. 'On the Analysis of the Bourgeois Nation State within the World Market Context', in Holloway, John and Sol Picciotto 1978. 160-77.

Brzezicka, Barbara. 2020. 'The Rabbles, the Peoples and the Crowds: A Lexical Study'. *Images of the Rabble, Praktyka Teoretyczna* 2, no. 36: 15-34.

Buck-Morss, Susan. 2009. *Hegel, Haiti, and Universal History*. Pittsburgh: University of Pittsburgh Press. 〔バック=モース，スーザン［岩崎稔・高橋明史 訳］『ヘーゲルとハイチ：普遍史の可能性にむけて』法政大学出版局，2017年〕

Clare, Nick and Victoria Habermehl. 2016. 'Towards a Theory of "Commonisation"' in Souza, Marcelo Lopes de and Richard J White (eds). 2016. 101-22.

Clarke, Simon. 1988. *Keynesianism, Monetarism and the Crisis of the State*. Aldershot: Edward Elgar.

Cleaver, Harry. 2015. *Rupturing the Dialectic: The Struggle Against Work, Money, and Financialization*. San Francisco: AK Press.

Coggan, Philip. 2012. *Paper Promises. Money, Debt and the New World Order*. London: Penguin. 〔コガン，フィリップ［松本剛史 訳］『紙の約束：マネー，債務，世界秩序』日本経済新聞出版社，2012年〕

Davis, Mike. 2006. *Planet of Slums*. London: Verso.

Dinerstein, Ana Cecilia. 2015. *The Politics of Autonomy in Latin America.: The Art af Organising Hope*. London: Palgrave Macmillan.

Dinerstein. 2020. 'A Critical Theory of Hope: Critical Affirmations beyond Fear', in Dinerstein, García Vela, González and Holloway (eds). 2020. 33-46.

Dinerstein, Ana et al.（eds）. 2020. *Open Marxism IV. Against a Closing World*. London: Pluto Press.

Doulos, Panagiotis. 2020. ‘Crisis, State and Violence: The example of Greece’, in Holloway, Nasioka and Doulos 2020. 118–37.

Dumas, Alexandre. 1850/2003. *The Man in the Iron Mask*. London: Penguin.〔デュマ，アレクサンドル［大佛次郎 訳］『鉄仮面』世界大ロマン全集１，東京創元社，1956年〕

Durán Matute, Inés. 2021. ‘Romper las fronteras del capital, derrumbar los sueños de “desarrollo”. La resistencia de los migrantes *indígenas* en Gran Los Ángeles’. Unpublished paper.

Durán Matute, Inés, and Rocío Moreno. 2021. *La lucha por la vida frente a los megaproyectos en México*. Guadalajara: Cátedra Jorge Alonso.

Durand, Cédric. 2014/2017. *Fictitious Capital*. London: Verso.

Eagleton, Terry. 2015. *Hope without Optimism*. New Haven and London: Yale University Press.〔イーグルトン，テリー［大橋洋一 訳］『希望とは何か：オプティミズムぬきで語る』岩波書店，2022年〕

Engels, Friedrich. 1844/1975. *Outlines of a Critique of Political Economy,* in Karl Marx, Friedrich Engels, *Collected Works*, vol 3. London: Lawrence & Wishart.〔エンゲルス，フリードリヒ［平木恭三郎 訳］『国民経済学批判大綱』マルクス=エンゲルス全集第４巻，大月書店，1959年〕

EZLN Ejército Zapatista de Liberación Nacional. 1994. *La Palabra de los Armados de Verdad y Fuego*, 3 vols. Mexico City: Fuenteovejuna.

EZLN Ejército Zapatista de Liberación Nacional. 1995. ‘Discurso inaugural de la mayor Ana María’. *Chiapas* 3, 101–5.

EZLM Ejército Zapatista de Liberación Nacional. 2015. *El Pensamiento Crítico frente a la Hidra Capitalista*（3 vols）.

EZLM Ejército Zapatista de Liberación Nacional. 2020. *Par la Vida*（6 parts）https://enlacezapatista.ezln.org mx/.

Foran, John. 2018. ‘The Varieties of Hope’. *Resilience.org*, 2 July 2018. https://www.resilience.org/stories/2018-07-02/the-varieties-of-hope/.

Friedman, Milton. 1969/2009. *The Optimum Quantity of Money*. New Brunswick: Transaction.

Gallo, Alberto. 2019. 'Central banks have broken Capitalism'. *Bloomberg,* 25 April 2019. https://www.bloomberg.com/opinion/articles/2019-04-26/capitalism-is-broken-because-of-central-banks.

García Vela, Alfonso. 2020. 'Objectivity and Critical Theory: Debating Open Marxism' in Dinerstein, García Vela, González and Holloway 2020. 47-62.

Geithner, Timothy. 2014. *Stress Test. Reflections on Financial Crises*. London: Penguin Random House.〔ガイトナー，ティモシー［伏見威蕃 訳］『ガイトナー回顧録：金融危機の真相』日本経済新聞出版社，2015年〕

González, Edith. 2020. 'From Revolution to Democracy: The Loss of the Emancipatory Perspective', in Dinerstein, García Vela, González and Holloway (eds), 2020. 155-67.

Graeber, David. 2011. *Debt: The First 5,000 Years*. Brooklyn: Melville House.〔グレーバー，デヴィッド［酒井隆夫 監訳］『負債論：貨幣と暴力の5000年』以文社，2016年〕

Greenspan, Alan. 2008. *The Age of Turbulence*. London: Penguin.〔グリーンスパン，アラン［山岡洋一・高遠裕子 訳］『波乱の時代』上巻・下巻，日本経済新聞出版社，2007年〕

Greider, William. 1987. *Secrets of the Temple. How* the *Federal Reserve runs the Country*. New York: Touchstone.

Gunn, Richard. 1985. 'The Only Real Phoenix: Notes on Apocalyptic and Utopian Thought', *Edinburgh Review* 71, no. 1. Reprinted in Macdonald, Murdo (ed). *Nothing Is Altogether Trivial: An Anthology of Writing from Edinburgh Review*. Edinburgh: Edinburgh University Press. 124-39.

Gunn, Richard. 1987. 'Notes on Class', *Common Sense* no. 2

Gunn, Richard. 1992. 'Against Historical Materialism: Marxism as a First-order Discourse', in Bonefeld, Gunn and Psychopedis 1992. 1-45.

Gunn, Richard and Adrian Wilding. 2020. *Revolutionary Recognition*. London: Bloomsbury Press.

Habermann, Friederike. 2016. *Ecommony. Umcare zum Miteinander*. Rossdorf: Ulrike Helmar Verlag.

Habermann, Friederike. 2018. *Ausgetauscht*. Rossdorf: Ulrike Helmar Verlag.

Hardt, Michael and Colectivo Situaciones. 2007. 'Leer a Macherey', in

Macherey 2007.
Harvey, David. 2003. *The New Imperialism*. Oxford: Oxford University Press.〔ハーヴェイ，デヴィッド〔本橋哲也 訳〕『ニュー・インペリアリズム』青木書店，2005年〕
Hegel, G.W.F. 1807/1977. *Phenomenology of Spirit*, translated by A.V. Miller. London: Oxford University Press.〔ヘーゲル，G. W. F.［長谷川宏 訳］『精神現象学』作品社，1998年〕
Hegel, G.W.F. 1821/1967. *Philosophy of Right*, translated with notes by T.M. Knox. London: Oxford University Press.〔ヘーゲル，G. W. F.［藤野渉・赤澤正敏 訳］『法の哲学』世界の名著35，中央公論社，1971年〕
Hirsch, Joachim. 1974/1978. 'The State Apparatus and Social Reproduction: Elements of a Theory of the Bourgeois State', in Holloway and Picciotto 1978. 57-107.
Hirsch, Joachim 1995. *Der nationale Wettbewerbsstaat. Staat, Demokratie und Politik im globalen Kapitalismus*. 2. Amsterdam/Berlin: Edition ID-Archiv.〔ヒルシュ，ヨアヒム［木原滋哉・中村健吾 訳］『国民的競争国家：グローバル時代の国家とオルタナティブ』ミネルヴァ書房，1998年〕
Hobbes, Thomas. 1651, *Leviathan*, edited and abridged by John Plamenatz. London: Fontana, 1962.〔ホッブズ，トマス［永井道雄 訳］『リヴァイアサン』Ⅰ・Ⅱ，中央公論新社，2009年〕
Holloway, John. 1987/2019a. 'The Red Rose of Nissan', *Capital and Class* 32: 142-64. Also in Holloway. 2019a. 37-65.
Holloway, John. 1995a. 'Global Capital and the National State', in Bonefeld and Holloway 1995. 116-40.
Holloway, John. 1995b/2019. 'The Abyss Opens: The Rise and Fall of Keynesianism', in Bonefeld and Holloway 1995. 7-34. Also in Holloway 2019a. 76-103.
Holloway, John. 1998/2019. 'Dignity's Revolt', in Holloway and Pelaez 1998. 159-98. Also in Holloway 2019a. 114-53.
Holloway, John. 2000. 'Zapata in Wall Street', in Bonefeld and Psychopedis 2000. 173-96.
Holloway, 2002/2019. *Change the World without Taking Power*. London: Pluto

Press.〔ホロウェイ，ジョン［大窪一志・四茂野茂 訳］『権力を取らずに世界を変える』同時代社，2009年〕

Holloway, John. 2010. *Crack Capitalism*. London: Pluto Press.〔ホロウェイ，ジョン［高祖岩三郎・篠原雅武 訳］『革命—資本主義に亀裂をいれる』河出書房新社，2011年〕

Holloway, John. 2015. 'Read Capital: The First Sentence, or *Capital* starts with wealth, not with the commodity', *Historical Materialism* 23, no. 3: 1–24.

Holloway, John. 2017. *La Tormenta:* Crisis, *Deuda, Revolución y Esperanza*. Buenos Aires: Herramienta.

Holloway, John. 2018. *Una Lectura antiidentitaria de* El Capital. Buenos Aires: Herramienta.

Holloway, John. 2019a. *We are the Crisis of Capital. A John Holloway Reader*. Oakland: PM Press.

Holloway, John. 2019b. 'The Grammar of *Capital*: Wealth In-Against-and-Beyond Value', in Matt Vidal, Tony Smith, Tomás Rotta and Paul Prew (eds), *The Oxford Handbook of Karl Marx*. Oxford: Oxford University Press. 231–40.

Holloway, John. 2020. 'Preface' in Abdullah Öcalan, *The Sociology of Freedom*. Oakland: PM Press.

Holloway, John, Panagiotis Doulos and Katerina Nasioka. 2020. *Beyond Crisis. After the Collapse of Institutional Hope in Greece, what?*. Oakland: PM Press.

Holloway, John, Fernando Matamoros and Sergio Tischler. 2009. *Negativity and Revolution. Adorno and Political Activism*. London: Pluto Press.

Holloway, John and Eloína Peláez. 1998. *Zapatista! Reinventing Revolution in Mexico*. London: Pluto Press.

Holloway, John and Sol Picciotto (eds). 1978. *State and Capital: A Marxist Debate*. London: Edward Arnold.

Irwin, Neil. 2013. *The Alchemists. Three Central Bankers and a World on Fire*. London: Penguin.〔アーウィン，ニール［関美和 訳］『マネーの支配者：経済危機に立ち向かう中央銀行総裁たちの闘い』早川書房，2014年〕

Jappe, Anselm. 2011 *Crédito a Muerte*. Logroño: Pepitas de Calabaza.

Keynes, John Maynard. 1936/1961. *The General Theory of Employment,*

Interest and Maney. London: Macmillan.〔ケインズ，ジョン・メイナード［塩野谷九十九 訳］『雇傭・利子および貨幣の一般理論』東洋経済新報社，1974年〕

Keynes, John Maynard（CW）. *The Collected Writings of John Maynard Keynes*（30 vols）, edited by Elizabeth Johnson, Donald Moggridge. Cambridge: Cambridge University Press.

Korsch, Karl, Paul Mattick and Anton Pannekoek. 1978. ¿Derrumbe del Capitalismo o Sujeto Revolucionario? Cuadernos del Pasado y Presente, 78. Mexico City: Siglo XXI.

La Boétie, Étienne. 1548/2002. *Le Díscours de la Servitude volontaire*. Paris: Éditions Payot & Rivages. English translation by Harry Kurz published under the title *Anti-Dictator*. New York: Columbia University Press 1942. Available at http: // www.constitution.org/la_boetie/serv_vol.htm.〔ラ・ボエシ，エティエンヌ・ド［山上浩嗣 訳］『自発的隷従論』ちくま学芸文庫，筑摩書房，2013年〕

Leonard, Christopher. 2022. *The Lords of Easy Money*. New York: Simon and Schuster.

Lenin, Vladimir Illich. 1902/1977. *What is to be Done?* in Lenin, *Collected Works,* vol. 5. Moscow: Progress Publishers. 349–529.〔レーニン，ウラジミール・イリイッチ［村田陽一 訳］『なにをなすべきか？』国民文庫，大月書店，1953年〕

Lipietz, Alain. 1985. *The Enchanted World*. London: Verso.

Lohoff, Ernst and Norbert Trenkle. 2012. *Die grosse Entwertung*. Münster: Unrast.

London Edinburgh Weekend Return Group. 1979/2021. *In and Against the State*. London: Pluto Press.

Lukács, Georg. 1923/1971. 'What is Orthodox Marxism?', in *History and Class Consciousness*. Cambridge, Mass: MIT Press. 1–26.〔ルカーチ，ジェルジ［城塚登・古田光 訳］『歴史と階級意識』ルカーチ著作集第９巻，白水社，1968年（「正統マルクス主義とはなにか」は同書第一章）〕

Luxemburg, Rosa. 1921/1972. *The Accumulation of Capital - an Anti-Critique,* in Luxemburg and Bukharin 1972. 45–150.〔ルクセンブルク，ローザ［長谷部文雄 訳］『資本蓄積論』上・中・下，青木文庫，青木書店，1971年〕

Luxemburg, Rosa and Nikolai Bukharin. 1972. *Imperialism and the Accumulation of Capital*. London: Allen Lane.

Macherey, Pierre. 2007. *Hegel o Spinoza,* Buenos Aires: Tinta Limón.〔マシュレ，ピエール［鈴木一策・桑田禮彰 訳］『ヘーゲルかスピノザか』新評論，1986年（新装版1998年）〕

Mandel, Ernest. 1975. *Late Capitalism*. London: New Left Books.〔マンデル，エルネスト［飯田裕康・的場昭弘 訳］『後期資本主義』１・２，柘植書房，1980・1981年〕

Mann, Geoff. 2017. *In the Long Run we are all Dead: Keynesianism, Political Economy and Revolution*. London: Verso.

Marazzi, Christian. 1995. 'Money in the World Crisis: The New Basis of Capitalist Power', in Bonefeld and Holloway 1995. 69–91.

Marcuse, Herbert. 1964/1968. *One Dimensional Man*. London: Sphere Books.〔マルクーゼ，ヘルベルト［生松敬三 訳］『一次元的人間』河出書房新社，1980年〕

Marx, Karl. 1847/1976. *The Poverty of Philosophy,* in Karl Marx, Friedrich Engels, *Collected Works,* vol. 6. London: Lawrence & Wishart.〔マルクス，カール［平田清明 訳］『哲学の貧困』マルクス=エンゲルス全集第４巻，大月書店，1959年〕

Marx, Karl. 1857/1973. *Grundrisse*, translated with a foreword by Martin Nicolaus. London: Penguin.〔マルクス，カール［高木幸二郎 監訳］『経済学批判要綱』Ⅰ～Ⅴ，大月書店，1958～1965年〕

Marx, Karl. 1867/1965. *Capital,* vol. 1, translated by Edward Aveling and Samuel Moore. Moscow: Progress Publishers.〔マルクス，カール［大内兵衛・細川嘉六 監訳］『資本論』第一巻，マルクス=エンゲルス全集第23巻ａ・ｂ，大月書店，1965年〕

Marx, Karl. 1867/1985. *Das Kapital,* Bd. 1. Berlin: Dietz Verlag.

Marx, Karl. 1867/1990. *Capital,* vol. 1, translated by Ben Fowkes. London: Penguin.

Marx, Karl and Friedrich Engels. 1848/1976. *Manifesto of the Communist Party* in Karl Marx, Friedrich Engels, *Collected Works,* vol. 6. London: Lawrence & Wishart.〔マルクス，カール：エンゲルス，フリードリヒ［マルクス=レー

ニン主義研究所 訳〕『共産党宣言 共産主義の原理』(国民文庫，大月書店，1952年)〕

Matamoros Ponce, Fernando, Christy Petropoulou, Manuel A. Melgarejo Pérez, Dionisis Tzanetatos, Edith González Cruz y Panagiotis Doulos. 2022. *Experiencias de resistencias entre utopías y distopías. Luchas invisibles en tiempos de Pandemia*. Puebla-Lesbos: ICSyH-BUAP and University of the Aegean.

Mattick, Paul. 1934/1978. 'Zur Marxschen Akkumulations- und Zusammenbruchstheorie', *Rätekorrespondenz* 4, reprinted in Spanish in Korsch, Mattick and Pannekoek 1978.

Mattick, Paul. 1978. *Economics, Politics and the Age of Inflation*. London: Merlin.

McNally, David. 2011. *Global Slump: The Economics and Politics of Crisis and Resistance*. Oakland: PM Press.

Mian, Atif, Ludwig Straub, and Amir Sufi. 2021. 'The Saving Glut of the Rich', Harvard. Available online, https://scholar.harvard. edu/straub/publications/saving-glut-rich-and-rise-household-debt.

Monterroso, Augusto. 1959/2019. 'El Dinosaurio' in *Obras completas (y otros cuentos)*. Mexico City: Ediciones Era.〔モンテロッソ，アウグスト［服部彩乃 訳］「恐竜」，『全集—その他の物語』書肆山田，2008年（短編集収録の一篇)〕

More, Thomas. 1516/1965. *Utopia,* translated and introduced by Paul Turner. London: Penguin Books.〔モア，トマス［沼田昭夫 訳］『ユートピア』岩波文庫，岩波書店，1978年〕

Moulier, Yann. 1989. 'Introduction', in Negri 1989. 1–44.

Nasioka, Katerina. 2017. *Ciudades en Insurrección. Oaxaca 2006 / Atenas 2008*. Guadalajara: Cátedra Jorge Alonso.

Negri, Toni. 1968/1988. 'Keynes and the Capitalist Theory of the State Post-1929', in Negri 1988. 5–42.

Negri, Toni. 1988. *Revolution Retrieved. Selected Writings on Marx, Keynes, Capitalist Crisis and New Social Subjects 1967–83*. London: Red Notes.

Negri, Toni. 1989. *The Politics of Subversion*. Cambridge: Polity.

Negri, Toni. 2002. 'Pour une définition ontologique de la multitude', *Multitudes 9*, no: 2. English translation by Arianna Bove: https://www.multitudes.net/Towards-an-Ontological-Definition/.

Negri, Toni and Michael Hardt. 2009. *Commonwealth*. Cambridge: Harvard University Press.〔ネグリ，トニ＆ハート，マイケル［水嶋一憲 監訳］『コモンウェルス：〈帝国〉を超える革命論』上・下，NHKブックス，NHK出版，2012年〕

Nelson, Anitra. 2022. *Beyond Money*. London: Pluto Press.

Oliva, Antonio, Ángel Oliva and Iván Novara (eds). 2020. *Marx and Contemporary Critical Theory: The Philosophy of Real Abstraction*. London: Palgrave Macmillan.

Pascual, Rodrigo. 2022. 'Mercado mundial, imperialismo y derivación del estado en Claudia Von Braunmühl'. Unpublished paper.

Pashukanis, Evgeny. 1924/2002. *The General Theory of Law and Marxism*. New Brunswick: Transaction.〔パシュカーニス，エフゲニー［稲子恒夫 訳］『法の一般理論とマルクス主義』日本評論社，1986年〕

Perelman, Michael. 2011. *The Invisible Handcuffs of Capitalism*. New York: Monthly Review Press.

Postone, Moishe 1996. *Time, Labour, and Social Domination: A Reinterpretation of Marx's Critical Theory*. Cambridge: Cambridge University Press.〔ポストン，モイシェ［白井聡・野尻英一 監訳］『時間・労働・支配：マルクス理論の地平』筑摩書房，2012年〕

Rajan, Raghuram. 2010. *Fault Lines. How Hidden Fractures still Threaten the World Economy*. Princeton: Princeton University Press.〔ラジャン，ラグラム［伏見威蕃・月沢李歌子 訳］『フォールト・ラインズ：「大断層」が金融危機を再び招く』新潮社，2011年〕

Rickards, James. 2016. *The Raad to Ruin*. New York: Penguin.

Rickards, James. 2021. *The New Great Depression*. New York: Portfolio/Penguin.

Roberts, Michael. *The Michael Roberts Blog. Blogging from a Marxist Economist*. https://thenextrecession,wordpress.com/.

Rodríguez, Milena. 2021. *Identidad Territorial: apuestas desde el reconocimiento*

en La Minga Juvenil Nariño. Master's Thesis, Posgrado de Sociología, Instituto de Ciencias Sociales y Humanidades Alfonso Vélez Pliego, Benemérita Universidad Autónoma de Puebla.

Roudinesco, Élisabeth. 2021. *Soi-Même comme un Roi. Essai sur les dérives identitaires*. Paris: Seuil.

Schábel, Mario. 2020. 'Is Open Marxism an Offspring of the Frankfurt School? Subversive Critique as Method', in Dinerstein, García Vela, González and Holloway 2020. 76–91.

Schlesinger, Arthur. 1959. *The Age of Roosevelt: The Coming of the New Deal*. Cambridge, Mass: The Riverside Press.〔シュレジンガー，アーサー［佐々木専三郎 訳］『ローズヴェルトの時代』１～３，ぺりかん社，1962～1966年〕

Scholz, Roswitha. 2000. *Das Geschlecht des Kapitalismus. Feministische Theorie und die postmoderne Metamorphose des Patriarchats*. Bad Honnef: Horlemann.

Schumpeter, Joseph A. 1942/1976. *Capitalism, Socialism and Democracy*. London: Routledge.〔シュムペーター，ジョセフ［中山伊知郎・東畑精一 訳］『資本主義・社会主義・民主主義』東洋経済新報社，1995年〕

Simmel, Georg. 1900/1990. *The Philosophy of Money*. London: Routledge.〔ジンメル，ゲオルク［居安正 訳］『貨幣の哲学』白水社，2016年〕

Sohn-Rethel, Alfred. 1978. *Intellectual and Manual Labour. A Critique of Epistemology*. London: Macmillan.

Solnit, Rebecca. 2004. *Hope in the Dark*. New York: Nation Books.〔ソルニット，レベッカ［井上利男 訳］『暗闇のなかの希望：非暴力からはじまる新しい時代』七つ森書館，2005年〕

Souza, Marcelo Lopes de and Richard J White (eds). 2016. *Theories of Resistance: Anarchism, Geography and the Spirit of Revolt*. London: Rowman and Littlefield.

Stoetzler, Marcel. 2022. 'Doing the Locomotive'. Unpublished paper.

Sutcliffe, Bob. 1983. *Hard Times*. London: Pluto Press.

Tischler, Sergio. 2002. "'Para estos asuntos todos los dioses son iguales": Las Torres Gemelas y los fetiches modernos', *Bajo el Volcán*, no. 4: 37–42.

Tischler, Sergio. 2013. *Revolución y Destotalización*. Guadalajara: Grietas.

Tooze, Adam. 2018. *Crashed: How a Decade of Financial Crises changed the World*. London: Penguin.

Tooze, Adam. 2021. *Shutdown*. London: Allen Lane.

Tronti, Mario. 1963/1979. ‘Lenin in England’, in *Red Notes: Working Class Autonomy and the Crisis*. London: Red Notes. 1-6. Published as ‘A New Type of Political Experiment: Lenin in England’, in Tronti 2019. 65-72.

Tronti, Mario. 1976. ‘Workers and Capital’, in *The Labour Process and Class Strategies,* CSE Pamphlet 1. London Stage 1.

Tronti, Mario. 2019. *Workers and Capital*. London: Verso.

Turner, Adair. 2016. *Between Debt and the Devil. Money, Credit, and Tixing Global Finance*. Princeton: Princeton University Press.〔ターナー，アデア［高遠裕子 訳］『債務，さもなくば悪魔：ヘリコプターマネーは世界を救うか？』日経 BP 社，2016年〕

Vaneigem, Raoul. 2012/2018. *A Letter to my Children and the Children of the World to Come*. Oakland: PM Press.

Vaneigem, Raoul. 2021. *Nada resiste a la alegría de vivir. Libre discurso sobre la libertad soberana*. Colección *Al Faro Zapatista*. http://alfarozapatista.jkopkutik.org/product/liberad-soberana/.

Vonnegut, Kurt. 1963. *Cat's Cradle*. New York: Holt, Rinehart and Winston.〔ヴォネガット，カート［伊藤典夫 訳］『猫のゆりかご』早川書房，2013年〕

Wallace, Rob, Alex Liebman, Luis Fernando Chaves and Rodrick Wallace. 2020. ‘COVID-19 And Circuits of Capital’, *Monthly Review*, 1 May 2020. https://monthlyreview.org/2020/05/01/covid-19-and-circuits-of-capital/.

Warburton, Peter. 1999. *Debt and Delusion*. London: Allen Lane.

Wilding, Adrian. 1995. ‘The Complicity of Posthistory’, in Bonefeld, Gunn, Holloway and Psychopedis (eds). 1995. pp. 140-54.

Wolf, Martin. 2014. The *Shifts and the Shocks*. New York: Penguin.〔ウルフ，マーティン［遠藤喜美 訳］『シフト & ショック：次なる金融危機をいかに防ぐか』早川書房，2015年〕

Žižek, Slavoj. 2018. *The Courage of Hopelessness*. London: Penguin Books.〔シジェク，スラヴォイ［中山徹・鈴木英明 訳］『絶望する勇気：グローバル資本主義・原理主義・ポピュリズム』青土社，2018年〕

著者略歴

ジョン・ホロウェイ

社会学・哲学・政治学者。1947年、アイルランドのダブリンに生まれる。エディンバラ大学に学び、政治学で博士号を取る。同大学教授などを経て、現在はメキシコのプエブラ自治大学社会人文科学研究所教授。メキシコのサパティスタ運動、アルゼンチンのピケテーロス運動などの民衆運動に実践的・理論的に関与し、世界社会フォーラムで活躍。アントニオ・ネグリ、マイケル・ハートと並び称される反権力（アンチパワー）思想家。著書はほかに『増補修訂版　権力を取らずに世界を変える　いま革命の意味するもの』（大窪一志・四茂野修訳、同時代社）、『革命　資本主義に亀裂を入れる』（高祖岩三郎・篠原雅武訳、河出書房新社）、*Zapatista! Rethinking Revolution in Mexico*（『サパティスタ！　メキシコ革命再考』）、*Open Marxism: Emancipating Marx*（『開かれたマルクス主義　マルクスを解放する』）、*Negation*（『否定』）［ともに共著］などがある。

訳者略歴

大窪 一志（おおくぼ・かずし）

1946年神奈川県生まれ。東京大学文学部哲学科卒業。筑摩書房、日本生協連広報室などの編集者を経て著述業。『アナキズムの再生』（にんげん出版）、『「新しい中世」の始まりと日本　融解する近代と日本の再発見』（花伝社）、『素描・1960年代』〔共著〕、『アナ・ボル論争』〔編著〕、グスタフ・ランダウアー『レボルツィオーン　再生の歴史哲学』『懐疑と神秘思想』〔訳〕、クロポトキン『相互扶助再論』〔訳〕、『相互扶助の精神と実践　クロポトキン「相互扶助論」から学ぶ』、『脱近代の自由　いまそこにある自由をつかめ』（以上、同時代社）などの著書・訳書がある。

四茂野 修（よもの・おさむ）

1949年東京都生まれ。東京大学文学部哲学科中退。動労本部に就職して労働運動に従事、JR 東労組、JR 総連役員を歴任。2019年まで国際労働総研理事。著書に『「帝国」に立ち向かう』（五月書房）、『甦れ！　労働組合　「もうひとつの世界」を求めて』（社会評論社）『評伝　松崎明　現実は理論よりも常に大きい』（同時代社）などがある。

希望なき時代の希望

2023年５月30日　初版第１刷発行

著　者　ジョン・ホロウェイ
訳　者　大窪一志・四茂野修
装　幀　クリエイティブ・コンセプト
発行者　川上　隆
発行所　同時代社
〒101-0065　東京都千代田区西神田 2-7-6 川合ビル
電話 03(3261)3149　FAX 03(3261)3237
印　刷　精文堂印刷株式会社

ISBN978-4-88683-945-9